Zanim przekwitną wiśnie

A L Y   C H A

Zanim przekwitną wiśnie

Przełożyła
Ewelina Twardoch

Prószyński i S-ka

Tytuł oryginału
SCHNEE IM APRIL

Projekt okładki
Anna Damasiewicz

Zdjęcie na okładce
© violetblue/Shutterstock.com

Redaktor prowadzący
Grażyna Smosna

Redakcja
Renata Bubrowiecka

Korekta
Agnieszka Ujma

Łamanie
Alicja Rudnik

ISBN 978-83-7839-571-3

Warszawa 2013

Wydawca
Prószyński Media Sp. z o.o.
02-697 Warszawa, ul. Rzymowskiego 28
www.proszynski.pl

Druk i oprawa
OPOLGRAF Spółka Akcyjna
45-085 Opole, ul. Niedziałkowskiego 8-12
www.opolgraf.com.pl

CZĘŚĆ PIERWSZA

1.

Osaka, 13 stycznia 1969 roku

NHK* podało, że drugi poniedziałek roku, który niedawno się rozpoczął, będzie jednym z najchłodniejszych dni tej zimy, chociaż do daikanu** – czasu „wielkiego mrozu" – został jeszcze prawie tydzień. Blade słońce pokazało się nad ranem na niespełna pół godziny, a przez resztę dnia pozostawało ukryte za szarymi chmurami. Ludzie kupowali tego dnia więcej gorących słodkich kartofli i kluseczek takoyaki niż zazwyczaj, choć niektórzy sprzedawcy ze względu na nieoczekiwany mróz musieli skończyć pracę wcześniej. Mimo przenikliwego chłodu tłumy urzędników i sekretarek stały cierpliwie w długich kolejkach, by skosztować ciepłego posiłku.

* NHK (Nippon Hōsō Kyōkai) – publiczny nadawca radiowo-telewizyjny w Japonii (wszystkie przypisy zamieszczone w książce pochodzą od tłumaczki).

** Wszystkie japońskie nazwy, jeśli nie zostały wyjaśnione bezpośrednio w tekście, znajdują się w słowniku na końcu książki.

Burza śnieżna rozpoczęła się wczesnym wieczorem. Ogromne ilości śniegu uderzające o szyby przypominały rozszalałe morskie fale, a lód skrzypiał pod stopami jak sól. Mieszkańcy spieszyli się do swoich domów, by ogrzać się przy kotatsu – małym stoliku otaczającym palenisko. Pili ciepłą herbatę i zastanawiali się, czy następnego dnia będą jeździły autobusy, tak by mogli punktualnie pojawić się w pracy.

Miho i jej sześcioletnia córeczka Yuki wysiadły na dworcu kolejowym w Osace około północy. Jechały tu z Tokio ponad dziesięć godzin, bo Miho nie było stać na podróż drogim pociągiem ekspresowym. Przez cały ten czas nie zjadły nic poza kluskami ryżowymi z umeboshi, trudno więc było się dziwić, że dziewczynka była naprawdę głodna.

– Mamo, mamo! – Yuki pociągnęła matkę za rękę, gdy mijały kiosk, którego stary właściciel wkładał właśnie pakunki na aluminiowe tacki. – Czy mogę dostać coś do jedzenia?

Miho przyspieszyła jeszcze kroku, nie zwracając uwagi na błagania córki.

– Nie teraz. Dostaniesz coś, gdy będziemy już u babci.

– Ale skąd wiesz, że babcia będzie miała coś do jedzenia? – rozżalona dziewczynka spojrzała na matkę.

– Na pewno ma – powiedziała Miho niezbyt przekonująco, idąc dalej w kierunku wyjścia.

Yuki nie poszła za matką. Stanęła i patrzyła na starego mężczyznę, który właśnie zdejmował z lady pakowane razem frytki i kalmary. Na tekturowych pudełkach były naklejone komiksowe obrazki z uśmiechniętą kałamarnicą, która na czole miała przewiązaną piracką opaskę. Yuki się zastanawiała, dlaczego kałamarnica jest uśmiechnięta, skoro przerobiono ją na rybną potrawkę, i czemu nosi opaskę, jakby była prawdziwym piratem.

– Yuki, chodź natychmiast! – zawołała Miho.

Yuki oderwała wzrok od niebieskiej kałamarnicy i spojrzała na matkę oddaloną od niej o kilka metrów.

– Powiedziałam ci, że babcia da ci wszystko, czego tylko będziesz chciała. U niej jemy. A teraz chodź już, bo musimy złapać autobus!

Yuki wiedziała, że matka jest mocno podenerwowana, mimo to wciąż wierciła jej dziurę w brzuchu:

– Babcia da mi wszystko, czego tylko zechcę? Naprawdę?

– Tak, naprawdę! – powiedziała Miho, patrząc w stronę osób czekających na autobus.

– Nawet kuleczki ryżowe ze słodką czerwoną fasolą?

– Tak, nawet to. Chodź już! – krzyknęła Miho wyraźnie zirytowana i natychmiast przygryzła wargi. Jej wściekły głos rozniósł się echem po całej hali dworcowej. Wciąż stała kilka metrów od Yuki i w obu rękach trzymała ogromną walizkę, tak ciężką, że bardzo trudno było jej zawrócić po córkę.

– A skąd właściwie możesz to wiedzieć?! – krzyknęła Yuki niepocieszona, że matka tak łatwo dała za wygraną.

– Yuki, musimy złapać autobus. Zostawię cię tu samą, jeśli natychmiast nie przyjdziesz.

Dziewczynka wiedziała, że tym razem musi posłuchać matki, bo ta za chwilę wpadnie w prawdziwą wściekłość.

Niepewnie podbiegła więc do niej, mając nadzieję, że gdy będą już u babci, faktycznie dostanie upragnione mochi z czerwoną fasolą.

Handlarz zamknął stoisko, a one wyszły na zaśnieżoną ulicę i dołączyły do tłumu ludzi czekających na przystanku, którzy byli nie mniej pochmurni od dzisiejszej pogody. Po chwili udało im się wsiąść do ostatniego autobusu, który jechał do dzielnicy Airin.

– A babcia wie, że mochi nadziewane słodką czerwoną fasolą to moje ulubione danie? – pytała dalej Yuki, gdy tylko znalazły wolne miejsca w samym środku autobusu cuchnącego rybami i benzyną.

Miho przytaknęła, nie patrząc na dziewczynkę.

– A skąd ona to wie? Powiedziałaś jej? – Yuki potarła nosem o twarz matki.

Miho spojrzała na małą z rezygnacją i zamknęła oczy, chcąc uniknąć dalszych pytań.

– Mamo – marudziła Yuki i szarpała Miho za rękaw. – Kiedy będziemy u babci? Jestem taka głodna!

Z głębokim westchnieniem Miho spojrzała na córkę.

– Zamknij po prostu oczy i pośpij przez chwilę. Obudzę cię, gdy będziemy na miejscu – powiedziała. Jej głos był bardzo słaby, niemalże smutny i nie było już w nim śladu wcześniejszej wściekłości.

Gdy autobus ruszył, dziewczynka rzeczywiście zamknęła oczy, podobnie jak pozostali pasażerowie. Sen był nie tylko najlepszym lekarstwem na zmęczenie, ale pomagał też zapomnieć o głodzie, a Yuki posiadała cudowną umiejętność natychmiastowego zasypiania w każdym miejscu i o każdej porze. Drzemała teraz z głową położoną na piersiach matki, a Miho patrzyła na jej śpiącą twarz. Spierzchnięte wargi dziewczynki były lekko rozchylone, a powieki poruszały się zgodnie z rytmem jej głębokich oddechów. Kołysały się obie to do przodu, to do tyłu, gdy poirytowany kierowca gwałtownie hamował albo zbyt mocno wchodził w zakręt. Czuła, jak silnik pojazdu wibruje pod jej stopami, robiąc przy tym dużo hałasu, położyła więc dłoń na uchu córki, żeby głośne dźwięki nie obudziły małej, i wyjrzała przez okno. Nabrzmiałe żyły i utrwalone blizny miasta pokrył upiorny śniegowy welon. Po chwili też zamknęła oczy.

Na przystanku, na którym wysiadły, nie było nikogo. Jedynie groźny, zimny wiatr dotrzymywał im towarzystwa. Miho spostrzegła, że okolica, którą opuściła niemalże dwadzieścia lat temu, w przeciwieństwie do centrum Osaki nie zmieniła się prawie wcale. W pobliżu przystanku postawiono kilka nowych betonowych budynków, w których znajdowały się sklepy, ale nie uczyniło to przyjemniejszym obrazu, jaki Miho zachowała w pamięci. W portowych miastach życie w sposób szczególny ujawnia swoje szorstkie oblicze. Mieszkańcy tutejszej dzielnicy pochodzą z różnych warstw społecznych, ale Miho pamiętała jedynie nieokrzesanych, wiecznie pijanych mężczyzn i ich ciężko pracujące kobiety oraz dzieci, które, jeśli nie miały wystarczająco dużo inteligencji, odwagi albo szczęścia, by przerwać ten zaklęty krąg, kończyły tak jak ich rodzice. Rodzinne kłótnie miały tu często bardzo dramatyczny przebieg i niemalże zawsze odbywały się przy udziale publiczności. Tutejsi ludzie byli szczególnie wyczuleni na wszelkie sąsiedzkie niesnaski, bo dramatyczne przeżycia innych były jedyną rozrywką, która ubarwiała im szarą codzienność. Tej nocy jednakże lodowaty wiatr zatarł wszystkie ślady rozgrywających się tu tragedii. Ulice były zupełnie puste, a na ciemnoszarym niebie widniał jedynie sierp malejącego księżyca.

Miho rozejrzała się uważnie dookoła, ale nie spostrzegła żadnego pijanego mężczyzny, który by w swoim tanim garniturze z poliestru sikał na słup telefoniczny albo wymiotował na ulicy. Nie było też ani jednego szalonego starca krzyczącego na tłumy przechodniów istniejące jedynie w jego wyobraźni. Zniknął nawet uciążliwy i zawsze tu obecny zapach moczu.

Poprowadziła Yuki krętymi uliczkami, na których domy stały tak blisko siebie, jakby chciały się wzajemnie chronić przed zewsząd wiejącym wiatrem. Wiele z tych drewnianych butwiało od wilgoci, przypominając spróchniałe zęby, które w końcu wypadną i zostawią w dziąsłach krwawe zagłębienia.

Miho zrobiło się słabo. Wspomnienia z wielu lat, jakie tu przeżyła, wypełzły nagle spod jej obcasów niczym pnącza trującego bluszczu. W wielkim pośpiechu mijała sznury zniszczonych domów i choć wiatr bezlitośnie bił ją po twarzy, ona uparcie szła naprzód, nie sprawdzając nawet, czy Yuki – senna i zdrętwiała z zimna – jest w stanie za nią nadążyć.

Cierpiąca z głodu dziewczynka, owinięta w kilka warstw ubrań, czapkę i szalik, wlokła się w gumowych bucikach ostatkiem sił za matką, zostawiając w śniegu maleńkie ślady. Droga, pokryta grubą warstwą śniegu i prowadząca cały czas pod górę, była ponad jej siły.

Gdy Miho wreszcie się odwróciła w jej stronę, zobaczyła, że mała została daleko w tyle. Podbiegła więc do niej i szarpiąc za ramiona, powiedziała:

– Nie zasypiaj, Yuki, jesteśmy prawie na miejscu.

Dziewczynka spojrzała na matkę. Neonowe światło latarni podkreśliło jej ostre rysy i uwydatniło jej kości policzkowe. W tym zimnym świetle Miho wyglądała tak, jakby była martwa. Przez moment Yuki wydawało się, że z tymi zapadniętymi oczami upodobniła się do pewnej smutnej wdowy, którą dziewczynka widziała w telewizji. Ale sama też była zupełnie bez życia. Patrzyła zrozpaczona na niekończącą się ulicę i zaczęła skomleć jak chore szczenię:

– Mamusiu, jestem taka zmęczona... Nie dam rady iść dalej.

– Jesteśmy już prawie na miejscu – powtórzyła Miho, nie zważając na jej błagalny ton. Wzięła Yuki za rękę i pociągnęła za sobą.

– Przecież już raz to mówiłaś – dziewczynka wyrwała się jej. Jej głos był ochrypły z wyczerpania. Niewiele brakowało, by wybuchła płaczem. – Mamusiu, jak daleko mamy jeszcze iść?

– Tylko do końca ulicy. To ten dom przed nami. Widzisz światło w oknie? – Miho wyciągnęła rękę przed siebie.

Yuki podążyła wzrokiem za palcami matki, skrytymi w skórzanej rękawiczce. W oknie brązowego drewnianego

13

domu zobaczyła słabe światło. Był to jedyny dom na całej ulicy, w którym ktoś jeszcze nie spał.

– Mamo, proszę, weź mnie na barana! – prosiła Yuki, ośmielona łagodniejszym tonem matki. – Jestem taka zmęczona! – dodała i tupnęła nogą.

– Przestań zachowywać się jak dziecko! – głos matki znów był surowy. – Natychmiast zacznij iść! – rozkazała, a na jej ustach można dostrzec jeszcze było ślady szminki w ceglastym kolorze.

Między jej brwiami pojawiła się głęboka bruzda, a smutne oczy spojrzały w górę ulicy, by uniknąć błagalnego wzroku Yuki. Dziewczynka doskonale wiedziała, że gdy twarz matki staje się tak posępna, pod żadnym pozorem nie powinna jej denerwować. Czuła, że jeśli dalej będzie marudzić, dostanie od matki porządne lanie.

– Nienawidzę tyle chodzić, zwłaszcza gdy jest tak zimno – zamruczała więc zamiast tego do siebie i spojrzała ukradkiem na twarz matki. – Chciałabym umieć latać tak jak ta pani w telewizji.

Po raz pierwszy w tym dniu Miho lekko się uśmiechnęła. Dziecinne marzenie Yuki wygładziło bruzdę na jej czole, a jej złość stopniała jak śnieg na wiosnę. Spojrzała w dół, ale nie na Yuki, tylko na swoje przemoczone skórzane buty. Jej długie rzęsy rzuciły niewyraźny cień na policzki, a w kącikach oczu przez krótką chwilę błysnęła radość. Ta drobna zmiana w wyrazie jej twarzy nie umknęła uwagi już nieco rozbudzonej dziewczynki. Mała znała ten jej rozczulony wzrok i wiedziała, że pojawiła się wyraźna szansa na to, że matka jednak weźmie ją na barana. Postanowiła więc mówić dalej o kobiecie, która latała dzięki swojemu parasolowi, a swoją opowieść zakończyła wyrazistym westchnieniem. I tak jak się spodziewała, Miho postawiła walizkę, ugięła kolana i odwróciła się do Yuki plecami, by dziewczynka mogła się na nie wdrapać.

– To jest ostatni raz – powiedziała. – Nie jesteś już przecież dzieckiem. Lepiej szybko naucz się latać, skoro nie lubisz chodzić – szorstkość głosu Miho zupełnie nie współgrała z jej matczynym gestem.

Yuki w ogóle się tym nie przejęła. Znała gwałtowny temperament Miho i była przyzwyczajona do jej chłodnego tonu głosu. Wiedziała jednak również, że matka z miłością weźmie ją w ramiona i ucałuje, gdy będzie zasypiać albo robić cokolwiek innego. „Dlaczego nie mogłaś urodzić się w zupełnie normalnej rodzinie jak wszyscy inni?" – pytała często dziewczynkę, gdy była pijana albo wpadała w melancholijny nastrój, jakby to Yuki tak wybrała. „Przykro mi, że nie jestem dobrą matką. Ale kocham cię bardziej niż cokolwiek innego na tym świecie. Jesteś jedynym dobrem, jakie przytrafiło mi się w życiu". A Yuki wiedziała, że matka mówi prawdę. Zawsze tak mówiła, gdy była pijana.

Szybko więc wspięła się teraz na plecy matki, bojąc się, by Miho nie zmieniła zdania. Podziękowała niemalże automatycznie i położyła głowę na jej szerokim futrzanym kołnierzu. Poczuła jego zapach. Jak wszystkie rzeczy Miho płaszcz pachniał naftaliną i farbą do drewna. To była dobrze jej znana woń starej szafy, która mieściła cały ich wspólny dobytek. Yuki chowała się do niej zawsze, gdy matka była tak pijana, że traciła kontrolę i – szlochając

– mówiła rzeczy, których dziewczynka nie mogła rozumieć. Siedziała później w ciemności między ubraniami matki i kocami, patrząc przez szparę w drzwiach i wdychając zapach naftaliny oraz farby dopóty, dopóki płacząca cicho Miho nie zasnęła.

– Mamo... Nauczę się latać, żeby... – Yuki zasypiała zawsze, zanim zdążyła dokończyć to zdanie.

Miho podniosła się z trudem. W jednej ręce dźwigała walizkę, drugą podtrzymywała Yuki siedzącą na jej plecach. Zimny podmuch wiatru uderzył w nią tak mocno, że się zachwiała. Szybko jednak złapała równowagę i głęboko zaczerpnęła powietrza. Poczuła w nosie przeszywające zimno, a następnie dotkliwe ukłucie na wysokości czoła. Zaczęła ogarniać ją senność. Kolana stały się miękkie, stopy zdrętwiały z zimna. Przesunęła nieco Yuki, by było jej wygodniej ją nieść, i zaczęła iść w stronę jasnego okna na końcu ulicy. Było tak cicho, jak musi być na dnie oceanu. Jedyne odgłosy wydawał wiejący wiatr i zlodowaciały śnieg, który skrzypiał pod jej stopami.

Miho postawiła walizkę i wpatrywała się w okna shoji pokryte pożółkłym ryżowym papierem. Z dachu domu Asako zwisały sople lodu przypominające pazury przerażających bestii. Miho raz jeszcze spojrzała w okno i wstrzymała oddech, bojąc się, że Asako może ją usłyszeć. Z domu dobiegł właśnie dźwięk szczekającego kaszlu jej matki. Zawahała się przez chwilę, czy w ogóle powinna ujawnić jej ich obecność, i odwróciła się do śpiącej Yuki, która wydawała się jej teraz cięższa niż kiedykolwiek. Nie mogła sobie przypomnieć, kiedy ostatni raz nosiła ją na barana. Pełna poczucia winy potarła policzek dziewczynki, który wystawał spod jej ogromnej wełnianej czapki, i znów spojrzała w okno. Wykorzystując całą odwagę, jaką w sobie znalazła, zapukała trzykrotnie w wyblakłe drewniane drzwi. Pukanie jednak zagłuszyły gwałtowne wycie wiatru i kaszel Asako. Zaczęła więc uderzać w drzwi pięściami, by matka ją usłyszała.

– Tu Miho, otwórz, proszę – powiedziała w końcu.

Jej głos brzmiał jak szept w porównaniu z gwizdem wiatru, ale kaszel Asako ustał natychmiast.

Minęło zaledwie kilka sekund, gdy kobieta otworzyła drzwi, lecz Miho wydawały się one wiecznością. Nerwowo przestępowała z nogi na nogę, zanim ujrzała przed sobą matkę, której tak długo nie widziała. Ich oczy spotkały się w przyćmionym świetle ulicy. Wiatr z ogromną siłą rozcinał dzielącą je przestrzeń. Miho pochyliła głowę tak, że nie można było poznać, czy grzecznie się ukłoniła, czy w zawstydzeniu jedynie ją opuściła, i spojrzała na szerokie spodnie matki, a potem na szwy i popękane guziki jej kurtki w kolorze mysiej szarości, aż zatrzymała wzrok na jej rękach złożonych na brzuchu. Gdy Asako podeszła bliżej, Miho odsunęła się kilka kroków. Na widok córki do oczu Asako napłynęły łzy, a jej podbródek zaczął drżeć. Miho była bardzo młodą dziewczyną, kiedy przed wieloma laty odeszła z domu. Tymczasem stała przed nią ponadtrzydziestoletnia kobieta, wyglądająca na starszą niż w rzeczywistości była. Poza tym na plecach niosła śpiące dziecko. Zapewne swoją córkę.

Asako chciała się z nimi przywitać, ale nie pozwolił jej na to gwałtowny atak kaszlu. Otworzyła więc szerzej drzwi i zasłoniła ręką usta. Gdy kaszel ustał, chciała podnieść walizkę Miho z podłogi.

– Nie, proszę, zostaw to – rzuciła córka, następnie wyrwała matce bagaż z ręki.

Asako chciała coś powiedzieć, ale nie potrafiła wydusić z siebie słowa. Głośne okrzyki wiatru wypełniły krótką chwilę ciszy.

– Muszę iść – oznajmiła Miho, kierując wzrok na stare, pozszywane sandały Asako.

Asako wyciągnęła rękę w kierunku córki, ale ta szybko się cofnęła.

– Potrzebuję twojej pomocy – powiedziała i odwróciła głowę, by uniknąć ponownego kontaktu wzrokowego z matką. – Proszę, nie pytaj mnie o nic. Muszę iść.

– Miho, co się dzieje? Gdzie chcesz iść o tej porze? Proszę, wejdź do środka. Nie mogę tak po prostu pozwolić ci odejść – błagała Asako, ocierając łzy.

– Nie mogę – powiedziała Miho głosem zimnym jak lód.

– Proszę, Miho... Jeśli nie chcesz tu być, to trudno, ale zostań przynajmniej na dzisiejszą noc. Proszę!

Miho pokręciła głową. Asako znów miała atak, więc Miho musiała poczekać, aż kaszel ustanie.

– Nie mogę teraz zostać. Bardzo potrzebuję twojej pomocy, więc proszę, pomóż mi i nie pytaj o nic. Wyjaśnię ci wszystko później. – Głos Miho łamał się przy końcu każdego wypowiadanego przez nią zdania, jakby zaprzeczając kłamstwom, które mówiła.

Asako złapała oddech.

– Miho, wejdź przynajmniej do domu. Możemy porozmawiać w środku. I dziecko…

– Nie wejdę do tego domu – powiedziała Miho – ale
ją muszę tu na jakiś czas zostawić. Wrócę za jakiś czas…
za kilka miesięcy, tak myślę… Proszę.

Starając się nie obudzić Yuki, ostrożnie przekazała ją
matce. Wciąż unikała jej wzroku, jakby bała się, że zamieni
się w kamień, gdy ich oczy znów się spotkają.

Asako wzięła wnuczkę na ręce i przypatrywała się jej
jak matka swojemu nowo narodzonemu dziecku. Miho
jednak odebrała dziewczynkę i włożyła ją matce na plecy. Nie chciała, by Asako przyglądała się małej w jej
obecności.

– Ma na imię Yuki – powiedziała.

– Yuki – powtórzyła wolno Asako i poczuła ciepło dziewczynki na swoich plecach.

– Ma sześć lat – dodała Miho, uważając, by jej głos nie
nabrał przepraszającego tonu. – Nie będzie ci przeszkadzać. Lubi bawić się sama i jest zawsze… – przerwała
w połowie zdania, jakby chciała powiedzieć „właściwie to
nie ma znaczenia".

Gwałtownie podniosła walizkę i bez pożegnania odwróciła się w stronę ulicy.

– Miho, proszę, wejdź do domu choć na chwilę – Asako
zaczęła błagać drżącym z rozpaczy głosem, gdy zobaczyła,
że córka rzeczywiście zamierza odejść.

Miho się zatrzymała, ale nie spojrzała w stronę matki.
Jak skamieniała czekała na to, co powie Asako.

– Jadłaś coś?... – usłyszała.

Miho wpatrywała się w pustą ulicę. Jej oczy napełniły się łzami. Płatki śniegu tańczyły na wietrze, a w świetle latarni błyszczały niczym perłowy pył. Za zasłoną łez ulica wyglądała, jakby istniała we śnie.

– Nie jestem głodna – powiedziała po chwili. – Ale proszę cię, gdy Yuki się obudzi, daj jej coś do jedzenia. Z pewnością tego potrzebuje.

Gorące łzy spływały jej po policzkach i wargach. Zlizała językiem słone krople i odchrząknąwszy, dodała:

– Nie wzięłam dla niej żadnych ubrań. Proszę, kup jej coś. Pieniądze wyślę ci później.

Zaczęła iść przed siebie.

– Miho, proszę, wróć! Błagam cię, wróć! – krzyczała Asako w stronę ulicy.

Więcej nie udało się jej powiedzieć, bo znów miała atak kaszlu. Robiła wszystko, co mogła, by go stłumić, żeby nie obudzić dziewczynki, która poruszyła lekko głową i cicho jęknęła, jakby miała zły sen. Spała jednak dalej.

Jak morderczyni, która w pośpiechu opuszcza miejsce zbrodni, Miho niemalże pobiegła na róg ulicy. Asako śledziła ją wzrokiem emerytowanego policjanta, który nie może już polować na podejrzanych. Patrzyła w pustą przestrzeń zanurzoną w ciemności w nadziei, że jeszcze raz ją w niej zobaczy, choć dobrze wiedziała, że córka już nie wróci. Zrozpaczona, z oczami pełnymi łez zamknęła drzwi wejściowe. Rdzewiejące zawiasy zatrzeszczały, a następnie wydały z siebie długi, przenikliwy jęk. Z pochyloną głową i śpiącą Yuki na plecach Asako weszła do domu.

Miho skręciła za róg, ale nie była w stanie iść dalej. Wciąż czuła na sobie szpiegowski wzrok zdesperowanej matki. Nie mogła złapać oddechu ani poruszyć stopami. Oparła się o mur i osunęła na ziemię. Wiatr szalejący w zaułku sprawił, że usłyszała odgłosy niepewnych kroków matki i przeciągły pisk zamykanych drzwi. Schowała głowę między kolanami i płakała. Kilka chwil później się zorientowała, że znów znalazła się pod domem swojej matki, choć nie miała pojęcia, jak to się stało. Stała przed drzwiami i patrzyła w okno, wsłuchując się w ciche bicie swojego serca, aż ponownie dobiegł ją suchy kaszel Asako.

Nagle wiatr znów przybrał na sile, a jego gwałtowne podmuchy skierowały się ku Miho, uderzając ją w twarz, a następnie przypierając do ściany. Przerażona uciekła na ulicę. Latarnie oświetlały jej twarz, jakby była zbrodniarką uchylającą się przed sądem, w którym miano orzec, czy jest winna, czy nie.

2.

Asako położyła Yuki na futonie tak ostrożnie, jakby dziewczynka była porcelanową lalką. Wsunęła jej pod głowę poduszkę wypełnioną gryką i powoli zaczęła zdejmować z niej ubrania tak, by jej nie obudzić. Nie było łatwo ściągnąć jej watowanej kurtki, która poprzedniej zimy zapewne leżała na niej bardzo dobrze, ale teraz była ewidentnie za mała. Pod kilkoma warstwami ubrań Yuki miała ciepłą bieliznę, poprzecieraną na rękawach i dziurawą w kolanach. Asako usiadła obok swojej wnuczki, o której istnieniu właśnie się dowiedziała, i próbowała ustalić, jaki mógł być prawdziwy powód wizyty Miho. Straciła swoją córkę wiele lat temu, ale wiedziała, że niezależnie od tego, jak było to dla niej bolesne, teraz będzie musiała zapomnieć o przeszłości, pogrzebać ją na zawsze. Nie mogła sobie jednak wybaczyć, że jej nie zatrzymała. Pocieszała się zapewnieniami córki, że wróci za kilka miesięcy. Musiała wrócić, żeby zobaczyć Yuki. Tylko gdzie poszła w takie zimno i o tak późnej porze?

Wiatr szarpał framugami okien, jakby karcił Asako za jej rozpacz, jej nieszczęśliwe życie, za całe jej jestestwo.

Westchnęła z rezygnacją i popatrzyła na śpiącą Yuki. Była zdumiona ogromnym podobieństwem wnuczki do jej córki – brzoskwiniowa cera, spiczasty podbródek, mały nos, grube brwi i bardzo długie rzęsy. Yuki miała nawet takie same silne palce i krótkie płaskie paznokcie jak Miho. Asako okryła dziewczynkę kołdrą aż po samą szyję i odgarnęła jej włosy z twarzy. Na ustach kobiety na chwilę pojawił się smutny uśmiech, ale gdy silniejszy podmuch wiatru przypomniał jej o Miho, natychmiast znów spochmurniała. Nie mogła znieść myśli, że jej córka błąka się gdzieś sama w tak straszną pogodę.

Postanowiła więc wrócić do pracy, bo tylko ona dawała jej schronienie przed natłokiem myśli. Wciąż nieco roz-targniona zaczęła kręcić kamiennym młynkiem. Żaden inny wytwórca tofu go już nie używał, ale Asako wkładała namoczoną soję przez otwór w górnym kamieniu, a potem wprawiała młynek w ruch za pomocą korbki. Gdy fasolki były miażdżone, urządzenie wydawało dziwne dźwięki, przypominające burczenie, a spomiędzy kamieni niczym lawa wypływała sojowa pasta. Asako zabierała ją do kuchni i wypełniała nią skrzynki, czekając, aż uzyska odpowiednią konsystencję, a potem kroiła w zgrabne sześciany, które sprzedawała z samego rana. Inni wytwórcy tofu oferowali swoje wyroby wczesnym rankiem, zanim gospodynie do-mowe zaczynały przyrządzać śniadanie dla domowników. Budzili je, dzwoniąc do kolejnych drzwi. Ale Asako nie musiała chodzić po domach. Większość jej tofu kupowały starsze panie do swoich restauracji i sklepów, dlatego musiała tylko przynieść towar w te miejsca tuż przed ich otwarciem. W ten sposób zarabiała na życie.

Tej nocy Asako co chwilę miała atak kaszlu. Za każdym razem przykładała do ust chusteczkę, żeby hałas nie obudził Yuki. Ilekroć spoglądała na dziewczynkę, myślała o Miho, która również jako dziecko spała koło niej, gdy ona całą noc robiła tofu. W czasie wojny z powodu ciągłych awarii prądu cały proces odbywał się często w całkowitej ciemności. I chociaż teraz Asako nadal martwiła się o córkę, praca sprawiła, że poczuła się spokojniejsza. Gdy w skupieniu pocierała o siebie dwa kamienie niczym buddyjski mnich, który przesuwa kciukiem kolejne paciorki różańca, zapominała o swoich troskach i złych wspomnieniach. Melodia pracującego młynka wyciszała jej duszę, a powtarzające się ruchy nadawały jej życiu właściwy kierunek. Gdy cała soja została zmielona i po raz kolejny miało narodzić się najsmaczniejsze tofu w Osace, Asako ocknęła się ze swojego letargu.

Około czwartej nad ranem Yuki obudziły głośne wycie wiatru i nieznośny głód. Nie całkiem jeszcze przytomna dziewczynka usiadła i zaczęła się rozglądać. Znajdowała się w skromnie urządzonym pokoju wyłożonym tatami, z dużą szafą i kamiennym młynkiem stojącym na bawełnianej serwecie. Cienka warstwa pasty sojowej, widoczna na brzegu młynka, wypełniała pokój gorzkawym, orzechowym zapachem. Yuki spojrzała na stary kalendarz ze zdjęciem Złotego Pawilonu w Kioto, wiszący w tokonomie. Myślała, że wciąż śni, aż do momentu gdy Asako otworzyła rozsuwane drzwi.

– Obudziłaś się – powiedziała kobieta ze skrzynkami pełnymi świeżego tofu w rękach.

Yuki nie zaczęła płaczliwie wołać mamy, jak zapewne zrobiłaby większość sześciolatek obudzonych w obcym im miejscu, nawet się nie poruszyła. Patrzyła tylko w milczeniu, jak Asako wnosi do pokoju kolejne skrzynki. Jedynie jej maleńka klatka piersiowa unosiła się i opadała w rytm oddechu. Koszulka odsłaniała jej chude ramiona, na które opadały splątane włosy.

– Dawno się obudziłaś? – spytała Asako, stawiając na podłodze ciężki pojemnik z tofu. – Jesteś głodna? – uśmiechnęła się. Jej twarz błyszczała od potu.

Yuki przytaknęła.

– Poczekaj więc chwilę, dam ci tofu.

Asako szybko zamknęła za sobą drzwi, żeby zimne powietrze nie dostało się do środka.

– Gdzie jest mama? – zapytała w końcu Yuki. Jej głos był tak słaby jak bzyczenie komarów o poranku.

Asako nie odpowiedziała. Zamiast tego podniosła drewniane wieko na jednej ze skrzyń i odwinęła gazę, w którą był zawinięty ser. Jego ciepła woń rozprzestrzeniła się po pokoju.

– Czy mama już poszła? – zapytała Yuki tym razem nieco głośniej.

Asako przytaknęła i zrobiła długie cięcie w masie o kolorze kości słoniowej. Nóż kuchenny miał sczerniałe ostrze, ale Asako posługiwała się nim bardzo wprawnie, całkowicie skupiona na tej prostej czynności.

– Czy powiedziała, kiedy po mnie przyjdzie? – ciągnęła Yuki, jak zahipnotyzowana podążając spojrzeniem za linią noża.

Ale Asako nie odpowiedziała. Cięła tylko dalej tofu, uważając, żeby linie były idealnie proste. Przy każdym jej ruchu zapach sera stawał się wyrazistszy, tak że głodna Yuki co chwilę przełykała ślinę.

– Mama powiedziała, że wróci, gdy nadejdzie wiosna – sama odpowiedziała na swoje pytanie, nie odrywając wzroku od tofu.

Asako przestała ciąć twaróg i spojrzała na Yuki.

– Tak powiedziała – powtórzyła dziewczynka.

Kobieta bez słowa położyła kawałek sera na talerzu, posypała go wiórkami kokosowymi i razem z pałeczkami podała Yuki. Mała prawie wyrwała jej talerz z ręki i łapczywie włożyła tofu do ust. Jak na wpół zagłodzony pies połykała kawałek za kawałkiem prawie bez gryzienia.

– Poczekaj – powiedziała Asako i podała jej porcelanowy dzbanuszek.

Yuki zjadła jeszcze jeden duży kawałek i zrobiła sobie chwilę przerwy. Nalała trochę sosu na talerz, a następnie rozdrobniła tofu, mocząc je w brązowej cieczy, aż zupełnie nią nasiąkło.

– Powoli. Możesz zjeść tyle tofu, ile tylko będziesz chciała – powiedziała Asako i dosypała jej wiórków na talerz.

– Co to jest? – spytała dziewczynka z pełnymi ustami i wskazała kamienne urządzenie.

– To jest młynek, w którym ścieram soję potrzebną do zrobienia tofu.

– Aha – pokiwała głową Yuki. – Jeszcze nigdy tego nie widziałam.

– Jesteś za mała, by wiedzieć, co to jest. Zresztą dzisiaj właściwie się ich już nie używa – wyjaśniła Asako.

– Dlaczego nie?

– Bo są maszyny, które mielą soję.

– A dlaczego ty takiej nie używasz?

– Bo tofu z niej nie jest tak dobre – uśmiechnęła się Asako.

– Dlaczego?

– Po prostu smakuje inaczej.

– Ale maszyny są szybsze.

– Tylko że szybciej nie zawsze oznacza lepiej. Niektóre rzeczy są lepsze, gdy robi się je wolno.

Yuki znów pokiwała głową.

– Ale przez to musisz cały czas pracować, prawda? Gdybyś używała maszyn, mogłabyś swoją pracę wykonać sto razy szybciej!

– Maszyny może i robią to znacznie szybciej, ale ser nie jest tak dobry. Tego jestem pewna. Smakuje ci moje tofu?

– Twoje tofu jest najlepsze, jakie kiedykolwiek jadłam, tak jak powiedziała mamusia.

– Mama tak powiedziała? – Asako zamarła, gdy mała wspomniała o Miho.

– Tak, mamusia powiedziała, że robisz najpyszniejsze tofu ze wszystkich.

– Yuki... – Asako zawahała się przez chwilę, zanim zadała kolejne pytanie. – Czy mama mówiła coś jeszcze?

– Tak! – powiedziała ośmielona dziewczynka. – Obiecała, że dasz mi mochi z czerwoną fasolą.

– Mochi?

27

– Tak, przecież powiedziała ci, że to moje ulubione danie. Nie powiedziała ci tego? – Yuki niecierpliwe czekała na odpowiedź.

Asako przytaknęła.

– A więc naprawdę to wiesz? Masz tu jakieś? – Yuki zaczęła rozglądać się po pokoju w poszukiwaniu ryżowych kuleczek.

– W tym momencie nie mam żadnych, ale przyniosę ci je z samego rana. Yuki... – Asako znów posmutniała. – Czy twoja matka mówiła coś jeszcze?

Dziewczynka pokręciła głową i wzięła do buzi kolejny kawałek tofu.

– Wiesz może, dlaczego cię tu przyprowadziła?

Yuki zamrugała niewinnie i przytaknęła. Miała pełne usta.

– W takim razie powiedz mi...

– Mama wyjechała do Ameryki, żeby zarobić pieniądze.

– Do Ameryki? Ach... do Ameryki – powtórzyła i nagle poczuła ciężar tych słów.

– Mamusia powiedziała, że przez jakiś czas muszę mieszkać u ciebie, w Osace. To jest strasznie daleko, ta Ameryka. Wiedziałaś o tym? – Yuki wzięła kolejny kawałek sera do ust, a gdy przełknęła, mówiła dalej: – Przyjedzie po mnie, zanim opadną płatki kwiatów wiśni. To znaczy, zanim wszystkie z nich opadną.

– Ach, kwiaty wiśni... – westchnęła Asako.

– A potem pojedziemy do Ameryki, tam, gdzie mieszka Myszka Miki! – powiedziała podekscytowana Yuki.

– Miki kto?

– Myszka Miki. Ona mieszka w Ameryce.

– Yhm – przytaknęła Asako, choć nie do końca rozumiała, o co chodziło wnuczce. – A kim jest ta Myszka Miki?

– Babciu, nie wiesz, kim jest Myszka Miki? – Yuki przewróciła oczami, jakby nie mogła uwierzyć w to, co właśnie usłyszała. – Jak możesz tego nie wiedzieć? Przecież to najbardziej znana i najbogatsza mysz na świecie!

– Najbogatsza mysz?

– Tak! Miki ma duży dom i ogromny ogród pełen drzew i kwiatów. Ma nawet basen.

– Mysz, która ma wielki dom z basenem? – zdziwienie Asako rosło z każdą minutą.

– Tak! Jej dom jest taki piękny! – zawołała Yuki i klasnęła w dłonie. – Ja i moja przyjaciółka Makiko widziałyśmy go w telewizji. Dom ma naprawdę ogromny basen i wszędzie jest mnóstwo drzew. – Yuki pokazała, jak są wysokie. – No i Myszka Miki ma psa.

– Mysz ma psa? – Asako zauważyła, że jej wnuczka wprost promienieje entuzjazmem.

– Oczywiście! Nazywa się Pluto. I robi wiele dziwnych rzeczy. – Yuki potrząsnęła głową. – Ale tak naprawdę chce być po prostu miły. To nie jest zły pies. Naprawdę nie jest – zamilkła na chwilę, by zastanowić się nad tym, co właśnie powiedziała. – To jest bardzo przyjazny, kochany pies, tylko czasami ma strasznego pecha i wtedy wszystko idzie mu coraz gorzej i gorzej, aż wreszcie wpada w prawdziwe kłopoty. Ale to przecież nie jest jego wina, że ma pecha, prawda, babciu?

Asako uśmiechnęła się do Yuki, zadowolona, że dziewczynka przejawiała tak szczerą troskę o losy pechowego psa.

– Makiko nie lubi Pluta, bo ciągle robi coś głupiego i wszystko psuje. Ale ja go lubię. To nie jest zły pies. Po prostu ciągle ma pecha i to wszystko.

Asako nie miała telewizora, choć wielokrotnie oglądała urywki różnych programów na targu. To, co mówiła Yuki, nie miało więc dla niej specjalnego sensu. Zanim jednak zadała kolejne pytania o bogatą mysz, które mogły jej trochę to wszystko wyjaśnić, Yuki zmieniła temat:

– Czy mogę dostać jeszcze trochę tofu? – Nieśmiało podsunęła babci pusty talerz.

– Biedactwo, musiałaś być na wpół zagłodzona.

Asako położyła kolejny kawałek tofu na talerzu i posypała go dużą ilością wiórków kokosowych. Nucąc jakąś dziecięcą piosenkę, Yuki polewała go sosem sojowym. Nagle przestała śpiewać i zapytała Asako:

– Naprawdę jesteś moją babcią?

Asako popatrzyła na nią smutno i przytaknęła.

– Mama powiedziała, że zawsze muszę cię słuchać i robić wszystko, co każesz, obojętne, co to będzie, i... że powinnam ci pomagać w domu – dodała niepewnie.

Asako pokręciła głową.

– Dopóki u mnie będziesz, dopóty będziesz musiała tylko dużo jeść i spać, moja mała. Nie musisz robić nic więcej, nawet pomagać mi w domu – oświadczyła i znów posypała talerz wnuczki wiórkami kokosowymi.

– Widzę, że lubisz wiórki kokosowe.

Yuki przytaknęła i znów zaczęła nucić swoją piosenkę.

– Yuki – przerwała jej Asako. – Gdzie do tej pory miesz-kałyście z mamą?

– Ach, w wielu miejscach. Ale najbardziej podobał mi się nasz ostatni dom. To znaczy, nie był nasz. Należał do mamy Makiko. Był mały, ale żyło w nim wiele kobiet i wszystkie razem pracowały w nocy aż do samego rana.

Asako nagle zrobiła się czerwona i znów zaczął ją mę-czyć kaszel.

– Wszystko dobrze, babciu? – Yuki położyła pałeczki na talerzu i wystraszona patrzyła, jak twarz jej babci staje się coraz bardziej czerwona, podczas gdy ona robi wszystko, by kaszel ustał.

– Wszystko w porządku, Yuki, opowiadaj dalej – za-pewniła Asako wyraźnie wycieńczona tym atakiem kaszlu.

– Chętnie posłucham czegoś jeszcze o domu, w którym mieszkałyście.

– Domu w Tokio?

– Tak. W Tokio? A co tam robiłaś? Czym zajmowała się twoja mama? Jak mijały wam dni? – ton Asako brzmiał jak zniecierpliwiony, ale tak naprawdę kobieta wciąż nie mogła jeszcze normalnie oddychać.

– Makiko i ja całe dnie oglądałyśmy telewizję – zaczęła Yuki. – A wszystkie kobiety wtedy spały. Mamusia wracała do domu nad ranem i czasami przynosiła mi mochi. Ja je uwielbiam. Mochi z czerwoną fasolą jest najlepsze! A ty, babciu, które najbardziej lubisz?

Asako zerknęła na Yuki, ale nie odpowiedziała. Wciąż nie było jej łatwo swobodnie oddychać.

– Babciu, które mochi jest twoje ulubione?

31

– Moje ulubione mochi? – Kobieta podniosła głowę i popatrzyła na Yuki, która wpatrywała się w nią z zaciekawieniem.

– Tak. Ja i mamusia najbardziej lubimy te z czerwoną fasolą. A Makiko i jej mama lubią te z brzoskwiniami. Nie sądzisz jednak, że właśnie z fasolą są najlepsze?

– O tak, też tak uważam. – Asako zmusiła się do lekkiego uśmiechu.

– Czyli tak jak ja i mamusia – powiedziała Yuki ucieszona.

– Tak, tak jak ty i twoja mamusia – potwierdziła Asako smutno.

– Chciałabym nauczyć się latać – Yuki znów zmieniła temat.

Asako najprawdopodobniej jej nie usłyszała. Wydawała się zatopiona w myślach.

– Babciu, słyszałaś, co powiedziałam?

– A co powiedziałaś, Yuki? – spytała Asako, starając się odsunąć od siebie smutne rozważania.

– Powiedziałam, że chciałabym nauczyć się latać – powtórzyła dziewczynka głośniej.

– Ach, latać? Jak ptak? – Asako zamachała rękami jak stara duża wrona.

– Tak, latać jak ptak – przytaknęła Yuki i zaczęła machać rękami tak jak babcia.

Na twarzy Asako wreszcie pojawił się szczery uśmiech.

– Dlaczego chcesz latać? – zapytała.

– Bo robię się strasznie zmęczona, gdy muszę długo iść – odpowiedziała Yuki. – Mama nigdzie mnie z sobą nie zabierała, bo nie umiem szybko chodzić. – Yuki się wyprostowała, a w jej oczach widać było prawdziwą ekscytację. – Babciu, czy nie byłoby cudownie, gdybyśmy zamiast chodzić, mogli po prostu latać? Ja i Makiko widziałyśmy w telewizji panią, która potrafiła latać dzięki swojemu parasolowi. Ma go zawsze z sobą i rozkłada, gdy tego potrzebuje. Rozkłada go i frunie. Do samego nieba! – Yuki wzięła w ręce pałeczki i zaczęła nimi machać w powietrzu.

Asako wytarła ręce w bawełniany fartuch. Jakże Yuki była inna niż Miho! Całkowite przeciwieństwo jej bardzo spokojnej i nieśmiałej córki.

– Chciałabyś mieszkać z mamą? – zapytała dziewczynkę, która znów miała usta pełne tofu.

– Tak, mówiłam już przecież, babciu. Mamusia zabierze mnie do Ameryki, gdzie mieszka Myszka Miki.

Asako się uśmiechnęła i znów zobaczyła przed sobą Miho, gdy była małą dziewczynką.

– Tu w okolicy jest bardzo ładna szkoła, Yuki. – Asako usiadła bliżej wnuczki. – Nie chciałabyś do niej chodzić i poznawać innych dzieci?

– Do szkoły, ja? – Yuki opuściła pałeczki. – Dlaczego muszę iść do szkoły?

– Będzie ci się tam podobało, Yuki. To nie jest taka prawdziwa szkoła. Wszystkie dzieci z sąsiedztwa chodzą tam, żeby przez cały dzień się uczyć i bawić.

– Cały dzień? Każdego dnia?

– Tak, każdego dnia.

– Muszę tam chodzić, babciu? – Yuki zmarszczyła czoło. – A co będzie, jeśli szkoła mi się nie spodoba?

– Na pewno będzie ci się tam podobało, sama zobaczysz.

Możesz się tam wiele nauczyć. Czytać i pisać... A może nawet latać. Nie podobałoby ci się to?

Yuki rzuciła na babcię podejrzliwe spojrzenie.

– I naprawdę sprawią tam, że nauczę się latać?

– Oczywiście! Zrobią wszystko, co możliwe, by cię nauczyć – skłamała Asako.

– A jak długo będę musiała się uczyć, żeby to robić? – spytała Yuki. – Latać, oczywiście. Jak dużo czasu potrzeba, żeby się tego nauczyć?

– Nie bardzo dużo. Właściwie w ogóle niedużo, jeśli jest się pilnym uczniem. No, ale latanie nie jest też tak łatwe, by można się było go nauczyć od razu. Trzeba każdego ranka iść do szkoły i słuchać uważnie, co mówi nauczycielka. I nagle pewnego pięknego dnia poczujesz, że już umiesz latać.

– Jak pani w telewizji?

– Tak, dokładnie tak jak pani w telewizji – odpowiedziała Asako przyjemnie zaskoczona tym, że tak łatwo przyszło jej wymyślenie tej historii.

Asako ponad wszystko chciała, żeby Yuki poszła do szkoły i bawiła się z innymi dziećmi. To było coś, czego Miho prawie w ogóle nie doświadczyła jako dziecko. Zostawała z nią w domu i pomagała dostarczać tofu. Jedynie przez krótki czas chodziła ze swoimi rówieśnikami do szkoły, gdzie uczyła się piosenek na cześć cesarza i wspaniałego japońskiego imperium.

– Będę chodzić do szkoły i pilnie wszystkiego się uczyć, babciu. Wtedy nauczę się latać, prawda?

Asako przytaknęła, uśmiechając się, i zakasłała parę razy. To była jej odpowiedź.

– Ale, babciu, kiedy nadejdzie ten szczęśliwy dzień? Skąd będę wiedzieć, że to już?

– To się wie dopiero wtedy, gdy ten szczęśliwy dzień nagle nadchodzi – wyjaśniła Asako. – Nikt nie wie, kiedy się to stanie. A nadchodzi zazwyczaj wtedy, gdy się go nie spodziewamy.

– Gdy się go nie spodziewamy... – powtórzyła Yuki i podrapała się w czoło.

– Tak jak wiosenny śnieg. Też zawsze zjawia się wówczas, gdy nikt się go nie spodziewa. Ale to jedno mogę ci obiecać, Yuki. Ten szczęśliwy dzień nadejdzie.

Yuki zamyśliła się na chwilę, obgryzając czubki swoich pałeczek.

– Babciu, gdy ten dzień nadejdzie, to będziesz pierwszą osobą, której o tym powiem.

– Tak, mnie powiedz pierwszej.

Yuki promieniała. Wyobrażała sobie, jak z parasolem w ręku lata nad Ameryką. A może, jeśli parasol będzie wystarczająco duży, będzie mogła zabrać z sobą też babcię? Najchętniej zrobiłaby to już teraz.

– Babciu, chciałabym pójść do szkoły już jutro. Mogę?

– Oczywiście. Jeśli tylko chcesz.

– Obiecuję ci, że będę dobrą uczennicą – powiedziała Yuki i odłożyła pałeczki na talerz.

– Cieszę się. – Asako uśmiechnęła się szeroko. – Ale teraz prześpij się jeszcze trochę.

– Ale ja nie jestem zmęczona.

– Zobaczysz, teraz, gdy jesteś najedzona, zaśniesz od razu. Prześpij się jeszcze kilka godzin, a ja wrócę zaraz, gdy tylko rozniosę tofu.

– Ale, babciu, przecież jest jeszcze ciemno...

– Tak, Yuki, a ja muszę zdążyć przed otwarciem sklepów.

– Mogę pójść z tobą?

– Nie, wykluczone. Dzisiejsza noc jest zdecydowanie zbyt zimna, żebyś znowu wychodziła. Poza tym powinnaś się przespać jeszcze kilka godzin, jeśli chcesz rano pójść do szkoły. Zostań więc tutaj – powiedziała Asako i przykryła Yuki kołdrą. – Wkrótce wrócę.

– Babciu, czy mogłabyś zostawić włączone światło? Boję się ciemności – powiedziała dziewczynka i naciągnęła kołdrę pod sam nos.

Asako włożyła płaszcz, przytaknęła z uśmiechem i wzięła więcej tofu z pokoju.

– A teraz zamknij oczy i śpij – przykazała dziewczynce, zamykając drzwi.

Yuki naciągnęła kołdrę na głowę i postanowiła pod nią zostać. Usłyszała odgłos zamykanych drzwi i kroki Asako znikającej w ciemności.

Yuki odchyliła lekko kołdrę i patrząc na żarówkę zwisającą z sufitu, pomyślała o maleńkim pokoju w Tokio, który dzieliły wraz z matką. Tam także miały jedynie nagą żarówkę. Pomyślała o matce, która piła prawie każdego dnia i często wracała do domu bardzo smutna. Yuki wiedziała, kiedy mama jest smutna, bo zawsze wtedy przynosiła z sobą mochi z czerwoną fasolą. Lubiła też wtedy zapalić papierosa i przyglądać się, jak Yuki z wielkim apetytem zajada ryżowe kuleczki. Zawsze patrzyła na córkę z melancholijnym uśmiechem.

– Mamusiu, wyglądasz na smutną. No i czemu zawsze tak dziwnie się uśmiechasz, gdy jem mochi? – zapytała kiedyś Yuki.

– Naprawdę tak robię? – udała zdziwienie Miho, ale wyraz jej twarzy się nie zmienił.

Yuki przytaknęła, przyglądając się wyczerpanej twarzy matki ukrytej za dymem papierosowym.

– Może faktycznie jestem smutna, Yuki.

– Dlaczego? Przeze mnie?

– Nie Yuki. Ty mnie uszczęśliwiasz. Jestem smutna, bo świat jest strasznie smutnym miejscem.

– Dlaczego?

– Tak już po prostu jest.

– Ale dlaczego?

– Cóż, dlatego że jest tak wiele zła i tak wielu okrutnych mężczyzn.

Yuki przyglądała się, jak Miho gasi papierosa.

– Ale to mochi smakuje tak cudownie, mamusiu. – Uśmiechnęła się.

– Masz rację. Jest przepyszne.

– Mamo, myślisz, że mochi też mogą być smutne?

– Nie bądź śmieszna, dziecko. Przecież mochi nie mają uczuć.

– Skąd to wiesz?

– Bo nie są ludźmi.

– Ale skąd wiesz, że one też nie bywają smutne? Przecież nie możesz czuć tego, co one.

37

– No cóż, tego faktycznie nie mogę.

– Widzisz, mamusiu, i nie możesz też wiedzieć, czy one coś czują, czy nie.

– Najprawdopodobniej nie. – Miho się uśmiechnęła, odsłaniając lekko żółte zęby.

Dziewczynka ucieszyła się z tego uśmiechu, ale choć jej argumentacja rozbawiła Miho, wydawała się ona teraz jeszcze bardziej przygnębiona niż wcześniej.

– Mamusiu, nie smuć się, przecież tak naprawdę wcale nie sądzę, że mochi mogą być smutne. Są pyszne i wszyscy je lubią. Czemu więc miałyby być smutne?

– Masz rację, Yuki. Nie mają żadnego powodu, by się smucić.

– Poczekaj, mamusiu! Gdy teraz jeszcze raz to przemyślałam, to jednak sądzę, że mogą być bardzo smutne.

– Aha, teraz jednak sądzisz, że są smutne... Ciągle zmieniasz zdanie, głuptasie. Dobrze, więc powiedz mi, czemu jednak są smutne.

– Bo są bite przez ludzi, którzy je robią. Tylko spójrz! – Yuki zaczęła naśladować ruchy, które podpatrzyła przy produkcji mochi.

– Masz rację, są bite drewnianym młotkiem. – Miho wybuchła śmiechem, obserwując prezentację córki.

Yuki wyolbrzymiała swoje ruchy, ciesząc się, że matka wreszcie wygląda na szczęśliwą.

– Myślisz, że to boli, gdy jest się bitym drewnianym młotkiem?

– Bez tego bicia nie można by było zrobić dobrego mochi – powiedziała Miho.

– Może mochi nie czują, że je to boli, bo nie są ludźmi jak my? – zastanawiała się Yuki.

– Zgadza się. – Miho wyciągnęła nowego papierosa. – Są słodkie – kontynuowała po tym, jak skierowała kłąb wydychanego dymu w stronę sufitu – i wszyscy je lubią. Widzisz, Yuki, mochi nie mają powodu, by być smutne.

Yuki tęskniła za matką. Teraz – zupełnie już rozbudzona – usiadła na łóżku. Tofu dało jej nową energię. Wstała z futonu, żeby lepiej się przyjrzeć temu dziwnemu młynkowi, którego używała babcia. Pochyliła się nad nim, wzięła korbkę w obie ręce i zaczęła przesuwać nią z całej siły zgodnie z ruchem wskazówek zegara. Kamienie kręciły się powoli, a ona biegała wokół urządzenia, starając się nadać mu coraz większą prędkość. Dopiero gdy silny podmuch wiatru uderzył w okno, zatrzymała się. Nagle nie było słychać niczego poza gwałtownym wyciem. Dziewczynka patrzyła z przerażeniem na turkoczące framugi okien. Wydawało się jej, że jakieś dzikie, wściekłe zwierzę próbuje ogromnymi szponami porozdzierać papier ryżowy. Światło żarówki migotało co chwilę, aż wreszcie zgasło zupełnie i Yuki została w całkowitej ciemności.

– Mamusiu! Mamusiu! – krzyknęła i rzuciła się na podłogę.

Przyczołgała się do futonu i schowała pod kołdrą. Dopóty płakała za swoją mamą, dopóki nie brakło jej sił, a jej łkanie stopniowo przeradzało się w coraz słabsze szlochanie, które w końcu zupełnie rozpłynęło się w ciemnym pokoju. Pod kołdrą pachnącą naftaliną i tofu zmęczona Yuki zasnęła.

3.

Wciąż było ciemno i tak zimno, że zamarzał nawet węgiel palony w piecach. Asako otuliła się mocniej grubym szalem, żeby osłonić twarz przed lodowatym wiatrem. Każdy haust powietrza, który wdychała, przenikał całe jej ciało. Z trudem stawiając jedną stopę za drugą, ciągnęła za sobą ciężki wózek. Co jakiś czas przyłapywała się na tym, że podświadomie szuka gdzieś w oddali postaci Miho, choć dobrze wiedziała, że córka już wyjechała. Gdzie nocowała na tym zimnie? Czy była już w drodze do tego bezkresnego kraju, do Ameryki? Dlaczego zdecydowała się wyjechać tak daleko, zostawiając tutaj Yuki? Czy kiedykolwiek po nią wróci, tak jak obiecała?

Mimo przejmującego zimna i myśli o Miho, które powodowały ciągłe skurcze w żołądku, Asako starannie realizowała zamówienia. Ta pora dnia była jej ulubioną. Moment tuż przed wschodem słońca, gdy noc zaczynała znikać, a całe miasto wciąż było pogrążone we śnie, miał w sobie coś magicznego. Panujące wówczas spokój i cisza były dla Asako zasłużoną nagrodą za jej ciężką pracę.

Nawet jeśli nie spotykała codziennie swoich stałych, lojalnych klientów, w jakiś sposób czuła się z nimi związana. Dostawy tofu dawały jej poczucie, że robi coś istotnego, coś, co nadaje jej życiu sens. Chociaż Asako mieszkała tutaj od trzydziestu lat i była świadkiem wielu zmian, jakie tu zachodziły, ciągle ukrywała się przed spojrzeniami sąsiadów. Co prawda regularnie chodziła na targ, żeby kupić jedzenie oraz soję, ale jej nieśmiałość powodowała, że prawie nikt jej nie zauważał. Prawie nigdy się nie zatrzymywała, żeby z kimś porozmawiać czy podzielić się zasłyszanymi plotkami. Była jak pojedyncza przezroczysta kropla oleju, która przypadkiem znalazła się na ogromnej powierzchni wody. To, że zachowywała się jak ktoś bardzo mało znaczący w społeczności, do której przynależała, stanowiło jej kamuflaż.

Tego dnia jednak nie była jedyną osobą, która tak wczesnym rankiem wyszła z domu. Gdy dostarczyła ostatnią paczkę tofu, zobaczyła, że z bocznej uliczki wychodzi kulejący sprzedawca mochi. Witał dzień, śpiewając popularną piosenkę o ukochanej Ence i utraconej miłości. Jego chrypiący głos idealnie pasował do jego wyglądu. Mężczyzna miał pomarszczoną twarz nałogowego palacza i rozczochrane siwe włosy, które ostatni raz podcinał naprawdę dawno. Gdy zobaczył Asako, pochylił się uprzejmie.

– Pani Tanaka, dzień dobry! Mróz mamy dziś nieprawdopodobny, prawda?

Jego twarz była cała zaczerwieniona z zimna, ale uśmiechał się serdecznie spod futrzanej czapki, która nachodziła mu na uszy. Towar miał zawieszony na bambusowym drążku. Gdy podchodził do Asako, tacki z mochi kołysały się jak wahadło zegara.

– Dzień dobry – Asako również mu się pokłoniła.

– Daikan przyszedł do nas w tym roku coś za wcześnie, nie sądzi pani, pani Tanaka?

– Tak, to prawda, pogodę mamy dziś taką, jakby już nadszedł – odpowiedziała, uśmiechając się zza swojego szala. – Właśnie skończyłam roznosić tofu.

– Już?! Ma pani szczęście. Ja dopiero zaczynam. – Jego głośny śmiech odbił się echem od aluminiowych żaluzji pobliskich sklepów.

Asako zrobiła krok do przodu i poczuła lód pod stopami.

– Jest dzisiaj bardzo ślisko. Musi być pan ostrożny – powiedziała.

– Ludzie, którzy kuleją, zawsze chodzą bardzo ostrożnie – powiedział sprzedawca mochi. – To ludzie ze zdrowymi nogami upadają. – Mężczyzna znów wybuchł szczerym śmiechem.

– Może mieć pan rację.

– Mogę się nawet założyć, pani Tanaka. Z tymi nogami nigdy się nie poślizgnę – dodał, poklepując dłonią jedną z nich.

Asako popatrzyła na jego kościste nogi w szerokich spodniach i dopiero teraz zauważyła, jak bardzo były chude. Gdy zdała sobie sprawę, że od dłuższej chwili się w nie wpatruje, mocno się zawstydziła.

– Przepraszam pana, nie powiedziałam tego, ponieważ pana... z powodu pańskich...

42

– Nie, nie, proszę się nie martwić, pani Tanaka! Rozumiem. Pani po prostu się obawiała, że mogę się poślizgnąć na tej oblodzonej drodze.

Asako przytaknęła uprzejmie, ale natychmiast zmieniła temat:

– Wiem, że nie sprzedaje pan małych ilości, ale czy w drodze wyjątku mogłabym kupić od pana dwa mochi ze słodką czerwoną fasolą?

– Oczywiście! Pani sprzedałbym nawet pół – powiedział handlarz z uśmiechem. – Zawsze pani odmawia, gdy proponuję jedno, a teraz chce pani dwa. To jest chyba mój szczęśliwy dzień – dodał, po czym przyklęknął, żeby zdjąć drążek z tackami.

– Wie pan, ja tak naprawdę nie lubię słodyczy – powiedziała Asako, pomagając sprzedawcy ściągnąć mochi.

– Tak, słodycze w dużej ilości nie są zdrowe, ale od czasu do czasu każdy z nas potrzebuje małej nagrody pocieszenia, prawda? Przy takim zimnie jak dzisiaj nie ma nic lepszego niż czarka pełna ciepłej senchy i słodkie mochi.

– Tak, słodycze mają kojące właściwości. Moja wnuczka uwielbia mochi z czerwoną fasolą. Od teraz będę więc z pewnością kupować u pana częściej.

– Nie wiedziałem, że ma pani wnuczkę, pani Tanaka – zdziwiony sprzedawca uniósł grube brwi, gdy wyciągał dwie największe mochi z tacki.

– Przyjechała do mnie tylko na jakiś czas, w odwiedziny – wyjaśniła Asako, przypominając sobie znów o okolicznościach towarzyszących pojawieniu się wnuczki.

– W takim razie mała ma dużo szczęścia. Nie każdy ma babcię, która kupuje mu z samego rana świeżutkie mochi.

Starszy mężczyzna zapakował mochi w papier bardzo ostrożnie, jakby były to nowo narodzone pisklęta, i wręczył je swojej pierwszej tego dnia klientce. Asako wzięła pakunek w obie dłonie i podała handlarzowi kilka monet.

– Nie wiem, czy to wystarczy. Pan przecież nigdy nie sprzedaje tak małych ilości... – powiedziała.

– Nie, nie! – Handlarz machnął ręką i pokręcił głową. – Te są dla pani wnuczki. Przecież nie mogę wziąć pieniędzy od mojej pierwszej klientki, a już zwłaszcza od pani. Następnym razem to już jakoś inaczej pomyślimy – zachichotał. – Wszystkiego dobrego, pani Tanaka!

Asako próbowała wcisnąć mu monety w dłoń.

– Nie może pan przy swojej pierwszej sprzedaży odejść z pustymi rękami. Proszę wziąć pieniądze!

Handlarz pokręcił głową, oparł drążek na ramieniu i zamierzał już pójść dalej, gdy Asako dostała nagłego ataku kaszlu. Mężczyzna przystanął więc kilka kroków od niej i poczekał, aż się uspokoi.

– Musi pani bardziej o siebie dbać, pani Tanaka – oświadczył zatroskanym tonem. – Proszę, niech pani weźmie jakieś leki albo pójdzie do lekarza. Przecież nie chce pani, żeby zwykłe przeziębienie zmieniło się w coś znacznie poważniejszego. Niech pani coś z tym zrobi, póki jeszcze się da.

– Dziękuję, bardzo panu dziękuję – powiedziała Asako z głębokim ukłonem. – Ale następnym razem musi pan przyjąć ode mnie pieniądze.

– Tak, oczywiście, pani Tanaka – uśmiechnął się dobrodusznie i odwzajemnił ukłon. – Niech pije pani dużo herbaty imbirowej. Trzeba pokroić świeży imbir w kawałki i gotować przez chwilę. Ale pani pewnie sama wie lepiej, jak należy przygotować imbir.

– Tak, bardzo dziękuję. – Asako skłoniła się ponownie i przetarła załzawione oczy.

– I proszę dodać miodu, jeśli pani ma. – Handlarz nie potrafił się z nią rozstać. – To powinno trochę złagodzić kaszel.

Asako uśmiechnęła się zza swojego szala i ukłoniła kolejny raz.

– I niech pani o siebie trochę zadba, pani Tanaka. Proszę nie pracować dużo, gdy czuje się pani słaba. Pracuje się, żeby żyć, a nie odwrotnie.

Po kolejnym ukłonie mężczyzna pokuśtykał w swoją stronę. Lód skrzypiał od jego nieregularnych kroków. Mimo zaufania, które miał do swoich nóg, czuł się niepewnie, gdy szedł po oblodzonej drodze z ciężkim drążkiem na ramionach. Asako zastanawiała się, kto mógł chcieć mu je przetrącić. Wiedziała, że kilka razy w tygodniu bladym świtem pojawiał się w tej okolicy, żeby dostarczyć do restauracji i sklepów świeże mochi. Później zazwyczaj siedział sam przy kleiku ryżowym albo zupie z makaronem blisko stoiska z rybami. Mieli z sobą wiele wspólnego i Asako nie znała nikogo innego, z kim handlarz by rozmawiał – być może on też czuł się w jej towarzystwie dobrze i dostrzegał istniejące między nimi podobieństwo? Oboje byli zadowoleni ze swojego samotnego starzenia się.

Asako nagle zawstydziła się tego, że tak mało wie o tym mężczyźnie. Inna rzecz, że nikt w okolicy nie miał pojęcia, gdzie mieszka i skąd pochodzi. Nikt nawet nie znał jego nazwiska. Ludzie, zwłaszcza sklepikarze, nazywali go po prostu „kulejącym handlarzem mochi". A on sam też twierdził, że taki prosty sprzedawca jak on nie potrzebuje nazwiska. „Jestem jedynym kulejącym sprzedawcą mochi w okolicy, po co mi więc nazwisko?" – miał w zwyczaju odpowiadać, gdy ktoś go o to pytał. I ludzie nazywali go tak tym chętniej, że w ich odczuciu określenie to dobrze oddawało jego naturę. Skromność mężczyzny jednak pobudzała wyobraźnię i niektórzy z okolicznych mieszkańców rozprawiali zaciekle o jakiejś tajemnicy jego życia, jakby chcieli poznać zawartość szczelnie zamkniętego pudełka bez etykiety. Bezimienny mężczyzna nie mówił natomiast wcale ani o swoich prywatnych sprawach, ani o życiu innych. Nie chciał też wiedzieć niczego o nich. Jak na tak mało znaczącego człowieka był bardzo pewny siebie i niektórym wydawało się to podejrzane. Jak bowiem taki biedny kaleka mógł nie być nieszczęśliwy? Plotka głosiła, że został ranny w czasie wojny. Inni twierdzili, że sam sobie połamał nogi, gdy był młodym mężczyzną i chciał uniknąć poboru. Mówiono też, że był komunistą i z powodu swoich przekonań spędził wiele lat w więzieniu albo że to jego ojciec, który ponoć zaopatrywał w słodycze cesarską rodzinę, sam złamał mu nogi za brak patriotyzmu. W ten sposób miał udowodnić swoją miłość do ojczyzny. Niezależnie od tego, jaka była prawda, handlarz mochi utykał żałośnie i często budził tym współczucie innych, ale

nietrudno też było zauważyć, że nie jest niczego nieświa-
domym staruszkiem, za którego się podawał. Był na tyle
zdystansowany i miał w sobie tak wiele sprzeczności, że
nikt nie potrafił go przejrzeć.

Asako poznała go przed wieloma laty, gdy pojawił się
w tej okolicy, i należał do nielicznych osób, z którymi się
spotykała. Zawsze o świcie, zanim zdążyła się obudzić reszta
świata. Parę lat temu zauważyła go pewnego ranka, jak
stoi przed relikwiarzem na targu i szlocha. Przypominał
wierzbę płaczącą na deszczu. Odeszła stamtąd jak najciszej,
żeby jej nie spostrzegł, ale widok jego łez prześladował ją
przez następne dni. Gdy wkrótce potem go spotkała, był
żywotny i radosny jak zawsze – nie sposób było odnaleźć
w nim jakichkolwiek oznak smutku, którego Asako była
mimowolnym świadkiem. Jak zawsze nucił swój ukochany
stary przebój i przywitał ją serdecznie. Trzymając teraz
pakunki z mochi w ręce, Asako pomyślała, że przecież
jemu też może być jej żal – starszej kobiety, która w taką
pogodę sama męczy się z roznoszeniem kilku pudeł tofu,
bo nie ma jej kto pomóc. Poczuła wstyd, gdy zrozumiała, że
kulejącemu sprzedawcy mogła się wydać żałosna i dlatego
nie chciał wziąć od niej zapłaty.

Gdy dotarła na miejsce, spostrzegła, że w domu jest
zupełnie ciemno. Zdziwiło ją to, bo przecież Yuki prosiła
ją, żeby nie gasiła światła.

Pchnęła mocno drzwi wejściowe i rozpoznała kształt
dziewczynki całkowicie zakrytej kołdrą. Yuki zdawała

się mocno spać. Oddychała głęboko i regularnie. Asako westchnęła z ulgą, choć nie wiedziała, czego tak naprawdę się bała. Nacisnęła włącznik światła, ale żarówka się nie zapaliła. Otworzyła więc szafę, w której trzymała zapasowe żarówki i świece, wymieniła spaloną i nagle pokój zalało niezbyt mocne światło. Zdjęła płaszcz i usiadła obok Yuki. Na brzoskwiniowych policzkach dziewczynki było widać ślady łez.

– Moje biedactwo – wyszeptała. Dotknęła jej czoła. Było mokre od potu. Miho jako dziecko również pociła się we śnie. Yuki zaczęła się oswobadzać z okrycia, uderzając mocno w kołdrę, jakby walczyła we śnie z dzikim zwierzęciem. Asako chciała ją uspokoić, ale przeszkodził jej w tym gwałtowny atak kaszlu. Głośne dźwięki odbiły się echem od nagich ścian pokoju i obudziły Yuki.

– Mamusia? – wyszeptała i przetarła oczy, zanim usiadła. Nie będąc w stanie powstrzymać męczącego kaszlu, Asako odwróciła się do Yuki plecami.

– Babciu, czy wszystko w porządku? – zapytała dziewczynka sennym głosem.

– Tak, moja mała, nic się nie dzieje – wydyszała Asako.

– Babciu, światło zgasło, gdy cię nie było.

– Wiem, bardzo mi przykro Yuki – powiedziała Asako i pogładziła wnuczkę po włosach. – Ale teraz już znowu jest.

– Strasznie się bałam – wyznała Yuki lekko nadąsana. Skierowała wzrok na nową żarówkę i natychmiast się odwróciła oślepiona. – Nie lubię, gdy jest ciemno, babciu. Mama zawsze zostawiała włączone światło, gdy szła do pracy.

Asako szybko wyjęła nieduży pakunek z kieszeni płaszcza.

– Proszę, Yuki, przyniosłam ci mochi z czerwoną fasolą.

– Juuhuu, mochi! – Yuki pisnęła z zachwytem.

Wzięła paczkę do ręki i patrzyła na nią przez chwilę jak zahipnotyzowana.

– Chodź, rozpakujmy je! – zaproponowała Asako z uśmiechem.

Yuki wyciągnęła mochi z papieru i położyła na talerzu obie ryżowe kulki wypełnione czerwoną fasolą.

– Jej, są znacznie większe niż te, które jadłam w Tokio!

– Naprawdę?

– Myślę, że te będę lubiła bardziej. – Roześmiała się. – Są naprawdę zdecydowanie większe.

– Najpierw zjedz jedno, a potem następne. – Asako klasnęła w dłonie zadowolona. – Będę ci ich kupować, ile zechcesz.

– Naprawdę?

– Oczywiście.

– Nawet gdy nie będę grzeczna? – zapytała Yuki przekornie.

– Ale ty zawsze jesteś grzeczna, prawda?

Dziewczynka wzruszyła ramionami.

– No tak, tylko czasami chcę pójść się bawić na ulicy, a mama mówi, że na zewnątrz jest niebezpiecznie. Ale ja bardzo lubię wychodzić i bawić się z Makiko na dworze.

– Ale gdzie wy właściwie mieszkałyście? Było tam niebezpiecznie?

– Nie. – Yuki zdecydowanie pokręciła głową. – Było tam tylko bardzo dużo samochodów i mamusia się bała, że mogą mnie przejechać. Ale ona po prostu nie wiedziała, jak potrafię być szybka. Umiem bardzo szybko uciec, gdy jadą samochody. – Nagle znów zmieniła temat: – Babciu, zjesz ze mną mochi?

– Nie, Yuki, zjadłam już dziś jedno – skłamała Asako.

– Te są dla ciebie. Jedno możesz sobie zostawić i zjeść, gdy wrócisz ze szkoły.

– Gdy wrócę ze szkoły? – Yuki otworzyła szeroko oczy, ale po chwili przypomniała sobie, o czym mówi jej babcia.

– To prawda. Idę dziś do szkoły!

– Tak. Za bardzo byś się nudziła, siedząc cały dzień w mieszkaniu, gdy ja pracuję. Potrzebujesz nowych przyjaciółek, z którymi będziesz mogła się bawić.

– Ale ja już mam przyjaciółkę, w Tokio.

Yuki spojrzała z tęsknotą na mochi, jakby rozpoznała w nim jej twarz.

– Makiko to moja najlepsza koleżanka – wyjaśniła.

– Z pewnością znajdziesz też nowe w Osace. No bo z kim chcesz się bawić na placu zabaw?

– Ale, babciu, wiesz przecież, że zostanę tutaj tylko dopóty, dopóki nie opadną płatki wiśni, a potem mama zabierze mnie do Ameryki. – Yuki zacisnęła mocno usta.

– I do tego czasu nie chcesz mieć żadnych przyjaciół? Nie sądzisz, że każdy potrzebuje ich kilku?

Gdy Asako uświadomiła sobie, że za kilka miesięcy Miho może zabrać córkę do Ameryki, zrobiło jej się ciężko na sercu.

– A ty masz więcej niż jednego przyjaciela, babciu? – zapytała Yuki.

– Ależ oczywiście – Asako brzmiała znacznie mniej przekonująco, niż chciała. – Każdy ma więcej niż jednego przyjaciela.

Yuki przestała patrzeć na babcię i ostrożnie sięgnęła ręką po mochi.

– Więc jak, Yuki, chcesz się nauczyć latać? – spytała Asako, sprytnie zmieniając temat. – Chcesz latać jak ta pani w telewizji?

Yuki przytaknęła, ale widać było, że nie do końca przekonana. Zastanawiała się, czy Makiko czuje się dobrze bez niej.

– W takim razie musisz codziennie chodzić do szkoły, słuchać z uwagą słów nauczycielki i robić wszystko, co każe – powtórzyła Asako. – Inaczej nigdy nie nauczysz się latać.

Yuki zaczęła jeść mochi, rozważając, jak ma postąpić. W tej ryżowej kulce było więcej fasolowego nadzienia niż w tych z Tokio, ale była też mniej słodka. Delikatne nadzienie rozchodziło się jej w ustach, łaskocząc ją w podniebienie i przyklejając się do języka. Ten smak przywołał wspomnienia związane z matką. Te, w których długo po północy przychodziła do domu, cała w dymie papierosowym i pachnąca alkoholem, a w torebce miała małą paczuszkę dla Yuki. I podczas gdy dziewczynka w półśnie wypełniała pusty żołądek słodkościami, ona rozbierała się do bielizny i wzdychając, opadała na futon. Jak balon, z którego uchodzi reszta powietrza. Kiedy Yuki i Makiko budziły się wczesnym rankiem, wszystkie kobiety w domu jeszcze spały, więc dziewczynki wymykały się ze swoich pokoi, by pobawić się lalkami Yuki i głaskać brązową kotkę Makiko,

Nanę. Oglądały też telewizję – po cichu, bo matka Makiko wpadała w szał, gdy budziły ją jej głośne dźwięki. Yuki myślała o Makiko i jej kotce, którą bardzo trudno było złapać i która też lubiła mochi.

Ugryzła znowu ryżową kuleczkę i tym razem zaczęła się zastanawiać, czy jej mama zarobi wystarczająco dużo pieniędzy, by kupić im tak duży dom, jak ma Myszka Miki. Może zanim przekwitną wiśnie, udałoby się jej nauczyć latać? To dopiero byłaby niespodzianka, gdyby poleciała do Ameryki i znalazła mamę. Oczami wyobraźni już widziała, jaką minę zrobi mama, gdy Yuki zleci z nieba na swoim parasolu. Na ubrudzonych mochi ustach zagościł szczery uśmiech. Była tak podekscytowana tą wizją, że nawet nie pomyślała o tym, jak trudno byłoby jej znaleźć mamę w tak wielkim kraju.

4.

Dyrektorka szkoły wcześniej przez ponad dwadzieścia lat pracowała jako nauczycielka w jednej z najlepszych dzielnic Osaki. Była to stała posada, która dawała jej nie tylko poczucie bezpieczeństwa, ale także sporo satysfakcji. Mimo to od zawsze jej wielkim marzeniem było założenie własnego małego przedszkola połączonego ze szkołą w Oku-oka, dzielnicy, w której mieszka bardzo wiele biednych rodzin i którą nieoficjalnie nazywano „na wzgórzach".

Pani Nakamura mieszkała niedaleko, po drugiej stronie dwukierunkowej ulicy, prowadzącej do targu. Mimo to trudno byłoby sobie wyobrazić dwie inne bardziej różne dzielnice. Mieszkańcy z jej strony ulicy nigdy nie odwiedzali „wzgórz", za to ludzie z Okuoka codziennie pojawiali się na tej „lepszej stronie" w pracy. Dyrektorka zawsze więc miała poczucie, że jej obowiązkiem jest pomaganie im.

Szkoła pani Nakamury istniała dopiero dziesięć lat, ale była czymś więcej niż tylko schronieniem dla dzieci. Dla wielu pracujących matek stanowiła ratunek, bez którego nie dały-by sobie rady. Na samym początku pani Nakamura wynajęła niewielkie pomieszczenie, które ze względu na niekorzystną lokalizację zazwyczaj było zupełnie puste, a szkoła nie funkcjonowała w pełnym wymiarze godzin. To doświadczenie jednak pozwoliło jej dostrzec, jak wiele kobiet z sąsiedztwa chętnie skorzystałoby z przystępnej cenowo opieki nad dziećmi. Z pomocą męża poroznosiła więc ulotki i katalogi dotyczące jej placówki, a niewielkie dochody, jakie uzyskała na początku, pozwoliły jej przenieść szkołę do większego budynku, w którym wcześniej znajdował się przytułek dla bezrobotnych, a który – po małej przebudowie – łatwo dało się przystosować do jej potrzeb. Dzięki wielu pokojom dzieci mogły zostać podzielone na różne grupy wiekowe, a szkoła funkcjonowała bardzo dobrze, choć nie pod względem finansowym. Pani Nakamurze ledwie wystarczało na własne utrzymanie. Nie zrażało jej to jednak, bo jej celem nie było prowadzenie biznesu przynoszącego olbrzymie dochody. Traktowała swoją placówkę jako instytucję charytatywną, a swoją pracę – jako sposób na odwdzięczenie się losowi za to, że się jej w życiu poszczęściło. Była jedną z niewielu wykształconych kobiet w okolicy, a po zorganizowaniu szkoły zaczęła cieszyć się jeszcze większym poważaniem. Z czasem udało jej się uzyskać od lokalnych władz wsparcie finansowe, pozwalające na zwiększenie liczby nauczycieli. Następnie zatrudniła też personel sprzątający i kucharki, co było czymś niespotykanym w podobnych instytucjach. Zazwyczaj dzieci nosiły z sobą do szkoły bento – jedzenie w pudełku na cały dzień – ale pani Nakamura chciała oszczędzić pracującym matkom tego dodatkowego obowiązku, jakim było przygotowywanie dla pociech posiłku.

Asako i pani Nakamura miały za sobą już wiele lat znajomości, gdy w domu Asako pojawiła się Yuki. Poznały się w sklepie spożywczym, do którego Asako dostarczała tofu. Dyrektorka zachwyciła się tym, że starsza kobieta nadal produkuje je za pomocą kamiennego młynka. Wydało jej się to niezwykle cenne w czasach, gdy na całym świecie propaguje się jak najszybszą i najbardziej opłacalną produkcję jedzenia, a Japonia została właśnie ogłoszona drugą największą potęgą ekonomiczną świata. Ten gwałtowny wzrost gospodarczy kraju, jaki nastąpił tak niedługo przecież po jego klęsce w drugiej wojnie światowej, uznano powszechnie za cud. Pani Nakamura jednak bardzo wyraźnie widziała również przerażające skutki tego „cudu". Większość obszarów przemysłowych dusiła się w smogu, w wielu miejscach dochodziło do gwałtownych zamieszek wśród studentów i ludzi pracujących. Gdy patrzyła na rodziców dzieci ze swojej szkoły, wiedziała, że ceną za ten sukces jest godny pożałowania los tysięcy ludzi.

Z upływem czasu poglądy pani Nakamury stawały się coraz bardziej konserwatywne. Prowadziła staroświecki styl życia i martwiła się, widząc, jak ludzie odrzucają japońskie tradycje i wartości, by ślepo podążać za amerykańskimi wzorami. Chociaż miała dopiero pięćdziesiąt lat, już teraz czuła tęsknotę za Japonią z jej dzieciństwa, gdy wszystko było produkowane przez ludzi z krwi i kości, którzy w pracę wkładali całe swoje serce, a nie przez stalowe maszyny.

Gdy pani Nakamura dowiedziała się, że Asako jest jedyną osobą w mieście, która robi tofu w tradycyjny sposób, złożyła jej wizytę. W ramach skromnego podarunku z tej okazji zabrała z sobą paczkę zielonej herbaty. Po ucięciu sobie z Asako krótkiej pogawędki zamówiła u niej dla szkoły pół tuzina kartonów tofu na tydzień. I chociaż Asako mogła wyprodukować dziennie tylko określoną ilość sera, chętnie przyjęła ofertę dyrektorki. Wielu zachwalało jej wyroby, ale kobieta szybko zauważyła, że nikt nie ceni jej pracy tak bardzo jak pani Nakamura. Nie minęło też dużo czasu, nim Asako zaczęła darzyć ogromnym szacunkiem pracę charytatywną dyrektorki. Dostrzegła też, jak wielki podziw ma pani Nakamura dla wszystkiego, w co człowiek wkłada serce. Poza tym obie kobiety miały z sobą niewiele wspólnego. Asako była osobą bardzo zamkniętą i ograniczała swoją komunikację z dyrektorką do życzliwych pozdrowień i krótkiej wymiany uprzejmości. Mimo to darzyły się nieograniczonym zaufaniem.

Asako dwa razy w tygodniu dostarczała tofu do szkoły i utwierdzała się w przekonaniu, że dzięki takim ludziom jak pani Nakamura świat staje się lepszy. Dlatego czasami do uzgodnionej porcji sera dokładała dodatkowy kawałek, by wyrazić swoje uznanie dla pracy dyrektorki. Wciąż pamiętała, jak ciężko było jej pracować z krzyczącą Miho na plecach. Ona też przecież była młodą matką bez pieniędzy.

Od wojny świat tak bardzo się zmienił. Asako spoglądała w przeszłość i zastanawiała się, jak to się stało, że jej kraj zostawił za sobą wszystkie te zniszczenia i cierpienia, których doświadczyło jej pokolenie. Prawie wszystkie ślady wojny już zniknęły, wyparte przez gwałtowny i niespodziewany rozwój gospodarczy. Asako pomyślała o kwiatach magnolii, które nawet po najsroższej zimie zakwitają na nowo. Domy zostały odbudowane, rany się zagoiły, zakwitły wiosenne kwiaty i wróciły jaskółki. Życie toczy się dalej, stwierdziła i miała nadzieję, że kiedyś sama będzie mogła pogrzebać swoją mroczną przeszłość – głęboko na dnie morza.

Gdy następnego dnia zabrała swoją wnuczkę do szkoły, powietrze wciąż było mroźne, ale śnieg nie padał tak mocno. Na błękitnym niebie nie było ani jednej chmurki. Asako nie szła tak szybko jak Miho, więc Yuki bez problemu za nią nadążała. Trzymając się za ręce, wchodziły powoli po kamiennych schodach prowadzących do szkoły położonej na wzgórzu.

– Pięćdziesiąt trzy stopnie! – zawołała Yuki i radośnie wskoczyła na najwyższy. – Pięćdziesiąt trzy stopnie, babciu – powtórzyła.

– Aż pięćdziesiąt trzy? Tak? – spytała Asako, nie mogąc złapać tchu i z lekkim zawrotem głowy spoglądając w dół.

– Tak, właśnie pięćdziesiąt trzy. Nie liczyłaś, babciu?

Asako pokręciła głową.

– To teraz już wiesz. – Dziewczynka uśmiechnęła się dumnie.

– Kto nauczył cię tak dobrze liczyć, Yuki? – spytała Asako.

Nie była pewna, czy jej stare, słabe ciało i nie tak sprawny jak kiedyś umysł pozwoliłyby jej wspinać się po tych stromych schodach i jednocześnie liczyć stopnie.

– Mamusia nauczyła mnie liczyć do stu – odpowiedziała Yuki i zwróciła głowę w stronę słońca.

Asako obserwowała ją uważnie.

– Myślisz, że mamusia jest już w Ameryce? – zapytała dziewczynka, nie przestając patrzeć w bezchmurne niebo.

Asako nie odpowiedziała. Zamiast tego pociągnęła wnuczkę w stronę wejścia do szkoły.

– Jest bardzo zimno. Chodź, powinnyśmy już wejść do środka.

Tuziny gołębi latały i chodziły po szkolnym placu zabaw, a droga prowadząca do drzwi była usiana śladami dziecięcych bucików. Yuki przystanęła na chwilę i patrzyła na ptasie harce.

– Babciu, jak to jest, że nigdy nie można zobaczyć gołębich dzieci?

– Gołębich piskląt? – Asako przystanęła i też popatrzyła na ptaki.

– Tak. Dzieci gołębi. Gdzie one są? Nigdy żadnego nie widziałam, zawsze są tylko dorosłe gołębie. – Yuki pytająco spojrzała na babcię.

– Masz rację – Asako przytaknęła. – Ja też nigdy nie widziałam żadnego gołębiego pisklęcia.

– Myślisz, że zostają w gniazdach, dopóki są małe? – zapytała dziewczynka.

Asako położyła rękę na ramieniu Yuki ubranej w różową pikowaną kurteczkę.

– Tak, Yuki, myślę, że tak właśnie jest.

Asako nie przestawała wpatrywać się w gołębie, które

żywo dreptały w śniegu, starając się znaleźć pod nim coś do jedzenia.

– A co, gdy małe będą chciały wylecieć z gniazda i bawić się z innymi? – spytała Yuki.

– Najpierw muszą nauczyć się latać.

Yuki na chwilę zamilkła, myśląc o tym, co właśnie powiedziała jej babcia.

– Ale skąd będą wiedziały, czy już potrafią latać, jeśli nie spróbują?

– Ano właśnie – Asako ucieszyło mądre pytanie dziewczynki. – Oczywiście najpierw muszą ćwiczyć, ale dopiero gdy będą wystarczająco duże.

– Jak duże?

– Odpowiednio duże. Tak jak te tutaj. – Asako wskazała na ptaki, niestrudzenie szukające w śniegu jedzenia.

– Czyli gołębie dzieci muszą czekać, aż staną się zupełnie dorosłe.

– Tak, a żeby stały się duże i silne, muszą jeść dużo robaków – powiedziała Asako i przypomniała sobie małe jaskółki, które zawsze dokarmiała, gdy była dzieckiem.

Yuki znów milczała przez chwilę, próbując wszystko dokładnie przemyśleć. Obserwowała też parę gołębi, które właśnie usiadły na jednej z huśtawek.

– Ale one dzisiaj nie znajdą żadnych robaków dla swoich małych! Wszystkie przykrył śnieg. – Spojrzała w niebo i skrzywiła buzię w lekkim grymasie. – Chodź, babciu, wejdźmy już do środka. Jest strasznie zimno.

W korytarzu aż roiło się od matek z małymi dziećmi. Jedne z maluchów biegały nieokiełznane po drewnianej podłodze, inne popłakiwały, wiedząc, że ich mamy za chwilę sobie pójdą. Yuki trochę się przestraszyła, gdy zobaczyła tak wiele dzieci. Odkąd pamiętała, Makiko była jej jedyną przyjaciółką i obie dziewczynki większość czasu spędzały razem w domu albo na ciasnym podwórku, otoczonym betonowymi murami bloków. Gdy razem z babcią weszła do środka i zaczęła iść korytarzem w tłumie dzieci, mocno ścisnęła dłoń Asako. Jej twarz wyrażała ciekawość zmieszaną z lekkim strachem. Asako, nie zamieniając ani słowa z żadną z młodych matek, szybko ruszyła przed siebie i ukłoniła się dopiero tym, które znała. Pilnowała, żeby wnuczka nie zostawała w tyle. Gdy Yuki odwróciła się na chwilę, zobaczyła, że kilka kobiet szepcze między sobą. Domyśliła się, że rozmawiają o niej, nie tylko dlatego, że jedna z nich wskazywała na nią ręką. Zdradzał je ich podejrzliwy wzrok – wszystkie patrzyły na Yuki w ten sam sposób.

Gdy Asako i Yuki weszły do sekretariatu, dyrektorka spojrzała w ich stronę zza porannej gazety.

– Dzień dobry, pani Tanaka. – Podniosła się z krzesła i skłoniła się uprzejmie.

Asako odwzajemniła przywitanie.

– Jak to dobrze panią widzieć. Jak się pani miewa? Ale dziś nie jest nasz dzień dostawy tofu, prawda? – Yuki zauważyła, że dyrektorka spojrzała na Asako z lekkim zdziwieniem.

– Ależ nie, nie, pani Nakamura. – Asako pokręciła

głową. – Dzisiaj przyprowadziłam pani nową uczennicę. – Popchnęła lekko Yuki, która schowała się za jej plecami.

Dyrektorka podeszła do dziewczynki, która wpatrywała się w jej długą, czarną bawełnianą spódnicę. Wydawało się jej, że gdy kobieta porusza nogami, to materiał wydaje dźwięk podobny do flagi trzepoczącej na wietrze. Pani Nakamura pochyliła się i oparła ręce na kolanach tak, by mieć Yuki na wysokości wzroku. Ten przyjazny ruch wprawił jednak dziewczynkę w zakłopotanie. Mała cofnęła się i schowała głowę w ramiona jak mały przestraszony żółw.

– Ależ jesteś ładną dziewczynką – powiedziała dyrektorka wesoło.

– To moja wnuczka, pani Nakamura. Przez jakiś czas będzie u mnie mieszkać – wyjaśniła Asako.

Dyrektorka pokiwała głową z uprzejmym uśmiechem i chwyciła Yuki za rękę – zawsze tak robiła, gdy rozmawiała z nieśmiałymi dziećmi.

– Jak się nazywasz? – spytała życzliwie.

Zamiast odpowiedzieć od razu, Yuki spojrzała na babcię. Wyraźnie czekała na jej przyzwolenie. Asako kiwnęła głową.

– Yu-ki Ya-ma-gu-chi – przesylabizowała wyraźnie.

– Ach, Yuki. Twoje imię oznacza śnieg – powiedziała dyrektorka. – Z pewnością pojawiłaś się więc u swojej babci wczoraj wieczorem wraz z nim. – Gdy się uśmiechała, jej wąskie oczy niemalże znikały wśród licznych zmarszczek. – Znasz odpowiedni znak kanji, którym zapisuje się twoje imię?

Yuki pokręciła głową.

– U nas nauczysz się czytać i pisać swoje imię. A także imię swojej babci i przyjaciół. I niedługo będziesz mogła przeczytać książkę. Czyż to nie wspaniałe?

Yuki przytaknęła i uśmiechnęła się nieśmiało. Cieszyła się, że niebawem będzie potrafiła czytać książki, ale tak naprawdę chciała się nauczyć czegoś znacznie ważniejszego.

– A ile masz lat? – zapytała pani Nakamura, wciąż trzymając dłoń dziewczynki.

– Sześć – odpowiedziała Yuki, zabrała rękę z uścisku dyrektorki i trochę niezgrabnie wyciągnęła w jej stronę sześć palców.

– Dobrze. Zatem masz sześć lat – stwierdziła pani Nakamura z doskonałą intonacją, jak przystało na nauczycielkę gramatyki.

– Tak, sześć – powtórzyła Yuki.

– A próbowałaś już pysznego tofu, które robi twoja babcia?

Yuki przytaknęła nieśmiało i odwróciła się w stronę babci, która właśnie położyła jej rękę na ramieniu.

– Wiesz, u nas dwa razy w tygodniu podajemy tofu robione przez twoją babcię. Chciałabyś zostawać tu z innymi dziećmi, w czasie gdy babcia robi tofu w domu?

Yuki znów spojrzała niepewnie na Asako. Sprawdzała, co babcia każe jej zrobić.

– Ależ oczywiście – odpowiedziała za nią Asako. – Yuki będzie tu przychodzić codziennie i dokładnie słuchać tego, co mówią nauczyciele. Prawda, Yuki?

Stojąca między kobietami dziewczynka niepewnie przytaknęła.

– I nauczę się latać.

– Latać? – spytała dyrektorka i spojrzała pytająco na Asako.

Asako pokiwała głową wyraźnie zakłopotana, ale pani Nakamura zrozumiała natychmiast, o co chodzi. Znała wiele dzieci, które, przynajmniej na początku, nie chciały zostać w szkole. Ich matki wymyślały najróżniejsze historie, a czasami nawet groźby, żeby przez opór swoich pociech nie spóźnić się do pracy.

– Ależ oczywiście – powiedziała pani Nakamura. – Ale tylko najlepsi uczniowie uczą się latać. Kto płacze, jest nieposłuszny albo robi głupie rzeczy, nie może. Pamiętaj o tym, Yuki. Oczywiście, jeśli naprawdę chcesz latać.

– Mogę panią zapewnić, pani Nakamura, że Yuki bardzo chce być dobrą uczennicą – oznajmiła Asako. – Będę ją przyprowadzać codziennie o ósmej i zabierać o piątej po południu.

– Proszę się o nic nie martwić, pani Tanaka – dyrektorka uspokajała je obie. – Będziemy się tu nią dobrze opiekować.

– Dziękuję. – Asako ukłoniła się nisko. – Ogromnie pani dziękuję.

Pani Nakamura również się ukłoniła, cały czas uśmiechnięta, jakby ten uśmiech nigdy nie znikał z jej twarzy.

– Ach, zanim pani pójdzie, pani Tanaka… – dyrektorka podeszła do biurka i wyciągnęła z szuflady kartkę papieru – proszę zabrać ten formularz, wypełnić go i przynieść do mnie jutro rano. Potrzebujemy pewnych informacji o Yuki.

Pani Nakamura podała kartkę Asako, a starsza pani wzięła ją przerażona i trzymała odwróconą do góry nogami.

– A w zasadzie byłoby lepiej, gdybyśmy go wypełniły teraz, skoro pani tu jest. To całkiem proste – zapewniła dyrektorka.

Podejrzewała, że Asako może być analfabetką. Prawdopodobnie należała do ostatniego pokolenia japońskich kobiet, które nie miały nawet podstawowego wykształcenia.

– Obiecuję, że to nie potrwa długo, pani Tanaka.

Zamiast odpowiedzieć cokolwiek, Asako pokłoniła się nisko. Wiedziała, dlaczego pani Nakamura zmieniła zdanie. Wstydziła się, że nie umiała pisać ani czytać, ale zaakceptowała już to, uznając ten fakt za część swojego losu, swojej tożsamości. Przez całe życie musiała sobie jakoś z tym radzić. Pani Nakamura wskazała na starą drewnianą ławkę stojącą w jej biurze.

– Proszę usiąść, pani Tanaka. Chodź, Yuki, ty też sobie usiądź.

Yuki posłuchała. Babcia i wnuczka siedziały teraz naprzeciwko dyrektorki. Między nimi stał masywny stół z ciemnego drewna pokryty dziwnymi śladami, najprawdopodobniej po gorącym czajniku. Pani Nakamura wzięła pióro i zaczęła wypełniać formularz. Asako i Yuki patrzyły jak zahipnotyzowane na jej bladą dłoń, która w przeciwieństwie do niezbyt atrakcyjnej twarzy była szczególnie piękna. Obserwowały, jak pióro płynie po papierze, i wsłuchiwały się w ledwie słyszalny dźwięk, przypominający szelest jedwabnego kimona. Dyrektorka wypowiedziała wpisywaną datę na głos, jakby chciała się upewnić, że się nie myli.

– Imię i nazwisko dziecka? – spytała.

– Yuki Yamaguchi – powiedziała Yuki.

– Yuukii Yaamaaguuchii – pani Nakamura powtórzyła głośno i wolno, wpisując w odpowiednie pole. – Teraz data urodzenia.

Asako wyglądała na zmieszaną.

– Wiesz, Yuki?

– Tak. 11 listopada 1963 roku. Urodziłam się w roku zająca. Jestem zającem, jak ten z księżyca.

– Bardzo dobrze, Yuki. – Pani Nakamura odwróciła się do Asako. – Yuki to naprawdę mądra dziewczynka, pani Tanaka.

– Dziękuję, też tak uważam. Ona po prostu wszystko wie. Ja nawet czasami zupełnie nie wiem, o czym ona mówi.

Dyrektorka zerknęła na Yuki.

– Dzieci są teraz zupełnie inne, niż my byłyśmy w ich wieku, prawda? – zwróciła się do Asako.

Pani Tanaka była tylko kilka lat starsza od niej, mimo że zaczynała już przypominać staruszkę.

– Dzisiaj dzieci nie wiedzą nic o wojnie, o ciężkich czasach, które przeżyłyśmy. Interesują się tylko tym, co amerykańskie. Proszę mi wierzyć, pani Tanaka, ja też nie rozumiem nawet połowy z tego, o czym one mówią. Czasami próbuję oglądać w telewizji któryś z programów dla dzieci, ale zupełnie nie wiem, o co tam chodzi. – Dyrektorka z uśmiechem pokręciła głową i wróciła do wypełniania formularza. – Teraz poproszę imię ojca.

Asako zamarła, jakby ktoś wylał na nią kubeł zimnej wody. Spojrzała na Yuki. Pani Nakamura też zwróciła na nią wzrok.

– Ja nie mam taty – odpowiedziała Yuki niepewnie.

Asako zaczęła kasłać.

– Wszystko w porządku, pani Tanaka?

– Tak, tak, przepraszam panią, pani Nakamura – odchrząknęła i zakryła twarz chusteczką.

– Wydaje się pani mocno przeziębiona, pani Tanaka. Bierze coś pani na to? – zapytała dyrektorka.

– To tylko zwyczajne przeziębienie, nic złego. – Asako odchrząknęła ponownie i uśmiechnęła się. – To przejdzie. Taki tam zwyczajny kaszel.

– Mam taką nadzieję. – Pani Nakamura z zatroskaną twarzą pochyliła się znów nad formularzem. – Jeśli chodzi o imię matki…

– Miho Yamaguchi – odpowiedziała Yuki, zanim dyrektorka zdążyła dokończyć pytanie.

Pani Nakamura uśmiechnęła się do dziewczynki i pod czujnym wzrokiem Asako wpisała podane imię i nazwisko.

– Czy ona jest opiekunem prawnym dziecka? Musi mieszkać tu gdzieś w okolicy…

– Ja mogę być jej opiekunem prawnym, pani Nakamura. Jeśli o to chodzi… – powiedziała Asako, której twarz wyraźnie spochmurniała na wspomnienie Miho.

Dyrektorka przytaknęła i wypowiedziała na głos nazwisko Asako, wpisując je w formularz. Wnuczka i babcia znów jak zahipnotyzowane patrzyły na ruch dłoni pani

Nakamury, jak gdyby kryła się w tej czynności niezwykła magia. W niewymuszonej elegancji, z jaką dyrektorka przenosiła słowa na papier, było coś fascynującego. Kobieta sprawowała nad swoim pismem absolutną kontrolę, a stawiane przez nią znaki były tak kształtne, że wyglądały jak wydrukowane.

– Pani adres już mam, pani Tanaka. To byłoby więc na tyle. Zupełnie łatwe, prawda? – Dyrektorka się uśmiechnęła, pokazując lekko krzywe zęby. – Jeśli pani chce, może zostawić Yuki już dzisiaj.

– Bardzo dziękuję, pani Nakamura. – Asako pokłoniła się tak nisko, że jej głowa prawie dotknęła biurka.

– A jeśli chodzi o zapłatę… – powiedziała dyrektorka ściszonym głosem jak zawsze, gdy mówiła o pieniądzach.

– Ach, przepraszam panią. Prawie bym zapomniała. Jak dużo to będzie? – Asako pośpiesznie wyciągnęła portfel z kieszeni płaszcza. – Mogę zapłacić od razu.

– Nie, nie. Minęło już prawie pół miesiąca – pani Nakamura się zarumieniła – więc może pani zacząć płacić dopiero od przyszłego miesiąca.

Asako uśmiechnęła się z szacunkiem.

– To bardzo miło z pani strony, pani Nakamura, ale to byłoby nie w porządku, żebym nie zapłaciła tylko dlatego, że mamy prawie połowę miesiąca. – Asako mocno trzymała portfel w dłoni.

– Ależ proszę, pani Tanaka, proszę mi na to pozwolić. Już od dawna szukam odpowiedniego sposobu, żeby pani podziękować. Zawsze tak sumiennie dostarcza nam pani wspaniałe tofu. Proszę przyjąć ode mnie te pół miesiąca nauki dla małej. To naprawdę nic wielkiego.

Asako zgodziła się niechętnie i pokłoniła nisko.

– W każdym razie – pani Nakamura również się skłoniła – Yuki będzie potrzebowała kolorowanki i kolorowych flamastrów. Dzisiaj nauczycielka coś jej da, ale musi mieć swoje przybory. – Dyrektorka podniosła się powoli i położyła dłonie na kolanach. – Właściwie to wszystko. Teraz zaprowadzę cię do klasy panny Murakami.

– Czy panna Murakami to ta młoda dama z długimi włosami? – spytała Asako.

Przypomniała sobie, że wielokrotnie, gdy odbierała zapłatę za tofu, zdarzyło się jej rozmawiać z młodą śliczną kobietą.

– Tak, panna Murakami jest odpowiedzialna za starsze dzieci. Jest tutaj szczególnie lubiana, bo dzieci lubią ładne kobiety. Tak samo zresztą jak wszyscy – wyjaśniła pani Nakamura i zachichotała.

Potem powiedziała Asako i Yuki, że zaprowadzi je do odpowiedniej klasy.

Gdy we trzy wyszły z gabinetu dyrektorki, korytarz był już zupełnie pusty. Dzieci były już w klasach, a matki poszły do pracy. Większość kobiet z okolicy pracowała w fabrykach rybnych, gdzie ich głównym zajęciem było patroszenie i czyszczenie ryb. Bywały też wysyłane do placówek w Europie i Ameryce.

– Panna Murakami pojawiła się w naszej szkole jako praktykantka, gdy jeszcze studiowała na uniwersytecie

– powiedziała dyrektorka. – Prawdę mówiąc, nie sądziłam, że zostanie w tej okolicy. Wie pani, jacy dzisiaj są młodzi.

Asako przytaknęła. Pani Nakamura zatrzymała się w połowie korytarza i ściszyła głos:

– Panna Murakami pochodzi z dobrej rodziny i posiada trzy cechy, które są najcenniejsze dla kobiety: jest piękna, dobra i szczera. I choć to nowoczesna kobieta, jej przymioty są dzisiaj rzadko spotykane u młodych ludzi.

– To prawda. Natychmiast się wyczuwa, że panna Murakami jest wyjątkową osobą, że można jej zaufać – przyznała Asako.

– Zgadza się, pani Tanaka. Nie mogłabym sobie wyobrazić lepszej nauczycielki dla tej grupy. Wie pani, większość młodych kobiet chce dodać swojemu życiu jakiegoś pustego blasku. Panna Murakami to wyjątkowy dar dla naszej szkoły. Zobaczy też pani, że doskonale radzi sobie z dziećmi. Yuki ma ogromne szczęście, że to ona będzie jej wychowawczynią.

Dyrektorka podeszła pod klasę panny Murakami i otworzyła drzwi. Yuki spojrzała na młodą kobietę, a ona uśmiechnęła się do niej przyjaźnie. Yuki odwróciła się do Asako.

– Babciu… – pociągnęła ją za rękaw.

Asako i pani Nakamura odwróciły się do Yuki, która zdawała się mieć bardzo pilne pytanie.

– O co chodzi Yuki? – spytała Asako.

– Myślisz, że skoro panna Murakami jest tak dobrą nauczycielką, to szybciej niż inne nauczy mnie latać? – Yuki mówiła prawie szeptem, ale chciała, żeby również dyrektorka ją usłyszała.

Asako i pani Nakamura wymieniły uśmiechy, a potem dyrektorka pochyliła się w stronę dziewczynki i patrząc jej w oczy, powiedziała:

– Panna Murakami to najlepsza nauczycielka z możliwych, ale jeśli nie będziesz dobrą uczennicą, to nie nauczy cię latać. – Zamilkła na chwilę i nie przestając patrzeć dziewczynce w oczy, dodała: – Musisz bardzo uważać, Yuki. Ona będzie cię długo obserwować, zanim zdecyduje, czy zasługujesz na to, by uczyć się latania. I dopiero gdy będzie tego całkowicie pewna, wybierze ciebie. Zrozumiałaś?

Yuki przytaknęła i odwróciła się. Zobaczyła, że pani Nakamura uśmiecha się do Asako.

– Bardzo dobrze. – Dyrektorka się wyprostowała. – W takim razie teraz poznasz pannę Murakami i kolegów z klasy.

Gdy dyrektorka zapukała do drzwi, panna Murakami właśnie zaczynała robić z dziećmi poranną gimnastykę. Wyszła więc do nich na korytarz. Wydawała się wprost przepiękna w musztardowym swetrze i brązowych wełnianych spodniach. Dziewczynka podziwiała jej porcelanową cerę i szminkę w kolorze brzoskwini. Podobał się jej też pomarańczowy jedwabny szal zawiązany wokół szyi, który rozpromieniał twarz panny Murakami jak poranne słońce.

– Mamy nową uczennicę – powiedziała dyrektorka. – To wnuczka pani Tanaki.

– Pani wnuczka? – Uśmiechnęła się do Asako tak, że było widać jej białe zęby, i pochyliła się do Yuki. – Jesteś śliczną dziewczynką. Jak masz na imię? – zapytała.

W jej głosie Yuki wyczuwała ciepło i życzliwość. Powiedziała, jak ma na imię, i tym razem wydawała się znacznie mniej nieśmiała. Najpewniej było tak dlatego, że młoda kobieta potrafiła wzbudzać w dzieciach zaufanie. Yuki podobało się, jak panna Murakami była ubrana, i wyczuła też, że kobieta ładnie pachnie. Rozpoznała zapach wiciokrzewu i bzu, ale nie pamiętała, skąd zna ten aromat.

– Cieszę się, że mogę cię poznać, Yuki. Jestem panna Murakami – przedstawiła się nauczycielka.

Yuki się wydawało, że słyszy szelest dochodzący z klasy.

– Ja również się cieszę, że panią poznałam, sensei – powiedziała Yuki nieśmiało i ukłoniła się.

– Jest wyjątkowo dobrze wychowanym dzieckiem – zauważyła panna Murakami i delikatnie poklepała Yuki po ramieniu.

Asako się ukłoniła.

– Jestem bardzo zadowolona, że Yuki będzie mieć tak miłą nauczycielkę jak pani. – Odwróciła się w stronę wnuczki. – Musisz zawsze słuchać tego, co mówi panna Murakami, i być uprzejma dla innych dzieci. Przyjdę po ciebie dzisiaj po południu.

Podczas gdy kobiety się żegnały, Yuki zaglądała z ciekawością do sali. Wreszcie młoda nauczycielka wzięła ją za rękę, zaprowadziła do ławki i zamknęła drzwi. Pani Nakamura wróciła do swojego gabinetu, a Asako stała jeszcze przez jakiś czas pod drzwiami. Obserwowała Yuki przez szybę. Patrzyła, jak razem z innymi dziećmi robi poranną gimnastykę. Na twarzy starszej pani pojawił się dumny uśmiech. Gdy po ćwiczeniach dzieci zajęły swoje miejsca, Asako napotkała wzrok panny Murakami. Młoda kobieta uśmiechnęła się do niej uspokajająco. Asako ukłoniła się więc w jej stronę raz jeszcze i wyszła ze szkoły.

Gdy była już na schodach, usłyszała, że panna Murakami gra na fisharmonii i uczy dzieci hymnu narodowego *Kimi ga yo*. Zatrzymała się na chwilę i poczekała, aż uczniowie skończą śpiewać, a potem ruszyła w dół i tym razem bardzo uważnie policzyła wszystkie pięćdziesiąt trzy stopnie.

Po tym, jak dzieci zaśpiewały hymn narodowy, panna Murakami zawołała Yuki do siebie i poprosiła, żeby się przedstawiła. Yuki widziała ponad dwadzieścia par oczu skierowanych na nią. Dzieci były w jej wieku.

– Nazywam się Yuki Yamaguchi – powiedziała nieco podenerwowana, spoglądając na nauczycielkę. – Przyjechałam do Osaki wczoraj wieczorem aż z Tokio.

– Tokio! Ta dziewczynka jest z Tokio! – krzyknął podekscytowany pulchny chłopiec z ogoloną głową, który stracił dwa przednie zęby i dlatego dość mocno seplenił.

– Tak – przerwała mu panna Murakami. – Tokio to największe miasto w Japonii, nasza stolica. Ale Osaka dawno temu również była stolicą Japonii. To było w okresie Edo i trwało dość krótko. Ale to wszyscy wiecie, prawda?

– Tak! – krzyknęły dzieci, a głos pulchnego chłopca wyraźnie przebijał się przez wołania innych.

– Urodziłaś się w Tokio, Yuki? – spytała panna Murakami.

Yuki przytaknęła. Mocny akcent, z którym mówiły dzieci z Osaki, wydawał się jej bardzo dziwny. Miała wrażenie, że jej koledzy z klasy brzmią jak komicy, których oglądała wielokrotnie w telewizji. Było to dla niej dość zabawne, ale czuła też, że jej akcent sprawi, że tutaj zawsze będzie uważana za kogoś z zewnątrz, za obcą.

– Opowiedz nam, Yuki, co najbardziej lubisz robić.
– Panna Murakami nie mówiła w żadnym z dialektów.
– Lubię oglądać telewizję – odpowiedziała dziewczynka.
– Chętnie też maluję.

Zastanawiała się, co jeszcze mogłaby dodać, ale nic nie przychodziło jej do głowy, chociaż wiedziała, że jest wiele rzeczy, które sprawiają jej radość.

– Bardzo dobrze, Yuki – powiedziała panna Murakami.
– Co prawda nie oglądamy tutaj telewizji, ale za to dzisiaj wieczorem mamy lekcje rysowania.

Klasę bardzo ucieszyły słowa nauczycielki, która teraz kazała Yuki zająć wyznaczone wcześniej miejsce pod oknem.

– Teraz coś sobie przeczytamy. Na dzisiaj mamy przewidzianą starą baśń…

– Sensei! – krzyknął jeden z chłopców i z żołnierskim zapałem uniósł rękę.

– Tak, Kenji? – spytała panna Murakami i usiadła na swoim krześle.

– A czy moglibyśmy przeczytać coś innego niż kolejną japońską baśń? Myślę, że przyszedł czas na jakąś inną opowieść, sensei.

73

Chłopiec wydawał się bardzo śmiały i rezolutny. Yuki podziwiała jego naturalną pewność siebie. Wydawało się jej też, że jego akcent delikatnie różni się od innych dzieci. Można było odnieść wrażenie, że to dorosły człowiek zamknięty w ciele małego chłopca.

Kenji nie pochodził z tej części Osaki. Jego rodzina przeprowadziła się tu rok temu po tym, jak jego ojciec popełnił samobójstwo, zostawiając ogromne długi hazardowe, o których nikt wcześniej nie wiedział. Matka chłopca była zdruzgotana zobowiązaniami finansowymi, które nagle spadły na ich rodzinę. Sprzedała wszystko, co mogła, by choć w części spłacić długi, i przeprowadziła się wraz z dziećmi do tej części miasta, w której nikt nie mógł znać jej dramatycznej historii, gdzie zaczęła pracować w jednej z fabryk, co wcześniej ani jej, ani żadnej z osób, które znała, nie mieściłoby się w głowie. Do śmierci męża prowadziła bardzo wygodne życie. Pochodziła z zamożnej rodziny posiadaczy ziemskich, a ponieważ była również bardzo piękną kobietą, wyszła za mąż za profesora akademickiego, który studiował na amerykańskim uniwersytecie. Każde z czworga ich dzieci odziedziczyło po ojcu wyjątkową inteligencję. Ojciec Kenjiego był profesorem matematyki i pracował na znanym uniwersytecie w Kobe. Wszyscy zazdrościli jej beztroskiego życia. Ale tak jak każda matka w kryzysowej sytuacji potrafiła, gdy trzeba było, odnaleźć w sobie wyjątkową siłę. Powiedziała dzieciom, że ich ojciec zginął w strasznym wypadku samochodowym, a ponieważ miasto poniosło przez to ogromne szkody, dlatego muszą sprzedać wszystko, by zapłacić za zniszczenia, i przeprowadzić się w inne miejsce.

– Jakie opowieści masz na myśli, Kenji? – spytała panna Murakami i przekrzywiła głowę.

– Moja siostra czytała mi książkę, która ma tytuł „Lawrence z Arabii" i była znacznie ciekawsza niż te japońskie baśnie – powiedział chłopiec podekscytowany.

Starsza siostra Kenjiego, Keiko, miała dopiero trzynaście lat, a po śmierci ojca musiała zacząć opiekować się młodszym rodzeństwem, podczas gdy ich matka pracowała w fabryce do późnej nocy. Uwielbiała czytać i robiła wszystko, by dobrze wychować brata i siostry. Ponieważ Kenji był jedynym chłopcem w rodzinie, zwracała na niego szczególną uwagę, sądząc, że tylko on może przywrócić im dobrą reputację. Chociaż Kenji był jeszcze bardzo mały, miał duże ambicje i był bardzo odważny.

– „Lawrence z Arabii"? – spytała panna Murakami wyraźnie zdumiona. – Kenji, ale to jest zbyt trudne. Może twoja siostra przeczytała ci jakąś uproszczoną wersję dla dzieci? Podejrzewam jednak, że nawet taka prostsza wersja jest dla ciebie zbyt skomplikowana. Naprawdę zrozumiałeś całą tę historię?

– Oczywiście! – odpowiedział Kenji. – To niezwykle ciekawe! – Jego ciemnobrązowe oczy błyszczały.

– Cóż, sama jeszcze nie czytałam tej książki i najwyraźniej muszę to zrobić – powiedziała panna Murakami, lekko wzruszając ramionami. – Ale i tak uważam, że dla większości z was byłaby ona za trudna.

– Sensei! – znów przerwał jej Kenji. – A może w Tokio dzieci w naszym wieku czytają takie historie? Może nowa dziewczynka powie nam coś na ten temat? – Chłopiec odwrócił się w stronę Yuki, a kilka innych par oczu, w tym panna Murakami, również na nią spojrzało.

Yuki pokręciła głową.

– W Tokio nigdy nie słyszałam tej historii – powiedziała. – Ale podobała mi się opowieść o takiej pani, która latała dzięki swojemu parasolowi. Oglądałam to w telewizji.

Dzieci w jednej chwili zaczęły się głośno śmiać, a Kenji dodatkowo podkreślił swoje rozbawienie, uderzając pięściami w blat stolika. Yuki zobaczyła bezradność w oczach nauczycielki. Nie rozumiała też, dlaczego jej odpowiedź wydała się wszystkim taka zabawna.

– Uspokójcie się wszyscy natychmiast – podniosła głos nauczycielka. – Nie ma się z czego śmiać. Yuki po prostu powiedziała o tym, co wie.

Dzieci się uspokoiły, a Yuki była wdzięczna pannie Murakami, że wzięła ją w obronę.

– Ale ponieważ mamy teraz lekcję czytania, nie będziemy mówić o telewizji. – Odwróciła się do klasy. – Posłuchajcie mnie uważnie. Chcę wam teraz powiedzieć coś bardzo ważnego o radości czytania.

Wszystkie dzieci patrzyły wyczekująco na śliczną twarz panny Murakami.

– Największą zaletą czytania jest to, że nawet jeśli wszyscy czytamy tę samą książkę, każdy z nas może wyobrażać sobie coś zupełnie innego. Czytanie jest tak bardzo interesujące, bo wszystkie te historie krążą wokół nas i mogą zjawić się przed nami w dowolnym czasie. A poza tym każdy z nas widzi wszystko nieco inaczej, bo używamy siły swojej wyobraźni.

W klasie zrobiło się cicho jak makiem zasiał.

– Gdy oglądamy telewizję, nie używamy wyobraźni, bo wszystko mamy już gotowe na ekranie. Dlatego tutaj tego nie robimy. – Zamilkła na chwilę, zanim odwróciła się do Yuki. – Rozumiesz, co mam na myśli, Yuki?

– Ale, sensei – powiedziała dziewczynka z naciskiem – gdy oglądam telewizję, mogę też wymyślać własne opowieści.

Jak można się było spodziewać, wiele dzieci poparło Yuki. Wszystkie zaczęły mówić i krzyczeć w tym samym czasie i w klasie powstał mały chaos.

– Spokój! Nie będziemy więcej rozmawiać o oglądaniu telewizji. Teraz jest czas na czytanie, a nie oglądanie.

Gdy dzieci ucichły, panna Murakami odchrząknęła i powiedziała:

– Dzisiaj będziemy czytać baśń o księżycowej księżniczce i drwalu.

– Sensei, ja znam tę bajkę – powiedział Kenji, a pozostałe dzieci również zaczęły krzyczeć, że też słyszały już tę historię.

– To oczywiste, że znacie już niektóre z omawianych przez nas baśni – stwierdziła spokojnie panna Murakami. – Przecież te baśnie są opowiadane od setek lat. A jak sądzicie, jak to się stało, że opowiada się je przez tyle lat, z pokolenia na pokolenie?

Panna Murakami czekała na odpowiedź, ale żadne z dzieci nie wiedziało, nawet wyjątkowo bystry Kenji.

– Bo ludzie powtarzali je sobie cały czas, znowu i znowu. W ten sposób te opowieści przetrwały do dzisiaj.

Zastanówcie się, czy istniałyby do dzisiaj, gdyby wszyscy ciągle powtarzali: „Znam już tę historię, więc po co mam ją znowu opowiadać"? – Panna Murakami zamilkła na chwilę, a dzieci ucieszył dramatyzm jej wypowiedzi. – Myślę, że opowieść o drwalu i księżycowej księżniczce to bardzo piękna bajka i dlatego tak długo przetrwała. A więc kto chciałby posłuchać jej teraz raz jeszcze?

Yuki szybko podniosła rękę – jeszcze nigdy jej nie słyszała – a w końcu wszystkie dzieci zrobiły to samo, nawet Kenji, choć widać było, że niechętnie.

– Dobrze. – Panna Murakami otworzyła książkę i zaczęła czytać: – Był sobie raz stary drwal. Był bardzo biedny i smutny, bo los nie dał mu dziecka, które uczyniłoby jego starość radośniejszą...

Yuki słuchała z wielkim zainteresowaniem. Bardzo dokładnie wyobraziła sobie starego człowieka, zajmującego się ścinaniem bambusa. W opowieści w najdrobniejszych szczegółach przedstawiono codzienne obowiązki mężczyzny, które każdego dnia wyglądały dokładnie tak samo. Ale pewnego razu w zielonej bambusowej rurce znalazł on małą dziewczynkę. Yuki się uśmiechnęła, gdy pomyślała, jak bardzo musiał się zdziwić, gdy okazało się, że dziewczynka promienieje tak jasno jak księżyc. Nazwał ją więc Księżniczką Księżycowego Blasku. Dziewczynka przyniosła drwalowi i jego żonie dużo szczęścia i sprawiła, że stali się bardzo bogaci. Wkrótce wyrosła na piękną kobietę i wielu zalotników starało się o jej rękę...

Yuki przeniosła się myślami do krainy z baśni, ale po pewnym czasie opowieść przestała ją interesować, bo straciła wątek. Wyobrażała więc sobie, że sama jest księżniczką i z parasolem w ręce lata nad Ameryką. Gdy panna Murakami zaczęła nagle naśladować dźwięk rżnięcia zardzewiałym nożem pędów bambusa, Yuki ocknęła się ze swojego rozmarzenia i znowu zaczęła słuchać nauczycielki.

– Jestem starym człowiekiem, mam ponad siedemdziesiąt lat i mój koniec jest bliski. – Panna Murakami była doskonałą aktorką. Yuki i jej koledzy byli zachwyceni rolami, które odgrywała. – Dlatego uważam, że dobrze czynisz, moje dziecko. To bardzo słuszna i mądra decyzja, że chcesz najpierw sprawdzić pięciu kawalerów i dopiero wtedy wybrać jednego z nich. – Nauczycielka zamknęła książkę i powiedziała melodyjnym głosem: – Na dzisiaj wystarczy. Jutro będziemy kontynuować naszą opowieść i wtedy się dowiemy, co dalej się stało z księżycową księżniczką.

CZĘŚĆ
DRUGA

5.

Michiko przyszła na świat w 1880 roku na małej wyspie u wybrzeży Kansai. To był burzliwy czas dla Japonii. Idee przejęte z Zachodu i polityczne innowacje doprowadziły do znaczących przemian, które jednakże niemal w ogóle nie dotknęły sennej rybackiej wioski – miejsca, w którym dorastała Michiko. Większość mieszkańców wyspy wciąż żyła tak jak ich przodkowie, a Michiko wychowywano na obraz i podobieństwo matki – miała być żoną rybaka i urodzić wiele dzieci. Ponieważ wyspę opuszczali tylko nieliczni, a małżeństwa były zawierane wyłącznie między jej mieszkańcami, wszyscy byli z sobą w jakimś stopniu spokrewnieni, a ich życie było tak przewidywalne jak następowanie po sobie kolejnych pór roku.

Pokolenie rodziców Michiko pamiętało jeszcze jedno z najbardziej dramatycznych wydarzeń, do jakich doszło na wyspie. Prawie dziesięć lat przed jej narodzeniem pewien mężczyzna i jego nastoletnia córka opuścili to miejsce. Nieco wcześniej żona tego mężczyzny powiesiła się na starym wiązie za świątynią shinto. Nigdy nie wyjaśniono, dlaczego odebrała sobie życie. Wdowiec i córka zachowywali na ten temat całkowite milczenie. Ich dom na długie lata pozostał zupełnie pusty, jakby był nawiedzony. Zamiast udzielić wsparcia zrozpaczonemu mężczyźnie, wieśniacy, nawet ci najbliżej z nimi spokrewnieni, odsunęli się od nich. Nikt nie pojawił się nawet na pogrzebie kobiety, gdyż uznano, że zapewne przyniesie to nieszczęście. Jak większość rodzin rybackich mieszkańcy wyspy byli niesłychanie przesądni. Wierzyli, że zarówno połowy, jak i los ludzi zależą od kapryśnych mocy, które głównie sterują pogodą. Wszyscy rozsypywali przed drzwiami wejściowymi sól morską, by odpędzić złe siły, a ponadto żaden z domów nie był zorientowany w kierunku północno-wschodnim, bo – jak uważano – właśnie stamtąd przychodziły najgorsze diabelskie demony. Nikt nie chciał mieć do czynienia z pechową rodziną. Choć tragedia ta wydarzyła się na długo przed narodzinami Michiko, dziewczynce surowo zabroniono zbliżać się do rozpadającego się „domu duchów" i jak każdemu dziecku wpojono wiele zasad postępowania: gdy przez ulicę była niesiona trumna, musiała schować kciuki w dłoniach, aby ochronić rodziców przed nagłą śmiercią, gdy urwał jej się pasek od sandała, musiała przez cały dzień siedzieć w domu i szczególnie uważać, by nie przydarzyło jej się coś złego. Na wyspie funkcjonował też jeszcze jeden szczególny przesąd. Gdy ktoś widział, jak ktoś inny opuszcza wyspę, mógł się spodziewać strasznego pecha.

Zgodnie z obowiązującym zwyczajem dziewczynki z wioski uczono nurkować, by potrafiły zbierać muszle z dna morza, a chłopców wychowywano na rybaków. Michiko była najstarszym z czworga dzieci w rodzinie. Jej rodzice pracowali bardzo ciężko. Młodsza siostra przyszła na świat dwa lata po niej, a rok później matka urodziła bliźniaki, dwóch chłopców, którzy mieli zostać rybakami. Mieszkańcy wyspy mieli dużo dzieci, bo stanowiły one dodatkową siłę roboczą. To, że dziewczynki przynosiły wodę ze studni w wiadrach prawie tak dużych jak one same, było zupełnie normalne. Chłopcy zaś pomagali ojcom naprawiać łodzie i zbierać chrust na opał. Michiko uwielbiała pływać i jeszcze przed skończeniem szóstego roku życia towarzyszyła matce podczas nurkowania. Na początku zbieranie muszli było dla niej wyłącznie zabawą, ale już po kilku latach umiała wstrzymywać oddech na dłużej niż niejedna doświadczona pływaczka. Szczególnie łatwo wyszukiwała uchowce, najbardziej cenione muszle na wyspie, i zawsze umiała wskazać matce miejsca, gdzie jest ich najwięcej.

Matka Michiko, Chiyo, była jedną z najlepiej nurkujących kobiet w wiosce. Dlatego miała nadzieję, że wyraźnie utalentowana Michiko poprawi sytuację finansową rodziny, jak tylko zacznie regularnie wyławiać muszle. Ale jej ojciec, Ichiro, który wręcz ją ubóstwiał, nie chciał, aby dziewczynka nurkowała regularnie, zanim skończy trzynaście lat. I chociaż Chiyo tłumaczyła mu, że sama była znacznie młodsza, gdy zaczęła wspierać finansowo rodzinę, to nic to nie dało. Ichiro się uparł, że dopóki będzie mógł, dopóty zapewni swojej ukochanej córce beztroską młodość, której jemu i jego żonie nigdy nie było dane doświadczyć. Chiyo nie miała więc innego wyjścia, jak zaakceptować decyzję męża. Podniesiony głos kobiety w domu bowiem – według mieszkańców wyspy – przynosił nieszczęście. Mężowi mogło się stać coś złego na morzu, a ona nie chciała być temu winna.

– Gdzie idziesz, Michiko? – Chiyo zatrzymała córkę, gdy ta chciała wyjść z domu.

– Do portu. Tata powinien niebawem wrócić – odpowiedziała dziewczynka i włożyła sandały.

Żałowała, że nie wyszła przed powrotem matki. Odkąd pamiętała, każdego dnia czekała w porcie na ojca. Chiyo to nie odpowiadało, a nawet coraz bardziej ją to irytowało.

– Dlaczego nie zajmujesz się Hitoshim i Junichim, gdy ja pracuję? Nie widzisz, że potrzebuję twojej pomocy? – Chiyo weszła Michiko w słowo. Wyglądała na wyczerpaną i zniechęconą.

– Ale tata będzie...

– Tata przecież wie, gdzie mieszka. To naprawdę nie jest konieczne, żebyś każdego dnia biegała do portu. Weź przykład ze swojej młodszej siostry, która pomaga mi w domu. A ty zawsze wymigujesz się od swoich obowiązków! – Chiyo była czerwona ze zdenerwowania.

– Ale tata chciałby, żebym po niego wyszła! – krzyknęła Michiko. – Przecież wiesz, że nie lubi, gdy mnie tam nie ma...

– Powiedz więc swojemu ojcu, że ja nie lubię, jak moja starsza córka zaniedbuje swoje obowiązki i biega każdego dnia do portu, żeby czekać, aż on wróci! – zawołała zdenerwowana Chiyo, potrząsając swoim sprzętem do nurkowania. Następnie położyła go na werandzie przed domem, gdzie na bambusowej macie w popołudniowym słońcu suszył się wypatroszony tachiuo. Jego długi srebrny korpus lśnił w słońcu jak ostry miecz.

Michiko niewiele sobie robiła z wyrzutów matki, bo wiedziała, że gdy ojciec wróci do domu, stanie w jej obronie. Zorientowała się już jakiś czas temu, że to jego zdanie jest najważniejsze w ich rodzinie. Czasami zabierała z sobą do przystani młodszą siostrę Natsuko, żeby wina nie spadła tylko na nią, ale ojciec i tak całą swoją uwagę poświęcał wyłącznie jej. Michiko nie dziwiła się więc, że Natsuko wolała zostawać w domu. Ona jednak gotowa była rzucić wszystko dla tego spotkania, zarówno wesołą zabawę z Natsuko, jak i naukę robienia mochi na specjalne okazje, do której zmuszała ją matka. Ojciec stanowił centrum jej małego świata. Był najważniejszym człowiekiem w jej życiu.

Nic więc dziwnego, że teraz, gdy tylko spostrzegła łódź ojca zbliżającą się do portu, jak najszybciej pobiegła na kamienistą plażę z sandałami w ręce. Nie przejęła się tym, że zerwała w nich pasek. Nie chciała nawet myśleć, że może się stać coś złego. Ale była przecież córką rybaka i wiedziała bardzo dobrze, że morze potrafi być groźne.

– Tatusiu! – Podbiegła do ojca i rzuciła mu się na szyję, która tego dnia wyjątkowo intensywnie pachniała morską wodą.

– Michiko, moja mała! – Ichiro podniósł ją, uśmiechając się szeroko, i przytulił, a ona z radości machała nogami w powietrzu.

– Dużo dzisiaj złowiłeś, tatusiu? – zapytała, gdy ojciec postawił ją na jednym z falochronów.

A ponieważ spory kamień był wciąż mocno nagrzany przez letnie słońce, zeskoczyła z niego i włożyła sandałki.

– Tak, dzisiaj złapaliśmy kilka naprawdę dużych ryb. Tutaj są najgrubsze z dzisiejszego połowu – powiedział Ichiro i pokazał córce mały tobołek pełen ryb isaki. – Schwytałem je specjalnie dla ciebie.

– Ale jedna z nich wciąż żyje! – powiedziała Michiko, patrząc na rybę, która ostatnimi siłami machała ogonem, mimo że przez otwór w jej głowie był przeciągnięty sznurek.

– Ta będzie szczególnie smaczna. Spójrz, w środku ma mnóstwo jajeczek. – Ichiro pokazał palcem okrągły brzuch biało-złotej ryby.

– Och, cudownie, uwielbiam rybie jajeczka! – Michiko promieniała.

– Dobrze ci minął dzień, Michiko? – zapytał Ichiro.

Dziewczynka przytaknęła, ale przestała się uśmiechać.

– Tylko mama znowu jest zła, że przyszłam po ciebie, zamiast opiekować się bliźniakami.

– Przecież może to robić Natsuko, gdy nie ma cię w domu. Czy to dla niej takie trudne?

– Nie wiem – powiedziała Michiko i mocno trzymając ojca za rękę, zeszła ostrożnie z drewnianego molo na piasek.

– Wiesz, że mama mnie nie lubi.

Ichiro milczał. Z mokrych ryb wciąż jeszcze skapywała słona od wody krew.

– Wiesz, że mama mnie nie lubi, prawda? – powtórzyła Michiko pewna, że ojciec potwierdzi jej przypuszczenia, ale on tylko stwierdził:

– Głuptasie, ona bardzo cię kocha, nawet jeśli się złości. Jest dla ciebie po prostu trochę bardziej surowa, bo jesteś naszym najstarszym dzieckiem.

– Ale nie kocha mnie tak bardzo jak ty.

Ichiro roześmiał się w głos.

– Nikt nie kocha cię bardziej niż twój tata. To akurat całkowicie pewne.

– Ale dlaczego mama nie kocha mnie tak samo jak ty? – spytała dziewczynka.

– Michiko, teraz ja cię o coś zapytam. – Ichiro stanął i popatrzył na córkę. – Kochasz swoją mamę tak samo jak tatę?

Czekał chwilę, aż odpowie.

– Nie! – krzyknęła Michiko bez wahania. Uważała za zupełnie zrozumiałe, że nie kocha swoich rodziców jednakowo.

– Tak właśnie myślałem – roześmiał się Ichiro. – Nie mów tego mamie – dodał jeszcze z szerokim uśmiechem na spoconej twarzy – ale ja mógłbym żyć bez niej. Nie mógłbym natomiast żyć bez mojej małej Michiko.

Pomarańczowe słońce, które powoli znikało za horyzontem, wydłużyło ich cienie padające na wiejską drogę prowadzącą do ich domu. Ojciec i córka trzymali się za ręce, śmiali się i rozmawiali aż do samych drzwi.

– Matka przygotuje dla ciebie tę rybę – powiedział Ichiro. – Ona wie, jak ją upiec.

Chiyo wypatroszyła rybę i obrała ją z łusek. Jej mięso było twarde i tłuste, ale w wyniku pieczenia na ruszcie stało się soczyste i miękkie. Gdy kobieta pilnowała, żeby w małym palenisku przed domem ogień nie wygasł, co jakiś czas słyszała śmiech Ichiro i Michiko. W końcu ryba była gotowa. Chiyo potarła oczy zaczerwienione od dymu, a łzy otarła rękawem. Podniosła się i spojrzała na morze. Było skąpane w bordowym świetle słońca, przypominającego teraz rozżarzone węgle.

Kolacja była gotowa: upieczone isaki, marynowana rzodkiew daikon, zupa miso z małżami, które Chiyo zebrała nad ranem, i biały ryż. Jeszcze zanim kobieta usiadła między Natsuko i bliźniakami, Ichiro wziął z miski rybę przeznaczoną dla Michiko i położył na jej talerzu z ryżem. Było dla niego oczywiste, kto dzisiaj zasłużył na najlepszy kawałek. Zanim jednak Michiko dotknęła swojej porcji, Chiyo wzięła kilka innych kawałków ryby i położyła je na talerzu Natsuko.

– Dzisiaj to Natsuko zasłużyła na rybę bardziej niż ktokolwiek inny – powiedziała. – Pomagała mi w domu i opiekowała się chłopcami – kontynuowała, nie patrząc na Ichiro, który spoglądał na nią gniewnie. – Michiko nie musi mieć wszystkiego.

Chiyo nie mogła pojąć, że mąż tak faworyzuje Michiko, a na młodsze dzieci niemalże w ogóle nie zwraca uwagi. Ale tak właśnie było, a ona nie mogła go krytykować. Starała się więc sama im to rekompensować. Lecz im bardziej upominała się o nie, na tym większą przychylność ojca mogła liczyć Michiko.

– Ale przecież wiesz, jak bardzo Michiko lubi isaki – zaprotestował Ichiro.

– Pozostałe dzieci również! – Chiyo podniosła głos i spojrzała prowokacyjnie na męża. – Michiko nie jest twoim jedynym dzieckiem. Masz jeszcze troje innych i wszystkie lubią ryby!

– Ej, kobieto! – To niewinne „ej" zabrzmiało niezwykle ostro, jakby Ichiro zwracał się do obcego człowieka. – Straciłaś rozum? Po co tak krzyczysz?

Mężczyzna napiął muskularne ciało.

– Zauważyłeś w ogóle, że masz jeszcze inne dzieci? – zapytała Chiyo.

– Nie bądź głupia. I dlaczego robisz to wszystko przy dzieciach?

Michiko wpatrywała się w kawałek ryby leżący na jej talerzu. Spostrzegła, że jej siostra kątem oka również patrzy na jedzenie. Obie nie odważyły się nawet tknąć kolacji, podczas gdy bliźniacy już chwilę wcześniej rzucili się na swoje porcje.

– Dlaczego? Bo nie widzisz, co robisz. Jesteś niesprawiedliwy. Faworyzujesz Michiko, a inni dla ciebie nie istnieją. Dlatego.

Gdy Chiyo podniosła głos, przestraszeni chłopcy przestali jeść i spojrzeli najpierw na nią, a potem na Ichiro. Przez chwilę przy stole panowała całkowita cisza.

– Ale to są tylko kawałki ryby! – odpowiedział Ichiro. – A zachowujesz się tak, jakbym podarował Michiko bryłkę złota – kontynuował już nieco spokojniejszy.

– Ach, zostaw już... – Chiyo pokręciła głową i zaczęła oddzielać mięso ryby od ości.

– Tato, ja nie chcę tej ryby – szepnęła Michiko. – Nie chcę jej już nigdy więcej.

– Ale przecież właśnie ją lubisz najbardziej – zauważył

Ichiro, po czym wściekły zwrócił się do Chiyo: – Widzisz, do czego doprowadziłaś, ty głupia kobieto?!

Chiyo złapała pospiesznie kawałki ryby z talerza Michiko i rozdzieliła je między chłopców.

– Wasza starsza siostra już jej nie lubi – stwierdziła sarkastycznie. – Dobrze dla małych! Mama teraz będzie już pilnować, żebyście dostawali najsmaczniejsze kawałki ryby.

Michiko spojrzała na ojca, a jej oczy wypełniły się łzami. Chciała, żeby upomniał matkę za jej podłe zachowanie, zabrał rybę rodzeństwu i położył znowu na jej talerzu, ale zamiast tego on podał jej inny kawałek. Musiała więc patrzeć, jak jej dwaj bracia pożerają jej porcję. Matka jadła w milczeniu. Na jej twarzy widać było uśmiech – wprawdzie nikły, ale wyrażający zadowolenie z siebie. Michiko straciła apetyt. W tej chwili chciała w ogóle nie mieć matki. Najchętniej żyłaby sama z ojcem, z daleka od tego domu.

Latem zeszłego roku Chiyo i jej sąsiadka, pani Hasu, przyszły do głównego urzędu w wiosce, chichocząc jak młode dziewczyny. Pani Hasu była po pięćdziesiątce i miała okrągłą, pulchną twarz, która wyglądała na znacznie zdrowszą i atrakcyjniejszą niż przygnębiona twarz młodszej od niej Chiyo.

– A skąd pochodzi ten jasnowidz? – zapytała krótko Chiyo, gdyż z powodu ich szybkiego marszu nie mogła złapać tchu.

Była nieco wyższa i lepiej zbudowana niż pani Hasu, ale ku jej zaskoczeniu, mimo krótkich nóg i dojrzałego wieku, sąsiadka okazała się zwinniejsza.

– Z samego Nara, niech pani sobie wyobrazi! – odpowiedziała pani Hasu.

Już sama nazwa tego miasta, położonego na jednej z głównych japońskich wysp, brzmiała egzotycznie.

– Ponoć poszukuje tajemniczego ducha wszystkich wysp właśnie w naszej okolicy! – Zwolniła tempo, żeby kontynuować rozmowę. – Przez kilka dni będzie mieszkał w urzędzie. Podobno dziś wieczorem ma przepowiedzieć przyszłość wszystkim rodzinom z naszej wioski.

– Nasza wyspa musi mieć szczególnie dobrą energię, jeśli ją wybrał, nie uważa pani? – spytała Chiyo, której dopisywał humor. – Ciekawe, że okazało się to dopiero po jego przyjeździe.

– Ma pani rację! – Pani Hasu niecierpliwie chwyciła Chiyo za rękę i jednak przyspieszyła kroku. – Dlaczego ten uczony człowiek miałby zostać właśnie tutaj? Być może to on przywiódł tę szczególną energię do nas. Musimy iść szybciej, droga pani. Wszyscy inni z pewnością stoją już w kolejce.

Gdy pojawiły się w porcie, spora liczba kobiet siedziała już przed ciemnobrązowym drewnianym budynkiem i czekała, aż jasnowidz przepowie losy ich rodziny. Jego wizyta była dla mieszkańców wioski szczególnym wydarzeniem. Do tej pory jedynym człowiekiem spoza wyspy, którego oglądali, był stary handlarz, który zjawiał się u nich od czasu do czasu z workiem pełnym tanich ubrań i leków. Jego wizyty jednak były tak nieregularne jak jego uzębienie. A i tak zawsze przyciągał tłumy kupujących i oglądających. Mieszkańcy wyspy rzucali się na niego jak wygłodniałe sępy, gdy drżącymi rękami, którym brakowało najmniejszych palców, rozkładał towar. Czasami faktycznie potrzebowali jakiejś prostej maści albo nowego ubrania, ale przede wszystkim chcieli się dowiedzieć, co dzieje się na głównej wyspie. Chiyo kupowała najczęściej igły do szycia albo rolki bawełny, ale nigdy nie przepuściła okazji, by przyjrzeć się zawartości jego tobołków wykonanych z grubego płótna. Niezależnie od tego, jak zła była jakość towarów przynoszonych przez handlarza, stanowiły cenny łup, bo pochodziły z nieznanego, najpewniej lepszego i bardziej interesującego świata, leżącego w innej części morza.

Chiyo i pani Hasu stanęły na samym końcu kolejki, za młodą dziewczyną w ciąży.

– Czy to w ogóle możliwe, że przepowiada on przyszłość za darmo? – szepnęła Chiyo. – Czy nie powinnyśmy dać mu chociaż jakiejś drobnostki?

Stawała się coraz bardziej niespokojna, bo nie miała przy sobie niczego, czym mogłaby zapłacić mężczyźnie z innej wyspy. Ale pani Hasu pokręciła głową.

– On nie chce pieniędzy – oświadczyła. – Lecz musimy zapewnić mu wikt i nocleg, dopóki statek nie przypłynie, żeby mógł wrócić do siebie. Niech pani mu jutro po prostu przyniesie coś do jedzenia.

– Tak zrobię – powiedziała Chiyo zadziwiona tym, ile informacji sąsiadka zdążyła zebrać o jasnowidzu.

Postanowiła, że przyniesie mu kilka mochi z tych, które dzień wcześniej przygotowała specjalnie z okazji urodzin Hitoshiego i Junichiego.

– Trzeba mu podać daty urodzenia osób, o które chce się zapytać. Bez nich nie będzie mógł niczego powiedzieć. A ja co? Nie mogę sobie przypomnieć, kiedy przyszedł na świat mój najmłodszy synek. – Pani Hasu patrzyła w niebo, jakby w chmurach chciała znaleźć podpowiedź. – Muszę sobie przypomnieć, w którym dniu świętujemy naszą rocznicę. Tylko tak ustalę datę jego urodzin. – Podrapała się po głowie i próbowała palcami przeczesać włosy. – Naprawdę, zaczynam się starzeć. Nie mam już tej niezawodnej pamięci, co kiedyś. – Pokręciła głową z uśmiechem. – Pani z pewnością pamięta daty urodzin swoich dzieci, prawda?

– Tak, oczywiście – odpowiedziała Chiyo i zaczęła się zastanawiać nad tym, czy jej sąsiadka w ogóle znała datę urodzin synka. Przecież niektóre kobiety nie miały nawet pojęcia, ile lat mają ich dzieci. – Myśli pani, że mogę go zapytać o przyszłość całej swojej czwórki? Nie będzie to zbyt wiele?

– Myślę, że zupełnie nie będzie mu to przeszkadzać – odpowiedziała pani Hasu, uśmiechając się pobłażliwie i pokazując przy tym czarne zęby. – Kto z mieszkańców wyspy nie ma przynajmniej czworga dzieci?

Chiyo się uśmiechnęła.

– Ma pani rację, pani Hasu. Ale moje dzieci są chyba na to za małe. Zapytam go więc tylko o mojego męża.

Z budynku wyszła właśnie kobieta z kopertą w ręce i do środka natychmiast weszła następna, zasuwając za sobą harmonijkowe drzwi. Chiyo i pani Hasu wyciągały mocno szyje, by dojrzeć jasnowidzącego, ale nie udało im się zobaczyć niczego więcej oprócz pleców wchodzącej kobiety.

– Najwyraźniej przyszły też kobiety z innych wiosek – zauważyła pani Hasu i rzuciła okiem na długą kolejkę za nimi, która z każdą minutą coraz bardziej się wydłużała. Pojawiło się w niej nawet kilku mężczyzn.

– Co może być w tej kopercie? – spytała Chiyo i spojrzała na kobietę, która właśnie wyszła z pokoju.

– Możliwe, że jest to jakiś rodzaj błogosławieństwa – odpowiedziała pani Hasu. – Ciekawe, czy za nie musimy dodatkowo zapłacić.

Chiyo wzruszyła tylko ramionami. Wiedziała, że i tak nie byłoby jej na to stać.

– W każdym razie powinna też pani zapytać o Michiko. Jest pani najstarszym dzieckiem, a nim się pani zorientuje, stanie się panną na wydaniu.

– Ale ona ma dopiero osiem lat. – Chiyo spojrzała z powątpiewaniem na panią Hasu. – Minie wieczność, nim to nastąpi.

– Przecież jest już prawie kobietą – zauważyła pani Hasu. – Gdy byłam w jej wieku, musiałam się już opiekować swoim młodszym bratem. Z całą pewnością powinna się pani o nią zapytać – dodała nieco głośniej, by podkreślić słuszność swojego stwierdzenia. – Niech mi pani wierzy, nim się pani obejrzy, wyjdzie za mąż i wyprowadzi się z domu, być może na drugi koniec wyspy. – Pani Hasu pokiwała okrągłą głową, by podkreślić, że wynika to z jej wieloletniego doświadczenia. Potem położyła dłoń na ustach i wyszeptała: – A kto wie? Może wyjdzie za mąż za kogoś z głównej wyspy i odejdzie z nim? – Zerknęła szybko na kobiety stojące w kolejce i kontynuowała: – Jest mi obojętne, co ludzie mówią, ale nie chciałabym, żeby moja córka poślubiła rybaka jak ja. Wie pani, o czym mówię, prawda?

Chiyo nie odpowiedziała. Rozejrzała się wokoło i poprawiła włosy. Unikała wzroku pani Hasu.

– Wie pani, o czym mówię – powtórzyła sąsiadka. – Wszyscy chcielibyśmy stąd odejść, tylko brakuje nam odwagi.

Chiyo przytaknęła szybko. Najchętniej zmieniłaby już temat. Nigdy nie przyznałaby się do tego otwarcie, ale zgadzała się z panią Hasu. Gdy była młoda, łudziła się, że kiedyś uda jej się opuścić wyspę, ale nie miała do tego ani dość odwagi, ani odpowiedniej okazji. Samo mówienie o tym stanowiło tabu i mogło okazać się niebezpieczne. Wszyscy, którzy odeszli z wyspy, byli wszak obarczani odpowiedzialnością za zdarzające się tu nieszczęścia i na zawsze okryci hańbą. Mimo to Chiyo skrycie zazdrościła tym, którym się to udało, niezależnie od tego, co było przyczyną ich ucieczki. W wyobraźni prowadziła nowe ekscytujące życie, daleko stąd, na głównej wyspie. To jej głęboko zakorzeniony strach przed wszystkim, co nowe, trzymał ją w tym miejscu, odziedziczona po przodkach małoduszność, sprawiająca, że większość mieszkańców wyspy od wielu pokoleń była przykuta do swojego skrawka ziemi.

Czekała niecierpliwie na to, co powie jej wróżbita. Kiedy Michiko wyjdzie za mąż? Czy ona i jej mąż będą jeszcze długo wspólnie żyć, gdy najstarsza córka opuści ich dom? Czy jej rodzinie zagrażały jakieś złe duchy?

Czy któreś z nich zachoruje? Ale gdy wreszcie przyszła jej kolej, nie umiała zadać jasnowidzowi żadnego konkretnego pytania.

– Proszę podnieść głowę – powiedział wróżbita – żebym mógł cokolwiek zobaczyć.

Chiyo była sam na sam ze starym człowiekiem z Nara i patrzyła mu w oczy, siedząc na sfatygowanej podłodze. Wydawał się jej niesamowicie piękny, mimo że był całkowicie łysy i miał długą siwą brodę. Jego głos zdradzał sędziwy wiek, ale twarz promieniała młodzieńczością. Chiyo zauważyła też, że jego skóra – z kilkoma starczymi plamkami, ale poza tym gładka jak mlecznobiałe mięso świeżej ryby – była jaśniejsza niż u większości mężczyzn, których znała. Sprawiała wrażenie młodszej niż u jej męża, choć jasnowidz z pewnością był od niego co najmniej o dziesięć lat starszy. Wyglądał przy tym zupełnie inaczej, niż go sobie wyobrażała. Jego masywna twarz nijak nie kojarzyła się jej z obliczem oświeconego człowieka. Dłonie też miał wątłe, jakby przez całe życie nie przepracował ani jednego dnia. Chiyo podała mu daty urodzenia członków swojej rodziny i wpatrywała się w te jego delikatne dłonie, podczas gdy on kreślił na ryżowym papierze jakieś nieczytelne dla niej znaki, przyglądał się im, kiwał głową i liczył coś pod nosem na palcach.

– Ma pani jakieś pytania? – podniósł wzrok na Chiyo.

– Przykro mi, proszę pana. Szczerze mówiąc, nie wiem, o co powinnam zapytać – powiedziała i położyła swoje zniszczone od słonej wody dłonie na kolanach.

Stary mężczyzna zaśmiał się i pogładził po brodzie.

– To dobrze, to znaczy, że nie ma pani zmartwień – rzucił krótko i znów zaczął się przyglądać znakom, które narysował na papierze. – Ale skoro już tak długo pani czekała, to może jednak jest coś, o co chciałaby pani mnie zapytać? – Zamilkł na chwilę. – Może chciałaby się pani dowiedzieć, który dzień będzie najlepszy na jakieś szczególne wydarzenie w pani rodzinie?

Chiyo pokręciła głową.

– W najbliższym czasie nie będzie się działo u nas nic szczególnego. Nasze dzieci są jeszcze za małe. Najstarsze ma dopiero osiem lat.

– Rozumiem… – Jasnowidz pokiwał głową i westchnął pobłażliwie, jak miewają w zwyczaju starsi ludzie.

– Ale może mógłby mi pan powiedzieć coś o moim mężu. On wypływa w morze, więc…

– Rozumiem – przytaknął znów starzec. – Cóż, mogę więc pani opowiedzieć coś o pani mężu i starszej córce. – Spojrzał Chiyo głęboko w oczy. – Chce pani posłuchać?

Chiyo poczuła się nagle zupełnie naga. Czemu właściwie o nich wspomniał? Ale przytaknęła i poczuła, jak przenikliwy wzrok starca przeszywa ją na wylot. Odwróciła głowę, bojąc się, że starzec może czytać w jej myślach.

– Cóż – wróżbita zniżył głos. – Nie jestem pewien, czy powinienem pani o tym mówić, ale sądzę, że będzie lepiej, jeśli będzie pani wiedziała. A więc proszę mnie teraz posłuchać i otworzyć się na to, co powiem. Nie musi się pani bać.

Chiyo przytaknęła nieco uspokojona.

– Tak więc… – podrapał się po łysej głowie i nagle zaczął mówić znacznie szybciej, jakby zmienił się w innego człowieka: – Pani mąż jest wyjątkowo oddanym ojcem, zwłaszcza jeśli chodzi o starszą córkę, prawda?

Uśmiechnęła się w wymuszony sposób.

– Zgadza się.

– Nie wygląda pani na zazdrosną – stwierdził cicho, ale stanowczo.

– Oczywiście, że nie. Jak mogłabym być zazdrosna o własną córkę? – zdziwiła się Chiyo.

– To dobrze, że jest pani tak dojrzałą matką – odpowiedział serdecznie. – Ale musi to być dla pani bardzo trudne.

Chiyo milczała, patrząc na swoje złożone dłonie.

– Musi pani wiedzieć, że pani córka przyszła na świat dzięki pani, by ponownie złączyć się z pani mężem. Istnieje między nimi karmiczna więź z poprzedniego życia.

– Nie rozumiem...

– Wiem, to niezrozumiałe i dziwne. Ale wtedy sięgamy po baśniowe historie, by wyjaśnić pewne rzeczy, których nie da się pojąć w inny sposób. Chce pani usłyszeć taką opowieść?

Chiyo przytaknęła, nie będąc pewna, czy powinna tego dalej słuchać.

– Cóż, najwyraźniej pani córka w poprzednim życiu była żoną pani męża. Umarła jednakże bardzo młodo, pogrążając go w samotności i rozpaczy. Dlatego niedługo później popełnił samobójstwo. Nie żeby być znów przy niej, ale żeby zakończyć życie bez niej. Stało się jednak tak, że powrócili na ten świat i znów są razem. To bardzo skrótowo opowiedziana historia – uśmiechnął się i spojrzał Chiyo głęboko w oczy. – Wiem, że brzmi to jak bajka, ale czy nie wyjaśnia tego, czego w żaden inny sposób nie potrafi pani wytłumaczyć?

Chiyo poczuła suchość w ustach. Jej serce biło jak oszalałe. Zwilżyła wargi i powiedziała:

– Ale co ja mogę z tym zrobić?

– Właściwie nic. – Wzruszył ramionami i uśmiechnął się ponuro. – W końcu wszystko samo się wyjaśni. Jesteśmy tylko marionetkami. Rządzi nami nasza karma, a poprzednie istnienia mają wpływ na obecne życie. – Znów spojrzał na nakreślone przez siebie znaki. – Byłoby wspaniale, gdybyśmy pamiętali nasze wcześniejsze wcielenia i potrafili kierować naszą karmą w obecnym, ale niestety jest to niemożliwe. – Położył przed sobą pustą kartkę oraz tę ze znakami. – Musimy po prostu żyć ze świadomością, że każdego dnia niezależnie od tego, co robimy, kształtujemy ją.

– Nie mogę powiedzieć, że pana rozumiem. Dlaczego opowiada mi pan to wszystko, choć niczego nie mogę zmienić? – Chiyo wyglądała na zdezorientowaną i bezbronną. Wpatrywała się w niewielką dziurę wypaloną w podłodze.

– Chodzi mi o to, co się stanie – stwierdził łagodnie jasnowidz. – Nie może pani zrobić niczego, żeby zmienić tę sytuację. Musi pani po prostu zaakceptować pani karmę. – Spojrzał na nią, ale wciąż wydawała się zagubiona. – Pani mąż kocha córkę bardziej niż kogokolwiek innego, nawet bardziej niż panią. Chiyo westchnęła bezradnie.

– Niech pani się nie unosi z tego powodu ani nie czuje zazdrości. W pewnym sensie sama pani na to zasłużyła. Taka jest pani karma: ma pani męża, który bardziej od pani kocha córkę. A zgodnie ze swoją karmą pani córka urodziła się z pani, by żyć ze swoim ojcem, który kiedyś był jej ukochanym mężem, i z zazdrosną matką. Nie twierdzę, że to sprawiedliwe ani komfortowe dla pani czy innych członków rodziny, ale musi pani zrozumieć, że na te sprawy nie mamy wpływu. Może pani próbować im przeciwdziałać i może to nawet dać pani chwilowe poczucie wyzwolenia, ale w końcu i tak zda sobie pani sprawę, że wszystko ma swój cel, a pani nic na to nie poradzi.

Chiyo przytaknęła posłusznie.

– Czy jest jeszcze coś, co powinnam wiedzieć? – zapytała z wahaniem.

W jej głowie zapanował chaos. Czuła się tak, jakby zanurkowała i nagle, na wstrzymanym oddechu, musiała z ogromnej głębokości wydostać się na powierzchnię.

– To zależy od tego, czego pani chce – powiedział wróżbita. Jego oczy błyszczały. – Czasami dobrze jest zapytać o cokolwiek, jeśli chce się wiedzieć wszystko.

Chiyo spojrzała na niego zmieszana. Czuła ogromną niechęć do tego człowieka, mimo to chciała dowiedzieć się czegoś więcej – niezależnie od tego, jak bardzo mogłoby to być przerażające.

– Odpowiem więc panu zgodnie z moimi uczuciami. Nie sądzę, żebym musiała wiedzieć coś więcej.

Starzec siedział nieruchomo, tyłem do jedynego w pomieszczeniu okna. Tylko jego usta i broda lekko się poruszały. W tym pustym pokoju wyglądał tak naturalnie, jakby był częścią jego umeblowania, starym biurkiem jak to, przy którym siedział.

– Jako jasnowidz popełniłem wiele błędów, zdradzając wszystko, co mi się ukazało albo raczej pojawiło się w mojej wewnętrznej wizji. Być może teraz znów tak postąpiłem, bo zobaczyłem coś bardzo wyraźnie – pomachał bladymi dłońmi przed swoimi oczami.

Chiyo spojrzała na starca poważnie, jakby próbowała odgadnąć, co widział.

– Ale niech pani posłucha – kontynuował. – Według mnie los nie jest stały. Wszechświat ciągle się zmienia. Nie będę więc pani przekonywał do mojej wizji. Niech pani jedynie pamięta, że wszystko, co się dzieje, jest naszą karmą. Niech więc pani spróbuje przyjąć to, co przychodzi, i robić to, co wydaje się pani najlepsze. – Uśmiechnął się i uniósł rzadkie brwi. – Być może będzie pani miała więcej szczęścia w następnym życiu, jeśli tylko będzie się pani dużo modlić i robić wszystko, żeby pani karma była coraz lepsza. Więcej nie mogę powiedzieć.

Chiyo słuchała w milczeniu. Myślała, że chyba lepiej by było, gdyby się o tym nigdy nie dowiedziała. Choć prawda jest taka, że za pomocą tej baśniowej historii wyjaśnił ich problem.

– Sądzę też, że pani córka kiedyś opuści wyspę. Jej przeznaczeniem jest przeprawa przez morze – dodał jasnowidz na koniec. – To jeszcze mogłem pani wyjawić. Być może choć trochę to panią pocieszy.

Chiyo faktycznie poczuła ulgę. Nie dlatego, by kiedykolwiek pragnęła, aby Michiko odeszła, nie mówiąc już o tym, by opuściła wyspę, ale wydawało się jej, że wreszcie poznała zakończenie jakieś skomplikowanej historii. Zakończenie, które potrafiła zaakceptować.

Tej nocy Chiyo długo rozmyślała o wszystkim, czego się dowiedziała od jasnowidza, ale coraz bardziej czuła się zagubiona. Najpierw starzec mówił, że wszystko jest już z góry ustalone i nic nie można zmienić, a potem twierdził, że na los można mieć wpływ, że można kształtować swoją karmę i dzięki temu mieć nadzieję na lepszą przyszłość. Czy nie ma w tym sprzeczności? W dzień to wszystko brzmiało sensownie, ale teraz, w nocy, słowa starca wydawały się jej zupełnie absurdalne. Obok niej spali dwaj synkowie. Po drugiej stronie pochrapywał mąż, trzymający w ramionach głęboko śpiącą Michiko. Odwróciła się w jego stronę. Jaki mógł być w swoim poprzednim życiu? Spróbowała wyobrazić sobie smutną historię Ichiro i swojej córki i nagle poczuła ogromny niepokój, a jej zazdrość o uczucia, jakimi jej mąż darzył Michiko, stała się jeszcze większa niż zazwyczaj. Usiadła i popatrzyła, jak Ichiro i ich córka śpią obok siebie jak para gołąbków, oddzieleni od niej i reszty dzieci. Delikatnie zdjęła rękę Ichiro z córki i odwróciła go na plecy. Z długim, wypełniającym pokój westchnieniem chwyciła otwartą dłoń męża i złączyła ją czule ze swoją. Ale on, pomrukując cicho, już po chwili odwrócił się w stronę Michiko i objął ją ramieniem. Chiyo z wściekłością patrzyła na jego plecy, a potem spojrzała na swoich synów i młodszą córkę.

Po raz kolejny przypomniała sobie słowa jasnowidza: musiała po prostu zostawić to w spokoju. I tak niczego nie mogła zmienić. Nie miała innego wyjścia, niż zaakceptować swoją rodzinę taką, jaką była – z różnymi niepasującymi do siebie elementami, które zostały wrzucone do jednego worka.

6.

W 1895 roku Japonia pokonała Chiny rządzone przez dynastię Qing. Zwycięstwo to, pierwsze w historii ich sporów, zawdzięczała przede wszystkim dopiero co zmodernizowanej armii i marynarce. Chińczycy musieli znosić w wyniku tego liczne upokorzenia, a ponadto płacić na rzecz Japonii jedną trzecią rocznych dochodów podatkowych. Stracili też władzę na Półwyspie Koreańskim, w Mandżurii oraz na południu Tajwanu. Japonia zaś realizowała w ten sposób swoje zapędy do uzyskania hegemonii w Azji.

Niezależnie jednak od tego pamiętnego zwycięstwa w wiosce rybackiej Michiko wczesne lato przebiegało tak samo zwyczajnie jak co roku. Michiko skończyła już trzynaście lat, była więc wystarczająco dorosła i silna, żeby nurkować razem z matką, a być może nawet całkowicie ją w tym zastąpić, choć mimo obietnic składanych ostatniego lata Ichiro nadal chciał ponad wszystko, by Michiko cieszyła się beztroskim dzieciństwem przynajmniej do końca tej pięknej pory roku.

– Michiko, powinnaś cieszyć się latem, zanim będziesz musiała spędzać cały swój czas z matką pod wodą – powiedział Ichiro któregoś dnia do córki, ale jego słowa wydawały się skierowane do Chiyo, która w słabym świetle lampy naftowej w skupieniu próbowała przeciągnąć nitkę przez niewielkie ucho igły. Ichiro zdawał sobie sprawę, że w lutym, gdy Michiko skończy trzynaście lat, będzie musiała zacząć pracować, ale przekonał Chiyo, żeby poczekała do lata, kiedy woda będzie cieplejsza. A gdy nadeszło lato, znów próbował zyskać dla ukochanej córki kolejne dwa miesiące.

– Cieszyć się latem? – Chiyo popatrzyła na męża. – A co, tym razem jest za gorąco na pływanie? Ma stracić cały letni sezon? W żadnym razie! – odwarknęła.

Ichiro oparł się z rezygnacją o ścianę i westchnął głośno. Gdy Chiyo patrzyła na niego zagniewana, z lampy zaczął się unosić czarny sznur dymu. Michiko i Natsuko przerwały zabawę. Bączek bliźniaków zatrzymał się na podłodze i przewrócił na bok. Na kilka sekund zapanowała całkowita cisza, a mały pokój wypełnił się zapachem spirali przeciwko komarom.

– Michiko jest w odpowiednim wieku! – krzyknęła Chiyo mocno zdenerwowana na męża. – Wszystkie dziewczyny w jej wieku od dawna już pracują. – Ponieważ jednak zobaczyła surowy wyraz twarzy Ichiro, zdała sobie sprawę, że dała się ponieść emocjom, kontynuowała więc spokojniejszym tonem: – Ustaliliśmy, że Michiko zacznie nurkować, gdy skończy trzynaście lat. W lutym niespodziewanie zarządziłeś, że należy poczekać, aż przyjdzie lato. A teraz jak małe rozpieszczone dziecko chcesz, żebyśmy zmarnowali całe letnie miesiące. Gdy lato się skończy, znów powiesz, że woda jest zbyt zimna dla Michiko. Doskonale wiem, że tak będzie. A czy nigdy nie pomyślałeś, jak mnie jest ciężko jednocześnie nurkować i opiekować się dziećmi? – głos Chiyo drżał, choć starała się mówić spokojnie i zachować rozsądek.

Przetarła oczy suchymi, zniszczonymi dłońmi i wróciła do nawlekania igły. Po kilku próbach udało się jej wreszcie i zaczęła zszywać dziurę w moskitierze.

Michiko miała wrażenie, że matka mówi bezpośrednio do niej, ganiąc ją za zaniedbywanie obowiązków. Spojrzała na ojca, który znów jedynie głośno westchnął i bez słowa zapalił bambusową fajkę. Oznaczało to, że dzieci mogą wracać do zabawy.

– A więc – Ichiro zawsze rozpoczynał w ten sposób poważne rozmowy – obiecuję ci, że gdy lato się skończy, Michiko będzie pracować razem z tobą – zapewnił spokojnie, niemal przepraszająco.

Chiyo zacisnęła usta i nic nie odpowiedziała, ze wszystkich sił próbując się skupić na naprawianiu moskitiery.

Chłopcy znów zaczęli bawić się bączkiem, a Michiko ulżyło, że rodzice przestali się kłócić. Perspektywa spędzenia kolejnego lata na bieganiu po lesie oraz łapaniu cykad i świerszczy nie była zła, ale nie miałaby też nic przeciwko nurkowaniu w poszukiwaniu małży. Lecz jeśli ojciec tak postanowił, to zamierzała być mu posłuszna niezależnie od tego, czy podobało się to jej matce, czy nie. Spojrzała na Chiyo pochyloną nad wyblakłym lnem w kolorze indygo. Zauważyła, że dość mocno się postarzała. Miała kurze łapki wokół oczu, a migoczące światło lampy uwidaczniało głębokie zmarszczki między brwiami. Nagle zaczęła jej współczuć. Czuła się też trochę temu winna.

– Znajdziesz ogromne ilości uchowców i zarobisz dla nas dużo pieniędzy, prawda, Michiko? – zagadnął wesoło Ichiro, ale Chiyo konsekwentnie milczała, demonstrując swoje niezadowolenie.

– Tak, tato. Ja zawsze potrafię jakieś znaleźć – odpowiedziała Michiko, cały czas obserwując matkę.

Głębokie bruzdy na jej czole nieco złagodniały, ale wciąż patrzyła na niebieski kawałek materiału. Michiko wiedziała, że i tak skończy się jak zawsze: matka będzie musiała ustąpić.

– Widzisz, Michiko nam pomoże. Poczekaj tylko, aż zacznie pracować razem z tobą. – Ichiro uśmiechnął się szczerze, gdy wyobraził sobie ich mały dom wypełniony po brzegi uchowcami. – Pozwól jej więc – zbliżył się do żony – jeszcze trochę nacieszyć się wolnością. Ja tego lata zarobię więcej. Kupię ci nawet nową moskitierę.

Chiyo spojrzała na Ichiro.

– Moskitierę? Dla mnie? Dlaczego lepiej nie kupisz nowej dla Michiko? – rzuciła chłodno, na co Ichiro zareagował rozbawieniem:

– Już dobrze, dobrze… Co tylko chcesz. Nic lepszego nie przyszło mi teraz do głowy. Ale obiecuję ci, że kupię ci, co tylko będziesz chciała.

– Te wredne dziury... – mruknęła Chiyo, zupełnie go ignorując. – Nieważne, jak często się je ceruje, i tak jest ich coraz więcej.

Najszczęśliwsze lato w życiu Michiko trwało już od tygodnia, a wszystkie znaki na niebie i ziemi zapowiadały, że kolejny dzień również będzie cudowny. Nocne niebo było pełne gwiazd, a więc w dzień nie pojawi się na nim ani jedna chmurka. Popołudniowe słońce miało ogrzewać pola kukurydzy, a opalone ciała rolników uczynić jeszcze ciemniejszymi. I nadal trudno było uwierzyć, że po długiej porze deszczowej niebawem stanie się parno i nieprzyjemnie. Jak każdego lata.

Chiyo przygotowywała właśnie mężowi pakunek z jedzeniem, a on siedział w kuchni przy piecu i w pośpiechu jadł śniadanie. Cała rodzina była już na nogach, mimo że na zewnątrz wciąż było ciemno.

– Gdyby taka pogoda utrzymywała się przez cały rok – zaczął Ichiro, przełknąwszy kolejną łyżkę miso – to łowienie ryb nie było takim złym zajęciem.

Chiyo spojrzała na ciemne niebo, zastanawiając się, dlaczego jej mąż rozmawia z nią o pogodzie, skoro nigdy wcześniej nie poruszali tak błahych tematów.

– Też mam nadzieję, że taka pozostanie – odpowiedziała jednak, jak przystało na dobrą żonę, i otworzyła dzban z oshinko, kiszoną rzodkwią. – Zapowiada się kolejny piękny dzień – dodała i włożyła sobie kawałek rzodkwi do ust. – Spójrz, jak dobrze widać gwiazdy. Niebo jest naprawdę czyste.

Odgłos jej żucia harmonijnie zmieszał się z siorbaniem jej męża.

– Nie sądzisz więc, że Michiko potrzebuje nowego kimona? – spytał Ichiro, nie patrząc na nią. – Sporo ostatnio urosła. – Przyłożył miskę do ust, by wypić resztę zupy.

– Na lato stare jeszcze jej wystarczy – odpowiedziała Chiyo obojętnie, ale Ichiro zauważył, że unika jego wzroku.

– To kimono jest za małe na Michiko – oznajmił. – To zadziwiające, jak szybko urosła – dodał z większym entuzjazmem, niż było to konieczne.

– Tak samo jak inne dzieci – zauważyła Chiyo i zamknęła słój z rzodkwią. Zawinęła śniadanie w kawałek bawełny i podała pakunek Ichiro. – Nie mamy pieniędzy na takie rzeczy – powiedziała stanowczo.

Ichiro wstał, sięgając po kurtkę.

– Latem dni są długie, a jeśli pogoda się utrzyma, będę zarabiał więcej niż dotychczas. – Wszystko sobie dokładnie przemyślał. – Wtedy będziemy mieć wystarczająco pieniędzy, żeby kupić jej nowe kimono.

Jak na żonę rybaka przystało, Chiyo ucięła rozmowę i odprowadziła męża do drzwi. Ichiro również nie powiedział nic więcej, wiedząc, że kłótnia z żoną na początku dnia przynosi ogromnego pecha. Chiyo patrzyła za nim, dopóki całkowicie nie zniknął w ciemnościach. Potem wróciła do źle oświetlonej kuchni, by ogrzać się przy ogniu. Oglądała rękaw swojej starej kurtki, której materiał był cieńszy niż pajęczyna i która miejscami rozchodziła się na szwach. Jakże często ją cerowała... Przypomniała sobie nagle historię niespełnionej miłości jej męża i córki. I choć próbowała ją wyrzucić z myśli, nie na wiele się to zdało. Doszła do wniosku, że musi skupić się na czymś innym.

Wzięła wiązkę grubej słomy zamoczonej w wodzie i zaczęła trzeć nią smołę oblepiającą stare garnki. Mogła je tak szorować do nocy, ale i tak nie stałyby się czyste. Musiała jednak czymś zająć myśli. Czyściła je więc zawzięcie dopóty, dopóki nad morzem nie wzeszło słońce.

Jeszcze przed świtem Ichiro wszedł na łódź kapitana Suzuki, ale gdy pięciu rybaków wraz z innymi wypływało na morze, pomarańczowe słońce zaczęło się wyłaniać zza horyzontu, zamieniając nieskończoną wodną przestrzeń w feerię ognistych barw. Widoczność była na tyle dobra, że Ichiro mógł bez problemu dostrzec linię horyzontu, odległe miejsce, w którym słońce zdawało się unosić na powierzchni wody.

Tego ranka wypłynęli dalej niż zwykle, zostawiając za sobą w tyle inne łodzie. Kapitan Suzuki był w doskonałym humorze. Po części zawdzięczał go pogodzie, a po części – niefiltrowanej sake, którą przyrządziła mu w domu żona.

– Żeby złowić duże ryby, trzeba wypłynąć na wielką wodę! – powiedział, kierując swoją łódź coraz dalej na otwarte morze.

W swojej nieco chaotycznej przemowie trochę bełkotliwie wyjaśnił rybakom, że wyruszyli w morze tak wcześnie, żeby wrócić o zwykłej porze. Stary, życzliwy wszystkim kapitan zaczął pić, jeszcze zanim rybacy zarzucili pierwszą sieć. I tak jak zapowiedział, wyprawa na otwarte morze, daleko od nabrzeża, szybko przyniosła najlepszy połów, jaki zdarzył im się w tym roku. Wydawało się, że grube ogromne ryby same wskakują do zarzucanych z łodzi sieci.

– To najlepszy połów mojego życia! – krzyknął kapitan, gdy po przerwie obiadowej młodzi mężczyźni wyciągali kolejną partię ryb. – Nigdy nie widziałem tak spokojnego morza – powiedział.

A Ichiro nigdy nie widział tak wesołego i jednocześnie rozleniwionego kapitana. Wydawało się, że cały czas się śmieje. Ale czyż nie należała mu się ta chwila błogości po całym życiu ciężkiej pracy?

– Hej, posłuchajcie no, chłopcy! – krzyczał stary kapitan. – Jeśli będzie nam tak szło przez cały dzień, to będziecie sobie mogli pozwolić na prawdziwą gejszę z Kioto!

– A skąd kapitan tyle wie o gejszach z Kioto? – przekomarzał się z nim Ichiro, wpuszczając sieć do wody. – Przecież nigdy tam kapitan nie był!

– He, he! – odkrzyknął kapitan i potrząsnął butelką sake. – Wystarczająco dużo słyszałem o tych paniach! Nie wiecie, że część naszych połowów jest dostarczana do Kioto?

Łagodna fala uderzyła o łódź i trochę sake wylało się na pokład.

– Piękne gejsze z Kioto jedzą owoce morza, które my łowimy! Co wy na to? Co na to powiecie?

– A więc nasze ryby mają lepsze życie niż my – Ichiro i inni mężczyźni wybuchnęli śmiechem.

Wszyscy byli podekscytowani nieprawdopodobnie uda-
nym połowem. Uśmiechali się szeroko, przekładając ryby
z sieci do drewnianych beczek.

– Masz rację! – kapitan również się śmiał. – One mogą
poczuć usta gejsz od wewnątrz. Ale jeśli każdego dnia połów
będzie tak obfity, i nas będzie na to stać. – Nawet głębokie
zmarszczki kapitana zdawały się śmiać razem z nim. – A ty,
Ichiro, nie chciałbyś mieć dla siebie młodziutkiej gejszy,
która byłaby tak delikatna jak wiosenny kwiat? – drażnił
się kapitan Suzuki.

Ichiro wyprostował się znad sieci.

– Kapitanie, niezależnie od tego, ile byśmy zaoferowali
im pieniędzy, gejsze z Kioto nie chciałyby nawet siedzieć
w jednym pokoju z nami, prostymi rybakami. A ja, gdybym
miał te pieniądze, to wolałbym raczej kupić nowe kimono
dla mojej córki – powiedział poważnie, odcinając się tym
samym od atmosfery powszechnej wesołości panującej
na statku, ale po chwili dodał jeszcze żartobliwie: – Poza
tym gejsza delikatna jak wiosenny kwiat lepiej pasowałaby
do pana, kapitanie!

– Mogę się z tobą o to założyć! – krzyknął Suzuki i napił
się sake. – Aaach! – westchnął z uwielbieniem i głośno
mlasnął, oblizując usta. – Moja żona jest tak paskudna
jak kolcobrzuch, ale robi najlepszą sake na świecie. Żadna
gejsza nie potrafiłaby takiej przygotować!

– Pana żona robi najlepszą sake pod słońcem, ale gryzie
jak murena! – zażartował jeden z rybaków.

– Masz cholerną rację! – Kapitan znów wybuchł śmiechem.

– Tylko taki stary wyjadacz jak ja może z nią wytrzymać!

Gdy pozostali rybacy żartowali dalej z kapitanem, Ichiro obserwował niebo. Z południa nadciągały powoli ciemne chmury, zakrywając słońce.

– Lepiej niech kapitan uważa, co mówi! – krzyknął.

– Dopiero co wspomniał pan o gejszach, a już zmieniła się pogoda.

Prawda była taka, że nikt nie spodziewał się tak gwałtownych zmian. Zwłaszcza że dzień rozpoczął się tak pięknie. Głośne śmiechy ucichły, jakby wchłonęła je wilgoć, mocno już wyczuwalna w powietrzu.

– Chodźcie, wciągniemy szybko jeszcze te kilka sieci i wracamy – powiedział kapitan, nie tracąc dobrego humoru. – Jest jeszcze wcześnie, a wiatr nie wieje mocno – dodał, jakby był zupełnie trzeźwy. – No już, śpieszcie się, musimy być szybsi niż nadciągające chmury, a to nie powinno być przecież takie trudne!

Rybacy w ogromnym pośpiechu rzucili się do sieci. Wiedzieli, że nadciąga burza i mają mało czasu, ale złowili tyle wspaniałych ryb, że nie potrafili tak po prostu oddać ich morzu. „Jeszcze tylko trochę" – powtarzali sobie, gdy ciemnoszare chmury zakrywały ostatnie skrawki niebieskiego nieba, a morze coraz wyraźniej przygotowywało się na ulewny deszcz.

– Jeszcze nie pada! No, dalej! Jeszcze tylko jedna sieć pełna wielkich tłustych ryb! – krzyczał kapitan, opierając butelkę sake o biodro. – Ruszajcie się! – ponaglał ich. – Jeszcze tylko ten ostatni połów i wracamy do domu!

Żylastymi rękami pomógł rybakom wciągnąć na pokład ostatnią sieć, którą z wielkim trudem wydobyli z głębin morza.

Wysokie fale zaczynały się piętrzyć pod łodzią. Ichiro myślał o Michiko i o tym, jak bardzo ucieszy się z nowego kimona. Również inni mężczyźni marzyli o tym, co kupią za pieniądze zarobione na tym wspaniałym połowie. Żaden z nich nigdy nie widział tak ogromnej ilości ryb. Wpatrywali się więc w nie jak piraci, którzy właśnie wylądowali na wyspie skarbów. Nagle słońce przebiło się przez chmury i rzuciło swoje ciepłe promienie na błękitne morze.

– O! Słońce znów świeci! – krzyknął Ichiro. – Zarzućmy sieci jeszcze raz, zanim wrócimy, kapitanie!

Miał nadzieję, że uda mu się zarobić tyle, by wystarczyło także na nowe kimono dla jego wiecznie niezadowolonej żony. Wtedy bez przeszkód mógłby sprawić prezent również ukochanej córce.

– Ichiro, naprawdę powinniśmy już wracać – zauważył wyczerpany kapitan Suzuki.

– Starzeje się pan! – krzyknął drugi kapitan, jak inni zaślepiony marzeniami o pięknych gejszach. – Ichiro ma rację. Powinniśmy raz jeszcze zarzucić sieci, dopóki słońce świeci zza chmur. Ryby same nam w nie wskakują. Trafiliśmy na prawdziwą żyłę złota.

– Dobrze więc. W końcu jesteśmy doświadczonymi rybakami. – Kapitan Suzuki zachwiał się, gdy duża fala uderzyła w łódź, ale szybko odzyskał równowagę. – Macie rację! Czemu mielibyśmy dobrowolnie zrezygnować z tego dobra? Spróbujmy więc raz jeszcze. Spieszcie się!

Ichiro pomógł zarzucić sieć. Wyobrażał sobie cały czas, jak bardzo Michiko będzie się cieszyć z nowego kimona. Wiedział, że będzie wręcz podskakiwać z radości.

Pozostałe łodzie już dawno wróciły na ląd, zaraz gdy tylko wiatr zaczął wzburzać powierzchnię morza. Kiedy stanęli na nabrzeżu, zapalili ogień, by pomóc pozostałym dotrzeć na brzeg. Wkrótce jednak ogniska zgasił ulewny deszcz.

Michiko patrzyła z niepokojem na ciemnoszary horyzont i modliła się, by ojciec wrócił szczęśliwie do domu. Wielu mieszkańców wsi modliło się w tym samym czasie za swoich mężów, ojców oraz braci. Drgające błyskawice rozświetlały co chwilę szalejące morze, a ogłuszający łoskot piorunów przerywał ich desperackie błagania, mimo to prawie przez całą noc czekali w ulewnym deszczu, trwając przy nadziei. Łódź Ichiro jednak nigdy nie wróciła na brzeg. Kilka dni później morze wyrzuciło na skały przy nabrzeżu zwłoki kapitana Suzuki, który wciąż miał butelkę sake mocno przywiązaną do pasa. Ciał pozostałych nigdy nie odnaleziono, ale mieszkańcy wyspy byli pewni, że podobnie jak łódź wszyscy utonęli.

Michiko płakała bez przerwy. Wydawało się, że uśmiech na zawsze zniknął z jej twarzy. Całymi godzinami siedziała na brzegu i patrzyła w wodę, jakby straciła wszystko, co miało dla niej jakikolwiek sens. Lato zbliżało się ku końcowi, a ona nie potrafiła zapanować nad swoim smutkiem i wrócić do normalnego życia. Wzbraniała się jedynie przed tym, by nie przekląć morza za to, że pochłonęło jej ojca.

Zrozpaczony wzrok córki dodatkowo wzmagał cierpienie Chiyo, która chyba jeszcze bardziej przeżywała śmierć męża. Była bowiem pewna, że ostatnie myśli jej męża, gdy płuca wypełniała mu słona woda, dotyczyły Michiko. Co tak strasznego zrobiła, że zasłużyła sobie na to wszystko? Urodziła córkę, która sprawia jej jedynie ból, a teraz jeszcze straciła męża... Wszystko to wydawało się jej ogromnie niesprawiedliwe, ale nie miała innego wyjścia, jak poświęcić się morzu, by wykarmić dzieci, z których jedno było jej sekretnym wrogiem.

Pewnego pogodnego jesiennego dnia, kilka miesięcy po śmierci Ichiro, Chiyo usłyszała, że handlarz odwiedzający ich okolicę znów zjawił się na wyspie. Mimo to została w domu, żeby przygotować obiad i wysuszyć wypatroszone flądry.

– Dzień dobry. Przepraszam, czy pani Masuda? – usłyszała kobiecy głos, gdy układała flądry na bambusowej macie. Nikt z wioski jej tak nie nazywał.

Gdy się odwróciła, zobaczyła filigranową kobietę w średnim wieku w towarzystwie energicznej sąsiadki, pani Hasu.

– Ona jest z Kioto! – oznajmiła pani Hasu wyraźnie podekscytowana.

Kobieta z Kioto uśmiechnęła się, nie pokazując zębów.

– Cieszę się, że mogę panią poznać, pani Masuda. – Skłoniła się nadzwyczaj uprzejmie.

Chiyo pomyślała, że nikt nigdy jej tak nie pozdrowił. Zakłopotana odwzajemniła ukłon i rzuciła wymowne spojrzenie pani Hasu, licząc na jakąkolwiek wskazówkę z jej strony. Ale sąsiadka bez słowa wróciła do domu. Chociaż kobieta z Kioto nie pochodziła z wysokiej warstwy społecznej, była elegancko ubrana, a skórę miała tak białą jak mięso flądry.

– Nazywam się Kimura – skłoniła się ponownie, składając dłonie.

– Aha… – Chiyo odwzajemniła znów ukłon i podziwiała piękny obi, którym kobieta miała związane kimono.

Zapierający dech w piersiach wzór ze złotych i pomarańczowych kwiatów przepięknie odznaczał się na czarnym tle. Chiyo podobały się nawet zaczernione zęby kobiety, choć zwyczaj ten, zwany ohaguro, nie był na wyspie powszechny. Chiyo widziała w swoim życiu zaledwie kilka takich kobiet, i to tylko podczas świąt odbywających się w innych wioskach znajdujących się na wyspie.

– Wspaniały dzień na suszenie ryb! – zauważyła pani Kimura, patrząc na flądry porozkładane na bambusowych matach, jakby nigdy w życiu nie widziała czegoś podobnego. – Muszę panią przeprosić, że nachodzę panią tak nagle – skłoniła się, chcąc podkreślić swoje słowa.

Pochyliła głowę tak nisko, że Chiyo przez chwilę widziała drewniane ozdoby wpięte w jej błyszczące od wosku włosy. To przesadnie uprzejme zachowanie gościa peszyło ją, ale była ciekawa powodu tej wizyty. Najwidoczniej kobieta to wyczuła, bo postanowiła dłużej nie trzymać jej w niepewności.

– Szukam dziewczynki, którą miałaby adoptować moja klientka z Kioto, a dotarła do mnie informacja, że pani małżonek...

Chiyo zadrżała.

– ...miał wypadek. Jest mi bardzo przykro z tego powodu. Chciałabym złożyć pani najszczersze kondolencje, pani Masuda. – Znowu się ukłoniła, a twarz Chiyo wyrażała w tej chwili ogromny ból połączony z niepewnością.

– Cóż – kontynuowała – pomogłam już wielu dziewczynkom z takich małych wysp jak ta. Wszystkie prowadzą teraz w Kioto znacznie lepsze życie. Była tam pani kiedyś? W Kioto? – spytała i przechyliła głowę, tak jak się robi, gdy oczekuje się odpowiedzi od małego dziecka.

Chiyo zaprzeczyła. Pani Kimura starała się brzmieć łagodnie, ale Chiyo miała wrażenie, że nie do końca jest szczera.

– Pewnie jak wszyscy ludzie tutaj urodziła się pani na tej wyspie i zapewne nie ma pani nawet pojęcia, jak duże jest Kioto. Dla mnie jest to najważniejsze święte miasto! – Kobieta wręcz tryskała entuzjazmem.

– Tak, słyszałam sporo o Kioto.

Była to prawda, ale wszystkie historie brzmiały dla niej jak bajki ze świata, z którym ona nie miała nic wspólnego.

– Mogę sobie wyobrazić. – Kobieta uśmiechnęła się, pokazując poczernione zęby. – Tak więc znam pewną zamożną właścicielkę sporego pensjonatu, która chętnie adoptowałaby młodą dziewczynę. Nie ma dzieci i sama jest jedynym dzieckiem swoich rodziców. Wie pani, co to oznacza? – spytała chytrze.

Chiyo spojrzała na nią bezradnie.

– To znaczy, że pani córka odziedziczy cały ich majątek, jeśli tylko zdobędzie serce owej damy.

– Odziedziczy duży pensjonat? – spytała Chiyo drżącym głosem. – W Kioto?

– Ależ tak! – Pani Kimura pokiwała nawoskowaną głową. – Komu innemu mogłaby zostawić swój majątek ta łaskawa pani, skoro nie ma ani dzieci, ani rodzeństwa? Taka okazja zdarza się tylko raz w życiu.

Chiyo była zachwycona możliwościami, jakie nagle się przed nią pojawiły. Natychmiast przypomniała też sobie, co powiedział jasnowidz: że Michiko opuści wyspę. Czy ta chwila właśnie nadeszła? To była wspaniała okazja dla jej córki, która z dala od morza miałaby też szansę na uwolnienie się od prześladujących ją wspomnień o ojcu. A Chiyo zyskałaby wówczas morze i smutek tylko dla siebie. Myślała o tym z taką łatwością, że aż ją to przestraszyło.

– Łaskawa pani oferuje poza tym bardzo hojne wynagrodzenie.

Pani Kimura prześlizgnęła się wzrokiem po domu ze zniszczoną strzechą i sznurku ciągnącym się przez małe podwórze, na którym wisiała para brązowych bawełnianych spodni połatanych w każdym możliwym miejscu. Potem spojrzała na niebieskie wyblakłe kimono Chiyo z poprzecieranymi rękawami i wystrzępionymi szwami.

– W tej pięknej posiadłości pani córka będzie wieść lepsze życie i nosić piękniejsze stroje. Poza tym pod opieką tak hojnej i zamożnej damy pani córka może się wiele nauczyć.

– Miło to słyszeć – powiedziała Chiyo jeszcze nie do końca przekonana, czy powinna dać wiarę pięknym słowom płynącym z czarnych ust tej kobiety. – Nie jestem jednak pewna, czy taka dama polubiłaby moją Michiko. Ona jest jeszcze dzieckiem i nie wie, jak się zachować w takim miejscu jak Kioto. Może powinna pani wcześniej ją poznać, żeby się upewnić...

– Niech się pani nie martwi! – przerwała jej w połowie zdania pani Kimura i pokręciła głową. – Doskonale wiem, jakiej dziewczyny ona poszukuje. Obserwowałam Michiko. Pani córka zdecydowanie wyróżnia się spośród innych dziewczynek. Od razu wiedziałam, że bardzo się spodoba łaskawej pani. – Skinęła uspokajająco głową, a potem małymi palcami potarła skronie.

– A więc widziała już pani Michiko... – Chiyo spojrzała na swoje dłonie, na których rybie płetwy i ostre muszle zostawiły swój ślad w postaci starych blizn i nowych ran. Zastanawiała się, co powinna powiedzieć.

– Będzie pani żałować, jeśli nie skorzysta z tej okazji – stwierdziła pani Kimura, dodając, że jest jeszcze jedna dziewczyna na wyspie, która spodobała się jej tak samo jak Michiko. – Chodzi o naprawdę wyjątkową szansę, dar losu, że tak powiem. Wie pani, jak wiele dziewcząt dałoby się zabić za to, żeby tylko adoptowała je taka dama? Gdyby pani zobaczyła jej wspaniałą posiadłość w Kioto, wiedziałaby pani, o czym mówię. Sama chętnie oddałabym jej córkę, aby mogła żyć w takich luksusach – pani Kimura zaczęła chichotać.

Gdy Chiyo zauważyła, że w Kioto jest na pewno dużo miejscowych dzieci, na twarzy pani Kimury pojawił się dziwny uśmiech. Owa dama – pani Kimura nie chciała ujawnić jej nazwiska – oferowała Chiyo sporo pieniędzy, których w obecnej chwili tak desperacko potrzebowała. I ta propozycja była na tyle kusząca, że trudno byłoby ją tak po prostu odrzucić. Chiyo więc ją przyjęła, a pani Kimura przekazała jej pieniądze od razu, obiecując, że za tydzień wróci, żeby zabrać Michiko. Wcześniej musiała jeszcze załatwić kilka spraw handlowych na okolicznych wyspach.

Im bliżej było do wyjazdu Michiko, tym niepokój Chiyo co do jej decyzji stawał się coraz większy. Skrycie pragnęła, by pani Kimura zmieniła zdanie, ale zdawała też sobie sprawę, że od tej sytuacji nie ma już odwrotu. Starała się samą siebie przekonać, że dla córki będzie lepiej, jeśli opuści wyspę, a jej życie stanie się lżejsze, gdy wyjdzie z cienia wspomnień o zmarłym ojcu. Próbując zachować entuzjazm pani Kimury, wyjaśniła Michiko całą sytuację. Opowiadała jej, jak cudowne stanie się jej życie w pięknej posiadłości na głównej wyspie. Ale mimo zachwytów matki Michiko wiedziała, że odsyła ją z domu tylko dlatego, że jej zwyczajnie nie kocha. I choć trochę bała się opuszczać rodzinną wieś, to jej ojca i tak już tu nie było, a to sprawiało, że wyjazd do Kioto wydawał się całkiem kuszący. Michiko zawsze chciała zobaczyć legendarną Złotą Świątynię, o której opowiadał jej ktoś ze wsi. Nie miała pojęcia, jak coś takiego zbudowano. Poza tym wszystkie przyjaciółki z wioski zazdrościły jej, że może się przeprowadzić do Kioto, podczas gdy one będą jedynie żonami rybaków, nurkującymi w poszukiwaniu małży. Na pewno więc nie musiała się wstydzić tego, że odchodzi.

W dniu wyjazdu Chiyo podarowała córce nowe kimono i zapakowała jej na drogę mochi wypełnione słodkim nadzieniem z czerwonej fasoli. Specjalnie przygotowała je poprzedniego wieczoru. Michiko czuła się niezbyt komfortowo w dużym ciemnobrązowym kimonie z namalowanymi kłosami pszenicy falującymi na wietrze. Choć od śmierci ojca nie minęło tak dużo czasu, sprawiała wrażenie o kilka lat starszej. Jej kruczoczarne włosy były obcięte po dziecinnemu, ale oczy zdradzały, że nie jest już dzieckiem. Widać w nich było nieskończony smutek, jaki mogą w sobie nosić jedynie dorośli. Poza tym zaczynała wyglądać jak kobieta: straciła dziecięce kształty, różowe rumieńce, a z jej ruchów zniknęła beztroska swoboda.

– Bądź grzeczną dziewczynką, żebyś spodobała się swojej pani – powiedziała Chiyo zajęta wyrównywaniem szwów przy nowym kimonie córki. – Nauczysz się tam wielu rzeczy, o których nigdy nie dowiedziałabyś się na wyspie.

Następnie sięgnęła po drewniane pudełeczko zapakowane w zwyczajny bawełniany kawałek materiału.

– Słyszałam, że Kioto jest bardzo daleko stąd. Gdy zgłodniejesz, zjedz sobie kluseczki ryżowe. Zapakowałam ci też dużo mochi ze słodką czerwoną fasolą, które tak lubisz.

Michiko zobaczyła, że matka ociera rękawem łzy. Ale ona nie płakała. Tęsknota za ojcem uczyniła ją tak smutną, że rozstanie z matką nie robiło na niej większego wrażenia.

Pani Kimura dała znak, że czas jechać, więc Michiko pożegnała się z resztą rodziny. Gdy ukłoniła się przed matką z bento w ręce, Chiyo zaczęła głośno płakać. Dziewczynka nie rozumiała dlaczego. Przecież wreszcie pozbywała się z domu niekochanej córki. Bliźniaki i Natsuko pomachali jej wesoło, jakby Michiko jechała jedynie na krótką wycieczkę do dużego miasta.

– Przywieź coś dla mnie z Kioto – poprosiła Natsuko. Michiko się uśmiechnęła. Nagle siostrzyczka wydała się jej jeszcze bardzo mała, zapytała więc, co chciałaby dostać.

– Cokolwiek z Kioto, ale tylko jeśli nie sprawi ci to problemu, starsza siostro.

Michiko była zdumiona wyrozumiałością Natsuko. Czyżby to ona stała się dla maluchów starszą, troskliwą opiekunką?

– Bądź miła dla Hitoshiego i Junichiego – powiedziała, obejmując ją. – Czekaj też cierpliwie, aż wrócę z twoim prezentem z Kioto. Wszystkim wam coś przywiozę.

Zachowywała się tego dnia nad wyraz dojrzale. Nagle zaczęła też żałować, że nie opiekowała się swoim rodzeństwem tak, jak powinna, ale na smutek było już za późno.

– Czy mogę odwiedzić cię w Kioto, starsza siostro? – spytał Hitoshi, odsłaniając przednie zęby, które właśnie mu rosły.

– Oczywiście, Hitoshi. – Michiko pogłaskała braciszka po krótko obciętych włosach.

– A ja też mogę? – spytał Junichi, szarpiąc Michiko za rękaw nowego kimona. – Czy ja też mogę cię odwiedzić, starsza siostro?

– Tak, ty też Junichi.

Łzy stanęły w oczach Michiko, gdy tak na nich patrzyła. Chiyo również wciąż ocierała łzy rękawem.

– Musimy już iść – przerwała pożegnanie pani Kimura.
– Nie chcemy przecież spóźnić się na prom, prawda?

Pociągnęła Michiko za rękę, a ona po raz ostatni spojrzała na swój rodzinny dom. Jeszcze tydzień temu nie wiedziała, że będzie musiała go opuścić i w nowym kimonie wyruszy do zupełnie innego świata. Gdy przechodziła koło dużej wiśni, pod którą tak często się bawiła, miała wrażenie, że wręcz śni. Drzewko jednak zdawało się nie zauważać spojrzenia Michiko; stało niewzruszenie wyprostowane i dumne koło studni. W pobliżu nie było nikogo. Tylko silny wiatr zdmuchnął ze studni drewniane wiadro tak, że upadło z łoskotem na ziemię. Michiko podniosła je. Było stare i śliskie, w kilku miejscach nawet porośnięte mchem. Dziewczynka postawiła je na swoje miejsce i zaczęła się rozglądać w poszukiwaniu znajomych twarzy. Nie było jednakże widać nikogo, jakby cała wieś chciała uniknąć tego pożegnania.

Gdy Michiko i pani Kimura dotarły do portu, dziewczynka znów zaczęła się rozglądać, choć wiedziała, że stąd nie zobaczy swojego domu. Przeraźliwy pisk stada przelatujących mew zapowiedział pojawienie się statku. I wtedy Michiko na dobre się rozpłakała. Zaczęła błagać panią Kimurę, żeby pozwoliła jej wrócić do matki. Szlochając, mówiła, że nie chce stąd wyjeżdżać. Ale pani Kimura chwyciła ją tylko spokojnie za rękę i bez słowa poprowadziła na statek jak rybak, który bez skrupułów rozbija głowę rybie wtedy, gdy ta wciąż walczy o życie. Michiko krzyczała jak małe dziecko, tupała ze złością, a pani Kimura, wciąż niewzruszona, wymierzyła jej tylko kilka policzków.

W końcu, ściskając tobołek z jedzeniem, który dała jej matka, Michiko usiadła w jakimś kącie. Ze strachu przed kolejnymi razami nie wydała już z siebie żadnego dźwięku, ale łzy ciągle spływały jej po twarzy. Płakała po cichu i myślała o ojcu, którego zwłoki leżały gdzieś na dnie morza, być może właśnie pod tym statkiem, którym płynęła. Modliła się, żeby ojciec wstał z martwych, zatrzymał łódź i zabrał ją z powrotem do domu.

Ale statek płynął coraz dalej przez fale, a jej rodzinna wioska stawała się coraz mniejsza i mniejsza... Gdy Michiko patrzyła na nią przez łzy, sprawiała wrażenie zaczarowanej. Drzewa w oddali pobłyskiwały złotem i czerwienią, a mewy latały nad portem, zataczając kręgi i co jakiś czas obniżając się tuż nad powierzchnię wody, żeby złapać rybę. Michiko rękawami kimona ocierała łzy, a mocno wykrochmalona bawełna drażniła jej skórę i paliła w oczy. Ale nagle zobaczyła, że ktoś przybiegł do portu i stanął na pagórku. To była jej matka. Szaleńczo machała rękami nad głową i wykrzykiwała coś, co zagłuszał szum fal. Michiko natychmiast zaczęła wołać w jej kierunku, ale łódź stale oddalała się od brzegu.

Pani Kimura pospiesznie ściągnęła dziewczynkę na pokład i trzymała mocno. Zachowując uprzejmy ton, zagroziła jej, że jeśli nie będzie zachowywać się grzecznie, zbije ją do krwi. Mimo to zrozpaczona Michiko zaczęła błagać starego sternika, żeby natychmiast zawrócił na wyspę. Wówczas pani Kimura uderzyła ją tak mocno, że dziewczynka upadła. Mężczyzna popatrzył na nie przez chwilę, nie wiedząc, co robić, ale ponieważ pani Kimura usiadła spokojnie na swoim miejscu, odwrócił wzrok od zapłakanej Michiko.

Michiko patrzyła więc, jak jej matka dociera do najdalej wysuniętej w morze części nabrzeża i pada na kolana. Mimo dużej odległości widziała, że Chiyo płacze, tak jak robiła to ona, gdy jej ojciec nie wrócił z połowu. Teraz również Michiko łkała bezgłośnie. Płakała tak bardzo za swoją matką jak ona za nią.

Gdy Chiyo przestała już widzieć łódź, zaczęła się dusić, jakby ktoś położył na jej piersi ciężki głaz. Zakłuło ją serce jak dźgnięte ostrym nożem.

– Wybacz swojej biednej matce! – szeptała. – Proszę, wybacz mi...

Wiedziała, że już nigdy więcej nie zobaczy córki.

7.

Pierwsza w życiu Michiko podróż pociągiem okazała się mniej przyjemna, niż wyobrażali sobie wszyscy jej przyjaciele z wyspy. Przez okno widziała ciągle zmieniający się krajobraz, w którym przeważały góry, stanowiące tło dla pól pokrytych jesiennym złotem. Gdzieniegdzie stały strachy na wróble.

Pierwsze wrażenia Michiko po przyjeździe na główną wyspę przesłonięte były grubą kotarą łez. Wszystko, co widziała za oknem, wydawało się jej smutne i przytłaczające. Ze strachu przed kolejnymi razami starała się ukrywać przed panią Kimurą swoje łzy. Kobieta zresztą przespała prawie całą podróż. Regularny stukot pociągu sprawił, że również Michiko zapadła w sen, przyciskając mocno do piersi swoje bento z kluseczkami ryżowymi oraz mochi z czerwoną fasolą. Po raz kolejny miała nadzieję, że po przebudzeniu wydarzenia te okażą się tylko sennym koszmarem.

W pociągu śniła o ojcu. Właśnie wrócił z połowu i trzymał przed sobą ogromną niebieską rybę, która w oszołomieniu ledwie poruszała delikatnymi skrzelami. Gdy położył ją na ręce Michiko, nagle skurczyła się jak balon, z którego wypuszczono powietrze, a jej błyszczące łuski zmieniły się w szary popiół. Pociąg niespodziewanie zahamował i Michiko obudziła się zlana zimnym potem, drżąc jak osika. Poczuła na karku chłód tego snu, który wydawał się jej nie mniej rzeczywisty niż świat, w jakim właśnie się znalazła.

Za oknem panowała całkowita ciemność. Pani Kimura spała z otwartymi ustami i oddychała pospiesznie jak stary kot. Michiko przyglądała się jej twarzy i próbowała wyobrazić sobie łaskawą panią z Kioto.

Było tuż przed północą, kiedy dotarły do celu, i dworzec był niemalże całkowicie pusty. Jedynymi osobami, które można tu było spotkać, byli mężczyźni prowadzący riksze. Właśnie jednego z nich zatrzymała pani Kimura, nawet na chwilę nie wypuszczając ręki Michiko ze swojej dłoni. To była pierwsza miła niespodzianka, jakiej Michiko doświadczyła w tej podróży. Nigdy wcześniej nie widziała tak pięknego pojazdu. Usiadły na wysokiej ławce pod czarną płócienną osłoną, a mężczyzna ruszył z kopyta jak koń wyścigowy biorący udział w zawodach.

Nocne Kioto przesuwało się przed oczami Michiko, a wycieńczenie i smutek, który towarzyszył jej tak długo, zastąpiło nagłe zaciekawienie nowym pięknym światem. Michiko poczuła niezbyt silny zapach dymu – pierwszy raz oddychała powietrzem, które nie było przesiąknięte solą morską. Riksza pędziła przez miasto, a ona starała się zobaczyć jak najwięcej z tego, co mijali. Usta wciąż miała otwarte z zachwytu. Pani Kimura już dawno wytarła jej z policzków ślady łez i poszczypała je, by nabrały zdrowego rumieńca. Dawała jej też rozliczne wskazówki, jak ma się zachowywać w obecności łaskawej pani. Przede wszystkim Michiko dowiedziała się, że nie powinna patrzeć jej w oczy i płakać przy niej. W końcu usłyszała, że ma teraz siedzieć cicho, aż dojadą na miejsce. Ale nie potrafiła. Szeroko otwartymi oczami patrzyła na świątynie i sanktuaria, które mijały. Miejski krajobraz wywoływał w niej zachwyt. Myślała o ojcu i o tym, jak byłby szczęśliwy, gdyby miał szansę zobaczyć Kioto. Gdy w jej głowie pojawiła się myśl o matce, jej wzrok przykuła riksza jadąca w odwrotnym kierunku. Siedziały w niej dwie gejsze z białymi twarzami, które na tle czarnej osłony wyglądały jak dwa księżyce.

– Gejsze! – wykrzyknęła niezbyt głośno.

A może to nawet dobrze, że opuściła wyspę? Choć było jej przykro, że jej rodzina i przyjaciele nie mogą zobaczyć tego niesamowitego miasta.

Bardzo chciała, żeby rikszarz zwolnił, i miała nadzieję, że zatrzymają się przed Złotą Świątynią. Wyobrażała sobie, jak jej złote elementy muszą błyszczeć w ciemności. Ale mężczyzna z ciemnym zarostem i najgrubszymi brwiami, jakie kiedykolwiek widziała, był chyba najszybszym biegaczem w mieście, a i droga, którą jechały, nie prowadziła obok Złotej Świątyni. Riksza mknęła ulicami jak piasek w klepsydrze, coraz bardziej zbliżając się do pensjonatu Tamaraya, który leżał w północnej części miasta, niedaleko małej buddyjskiej świątyni zen.

Niewielki hotel miał tylko pięć pokoi, najczęściej zajętych przez krewnych początkujących mnichów lub studentów przygotowujących się w Kioto do ważnych egzaminów. Z pensjonatu wychodziło się na las bambusowy. Wysokie krzewy chroniły jego pokoje przed letnim upałem i lodowatym zimowym wiatrem, pozwalając gościom w pełni koncentrować się na pracy. Hotel leżał w cichej okolicy i cieszył się dobrą renomą, za którą wiele osób chętnie płaciło. Podłoga w pokoju właścicielki, pulchnej kobiety w średnim wieku, mieniła się od płomieni świec zielenią i złotem i wydzielała zapach świeżej trawy. Kosztowne obrazy malowane na jedwabiu oraz ikebany zdobiły pokoje. Michiko nigdy nie widziała czegoś równie pięknego.

– Faktycznie pachnie jak córka rybaka – powiedziała właścicielka posiadłości, gdy pani Kimura przedstawiła jej Michiko.

Michiko klęczała i naprawdę bała się pani Tamarai. Kobieta, która miała ją adoptować, wbrew temu, co pani Kimura mówiła Chiyo, nie okazywała jej nawet odrobiny życzliwości. Michiko czuła na sobie jej przenikliwy wzrok, oceniający ją, jakby była mułem wybieranym do pracy w polu.

– Przepraszam, że musiała pani na nas tak długo czekać – pani Kimura pokłoniła się nisko – ale sama pani wie, jak bardzo oddalona jest ta wyspa.

– Wspominała już pani o tym – odpowiedziała właścicielka i z pogardą poprawiła rękaw swojego kimona w kolorze musztardowym.

– Ona nazywa się Michiko Masuda i jak ja...

– Nazwiska pokojówek i służących mnie nie interesują – przerwała jej pani Tamaraya. – Nie jestem na tyle związana ze służbą, żeby zapamiętywać ich nazwiska.

– Oczywiście, że nie, łaskawa pani. Ma pani całkowitą rację – odpowiedziała pani Kimura, jak zwykle kłaniając się nisko. – Jak już pani przekazano, dziewczyna ma trzynaście lat. Jest jednak bardzo dojrzała jak na swój wiek i silna jak większość dziewcząt z tej wyspy. One bardzo wcześnie są przyzwyczajane do ciężkiej pracy. – Pani Kimura podniosła podbródek Michiko, by zaprezentować właścicielce jej twarz. – Będzie dobrze pracować, bo tylko to potrafi robić.

– Dobrze jej radzę! – rzuciła pani Tamaraya ostro i skrzyżowała ręce na piersi. – Zapłaciłam dużo pieniędzy za tę pokojówkę, więc i spodziewam się wiele.

– Proszę się nie obawiać, łaskawa pani, nie będzie pani żałować – głos pani Kimury był ciepły i miękki. – Dziewczęta z tej małej wyspy nie tylko ciężko pracują, ale i są uczciwe oraz niewinne. Zupełnie inne niż te z naszego miasta.

– To się okaże – powiedziała właścicielka i rzuciła okiem na Michiko, która skromnie pochyliła głowę i – tak jak jej nakazano – trzymała dłonie na kolanach.

– Z pewnością, łaskawa pani. Jest bardzo posłuszna i nigdy jeszcze nie opuszczała wyspy. Jest zupełnie inna niż dziewczęta z miasta, które były tu wcześniej – kontynuowała pani Kimura, po czym położyła rękę na ramieniu Michiko i zmusiła ją, by jeszcze niżej się pochyliła. – Choć jest jeszcze tak młoda, może wykonywać każdą pracę.

Jedynie na początku musi jej pani pokazać, co ma robić, a ona się wszystkiego szybko nauczy.

– Spójrz na mnie – rozkazała pani Tamaraya.

Michiko spojrzała. Kobieta miała obwisłe policzki i wąskie oczy, które przenikliwie na nią patrzyły, jakby chciały przewiercić jej ciało do szpiku kości. Jeszcze nigdy nie doświadczyła czegoś takiego. Z niepokojem opuściła powieki.

– Posłuchaj mnie dobrze – warknęła właścicielka. – Jeśli będziesz robić, co każę, będziesz tu dobrze traktowana. Ale ostrzegam cię, nie toleruję niesubordynacji i głupich błędów. Zrozumiałaś mnie?

Michiko przytaknęła, dogłębnie przerażona.

– Każdy talerz i każda taca kosztują tu więcej niż wszystkie naczynia z twojej wyspy. Jeśli kiedykolwiek coś potłuczesz lub spróbujesz ukraść, skończy się to dla ciebie bardzo źle. Zrozumiałaś?

Ledwie słyszalne „tak" wymknęło się ze spierzchniętych ust Michiko. Przygryzła mocno wargę, żeby powstrzymać łzy.

– I niech ci się nie wydaje, że możesz wrócić do domu, zanim nie odpracujesz wszystkich swoich długów, jeśli w ogóle kiedykolwiek to nastąpi.

Mimo wszystkich ostrzeżeń pani Kimury gorzkie łzy zaczęły spływać po delikatnej twarzy Michiko, wciąż pachnącej morzem. Pani Tamaraya zmarszczyła brwi.

– Nie płacz! – syknęła, a jej sflaczała, mocno przypudrowana twarz zaczęła trząść się z wściekłości. – Tutaj się nie beczy!

Pani Kimura uderzyła Michiko w plecy i ukłoniła się przepraszająco.

– Dlaczego ona beczy? Przecież ja tylko z nią rozmawiam!

– Przykro mi, łaskawa pani – broniła się pani Kimura.

– Wiele razy ją ostrzegałam, ale sądzę, że jest smutna, bo jej ojciec niedawno zginął na morzu. Proszę, niech pani zrozumie...

– To rozumiem. Ale nie rozumiem, dlaczego płacze teraz.

Pani Tamaraya tak gwałtownie uderzyła ręką w tatami, że Michiko i pani Kimura aż krzyknęły ze strachu. To rozwścieczyło właścicielkę hotelu. Pani Kimura szybko zwróciła się do Michiko:

– Natychmiast masz przeprosić łaskawą panią za swoje zachowanie – zażądała surowo.

Michiko otarła ręką łzy i skłoniła się tak nisko, że czołem niemalże dotknęła podłogi.

– Przepraszam, łaskawa pani – powiedziała jeszcze wciąż zapłakanym głosem.

Pani Tamaraya znów warknęła:

– Nie chcę nigdy więcej widzieć, że płaczesz. Koniec z tym, zrozumiano?

– Tak, łaskawa pani. – Michiko ukłoniła się ponownie, nie ośmielając się podnieść głowy.

– Śmierć ojca nie zwolni cię tutaj z twoich obowiązków. Moi rodzice również nie żyją, ale nikt nigdy mi niczego nie dał.

– Przepraszam panią po stokroć – powiedziała pani Kimura. – To się więcej nie powtórzy.

– Nikt mi też nie pomógł! – kontynuowała właścicielka pensjonatu. – Wszystko tu sama wybudowałam. Sama sprawiłam, że ten pensjonat ma taką renomę.

Machnęła gniewnie ręką i spojrzała na Michiko, która zawinięta w tanie bawełniane kimono wciąż klęczała na podłodze, nie ośmielając się unieść głowy. Wyglądała jak przestraszone kociątko, które ukryło się przed dzikim zwierzęciem.

– A teraz chodź, pokażę ci twój pokój – powiedziała w końcu. – Powinnaś iść już spać. Jutro musisz wcześnie wstać i pomóc w kuchni.

Pokój okazał się ponury i surowy, czego Michiko się spodziewała. Przypominał jednak bardziej spiżarnię niż pomieszczenie do spania. Znajdowała się w nim ogromna ilość suszonych ryb, alg i zboża. W rogu, obok dużego worka z solą morską, stał złożony mały futon. Szlochając, Michiko przykucnęła obok lampy olejnej. Zapach, który unosił się w pomieszczeniu, przypominał jej dom, za którym tęskniła mocniej, niż kiedykolwiek mogłaby to sobie wyobrazić. Co dziwne, w tym momencie najbardziej brakowało jej matki. Przestraszona i samotna, z przyciśniętym do piersi ciągle nienaruszonym bento, Michiko zasnęła. Wcześniej jednak znów się pomodliła, żeby to wszystko okazało się tylko smutnym snem.

Tej nocy jednak śniła wyłącznie o matce. Gdy łódź odpływała, Chiyo krzyczała coś do niej, ale Michiko nie mogła zrozumieć jej słów. A ponieważ we śnie nie było pani Kimury, szybko wyskoczyła z łodzi i popłynęła w stronę portu. I choć machała rękami i nogami tak szybko, jak tylko potrafiła, wciąż nie zbliżała się do brzegu. Przeciwnie, zdawała się coraz bardziej od niego oddalać. Wreszcie straciła siły. Oszołomiona patrzyła, jak jej matka wciąż coś do niej wykrzykuje. Nagle z ogłuszającym łoskotem fale spiętrzyły się za nią, tworząc nieprzeniknioną ścianę wody, która wciągnęła ją w bezdenną oceaniczną otchłań. Michiko utonęła jak mały kamyk w bezkresnym morzu. Ślepa w ciemności, głucha pośród ciszy.

Następnego dnia obudził Michiko lodowaty głos kobiety, która wczoraj przywitała ją w tak okrutny sposób. A więc była to prawda. Od tej pory będzie służącą w pensjonacie pani Tamarai.

Na początek kazano jej pozamiatać dziedziniec. Potem została odesłana do kuchni, gdzie oddano ją w ręce starej kucharki, pani Yoshidy, która ukradkiem schowała pospiesznie swój kubek z sake, a następnie pozdrowiła ją uprzejmie.

– A, to jest ta nowa dziewczyna? – spytała i uśmiechnęła się do Michiko.

Już teraz, jesienią, pani Yoshida nosiła zimową pikowaną kurtkę z podwiniętymi rękawami. Wystające z nich ręce wyglądały jak suche gałązki.

– Tak, nowa dziewczyna z wyspy.

Właścicielka pensjonatu dała Michiko do zrozumienia, że ma zostać z panią Yoshidą.

– Zobaczymy, jak ta się spisze…

A potem wyjaśniła kucharce, że Michiko potrzebuje kilku wskazówek, jak wykonywać prace domowe.

– Ona zupełnie nic nie wie.

– Bez obaw, łaskawa pani – powiedziała pani Yoshida.

– Widzę, że to grzeczna dziewczyna. Nie jest taka jak te, które były tu poprzednio. Potrafię poznać, że ktoś jest dobrze wychowany.

– O ostatniej też tak mówiłaś – stwierdziła pani Tamaraya. – Zobaczymy, czy tym razem masz rację. – Następnie zwróciła się do Michiko: – Pani Yoshida nauczy cię wszystkiego, co powinnaś wiedzieć. Jest szefową kuchni i masz robić to, co ci każe. I radzę ci szybko się uczyć. Nie będę tolerować głupich błędów, które zaważą na renomie pensjonatu i które narażą mnie na koszty. Zrozumiałaś?

Michiko ukłoniła się posłusznie, a żołądek ścisnął się jej ze strachu.

– Niech się pani nie martwi – wtrąciła się pani Yoshida. – Nauczę ją wszystkiego, co musi wiedzieć. Najlepiej będzie, jak zaczniemy od razu. Proszę, niech pani zostawi to mnie – uśmiechnęła się i dała szefowej do zrozumienia, że może już sobie iść.

– I biada ci, jeśli dasz jej choćby jakiś okruszek do jedzenia, zanim porządnie wykona swoją pracę – zagroziła jej pani Tamaraya, wychodząc z kuchni.

– Oczywiście! – potwierdziła kucharka i odwróciła się do Michiko. – Nie dostaniesz nic do jedzenia, dopóki nie zasłużysz, zrozumiano?

Michiko przytaknęła ze strachem w oczach. Jak tylko pani Tamaraya opuściła kuchnię, pani Yoshida pospiesznie opróżniła kubek z sake, który cały czas kryła za plecami, mlasnęła z zadowoleniem i zabrała się za gotowanie.

Michiko podziwiała ją. Jednocześnie piekła łososia i kroiła cebulę, a do tego jeszcze wyjaśniała jej, które naczynia są przeznaczone do konkretnych potraw i jak je prawidłowo ułożyć na tacy. Krucha starsza kobieta dysponowała niesamowitą energią.

Michiko nie odstępowała jej na krok. Miała jej pomóc zanieść śniadania do pokojów gości. Ostatecznie jednak najpierw sama coś zjadła, a potem zabrała tacę z pieczoną rybą, marynowanymi warzywami, zupą miso i miską ryżu. Gdy tylko Michiko widziała, że pani Yoshida zbliża się do kolejnych rozsuwanych drzwi, sama biegła do kuchni po następne porcje. Obie miały przy tym tyle pracy, że ranek minął im w mgnieniu oka. Dopiero kiedy wszyscy goście i pani Tamaraya zjedli, miały wreszcie chwilę, by posiedzieć w spokoju w ciepłej kuchni, wciąż pachnącej łososiem.

– Zazwyczaj ja nie podaję śniadania, to obowiązek mojej pomocnicy – powiedziała pani Yoshida, nalewając sobie do szklanki zimną sake. – Ale dzisiaj chciałam ci pokazać, jak to należy robić. Jak tylko się tego nauczysz, na ciebie spadnie to zadanie. Dasz radę?

Michiko przytaknęła, mimo że nie była tego do końca pewna. Każde danie serwowano przecież w zupełnie inny sposób, a te wszystkie zasady były jej zupełnie nieznane. Nigdy wcześniej nie widziała tak eleganckiej zastawy i tak pięknych tac. Wszystko w pensjonacie wyglądało tak wystawnie, że bała się nawet dotykać tych rzeczy.

– Nie martw się, nauczysz się szybko wszystkiego – pani Yoshida się uśmiechnęła. – Od razu zauważyłam, że jesteś pojętną dziewczynką. – Napiła się sake i wzięła do ust duży kawałek marynowanej rzodkwi. – No już, pospiesz się z jedzeniem. Zanim zaczniesz sprzątać ten bałagan, musisz poprzynosić tace z pokojów.

Chociaż nietrudno było zauważyć, że stara kucharka nie stroni od alkoholu, Michiko rozumiała, że może na niej polegać. Pani Yoshida nie mówiła dużo, ale pilnowała jej, zwracając uwagę na to, by pomoc, której jej udzielała, była tak subtelna jak jej cichy smutny śmiech.

Każdy kolejny dzień Michiko był wypełniony pracą. Trudno jej było znaleźć choćby krótką chwilę wytchnienia. Sprzątała do późna w nocy, a musiała wstawać bardzo wcześnie. Jeszcze nie poczuła, że dzień się skończył, a już musiała zaczynać kolejny, składający się z tych samych uciążliwych obowiązków. Byłoby to trudne do zniesienia nawet dla osoby dorosłej. Ale to wcale nie żmudne, ciągle powtarzające się czynności były najgorsze. To pani Tamaraya sprawiała, że życie dziewczyny stało się nie do zniesienia. Bo chociaż właścicielka pensjonatu wydawała się zarzucona różnymi obowiązkami, zawsze znajdowała czas i okazję, by skrzyczeć za coś Michiko. Gdy zauważyła nawet najdrobniejszy błąd – zakurzoną półkę albo niewyczyszczone buty któregoś z gości – biła ją dotkliwie, a gdy już zaczęła, nie przestawała dopóty, dopóki nie wyładowała całej swojej złości na delikatnym ciele Michiko. Jeśli zaś przypadkowa obecność któregoś z gości ratowała dziewczynę przed biciem, za karę nie dostawała wtedy nic do jedzenia. „To sprawi, że będziesz uważać na to, co robisz, i drugi raz nie popełnisz tego samego błędu!"

– krzyczała, uderzając Michiko bambusowym kijem. Jej ogromny podbródek trząsł się przy każdym razie. „Nie waż się być wobec mnie nieposłuszna! Nie waż się!"

– Biedna mała – powiedziała pani Yoshida, gdy pewnego razu zobaczyła Michiko skuloną w kącie w kuchni i łkającą bezgłośnie.

Dziewczyna nie była w stanie powstrzymać łez. Obecność pani Yoshidy sprawiła, że zapłakała jeszcze mocniej.

– Nie myśl, że jesteś jedyna. – Kucharka wyciągnęła rękę i pogłaskała ją po głowie. – Łaskawa pani traktuje tak całą służbę. Jej matka – zawsze nazywaliśmy ją starą łaskawą panią – traktowała mnie źle i biła tak samo jak teraz ciebie pani Tamaraya. To są straszni ludzie. Niesłychanie podli! Dlatego nie marnuj na nich swoich łez.

Michiko otarła twarz rękawem i spojrzała na panią Yoshidę.

– Pewnego dnia wszystko zrozumiesz i będziesz wiedziała, dlaczego łaskawa pani jest, jaka jest.

Michiko pomyślała o ojcu. Pachniał dokładnie tak samo jak kucharka, gdy się czegoś napił. Pani Yoshida westchnęła głęboko i spojrzała na kuchenne drzwi.

– Już od przeszło trzydziestu lat pracuję dla państwa Tamaraya. Przeżyłam z nimi wszystkie ich wzloty i upadki, znam wiele sekretów każdego członka rodziny.

Michiko spoglądała na jej żylaste, spracowane ręce. Kucharka jedną z nich trzymała między kolanami, a drugą podpierała głowę. Gdy mówiła, patrząc przed siebie bez celu, ruszały się niewielkie żyłki, które popękały na jej nosie i policzkach.

– Pani Tamaraya nigdy nie miała szczególnie dobrego serca. Poza tym jej rodzice bardzo ją rozpieścili. W pewnym sensie wychowali ją na tak samolubną i okrutną, jaką jest teraz. Ale stara łaskawa pani była taka sama. Wredna stara kobieta. Była naprawdę złośliwa i podła dla służących. Wszystkie się jej bały i każda jej nienawidziła. – Pokręciła głową z obrzydzeniem. – Ale zawsze doskonale prowadziła pensjonat, a goście nie mieli pojęcia, w jak wstręty sposób nas traktowała.

Michiko próbowała wyobrazić sobie starą panią.

– A wyglądały zawsze niewiarygodnie podobnie! Jak dwie paskudne siostry. Szkoda, że nie widziałaś ich razem. – Pani Yoshida zachichotała. – Zawsze się zastanawiałam, czemu tak okropni ludzie mają tyle pieniędzy, podczas gdy miłe osoby, takie jak my, muszą przez takich cierpieć.

Michiko patrzyła na kucharkę, próbując rozstrzygnąć, czy ona również została tu przywieziona siłą.

– Dlaczego została tu pani tak długo? – spytała nieśmiało.

– Dlaczego? – Kucharka znów westchnęła głęboko. – Prawdopodobnie dlatego, że nie miałam innego wyjścia. Albo brakowało mi odwagi. Sama zobaczysz, Michiko. W pewnym momencie nauczysz się po prostu akceptować to, co jest ci przeznaczone – dodała z gorzkim uśmiechem. – Ale jeśli będziesz chciała uciec, zrób to, dopóki jesteś młoda. W przeciwnym razie najpewniej skończysz jak ja, jako samotna staruszka bez rodziny i nadziei.

Michiko próbowała uciec dwukrotnie i za każdym razem pani Tamaraya okrutnie ją zbiła. Dziewczyna nie miała dokąd pójść ani nikogo, kto by jej pomógł, więc sługusy właścicielki odnajdywały ją bardzo szybko. W końcu pani Tamaraya zabroniła jej wychodzić na ulicę i uczyniła ją swym więźniem. Michiko nie przestała myśleć o ucieczce, ale w miejscu zatrzymywał ją strach przed ponownym złapaniem. Przerażenie, które zasiała w niej pani Tamaraya, rozprzestrzeniało się po jej ciele jak trucizna i Michiko nie potrafiła już nawet marzyć jak każda normalna dziewczyna bez poczucia, że zaraz zostanie za to ukarana.

Choć pani Yoshida ogromnie współczuła Michiko, wiedziała doskonale, że nie może sobie pozwolić na utratę pracy, bo też nie miała nikogo, kto mógłby się o nią zatroszczyć. To, co zarabiała, wystarczało jej jedynie na życie oraz sake, która sprawiała, że trudny dnia stawały się łatwiejsze do zniesienia. Nie mogła więc zrobić dla Michiko nic więcej poza tym, że zostawiała dla niej jedzenie i pocierała siniaki surową cebulą, żeby się szybciej goiły. No i kryła ją, jak tylko mogła, a czasami nawet brała jej winę na siebie. Jej bowiem pani Tamaraya nie mogła zbić. Była przecież na to za stara. „Kiedyś to wszystko się skończy, prędzej czy później" – mawiała często, żeby pocieszyć biedną dziewczynę.

A Michiko od rana do późnych godzin nocnych wykonywała swoją pracę w milczeniu z nadzieją, że kiedyś jeszcze zazna szczęścia. „Prędzej czy później" – jak zwykła mawiać pani Yoshida. Każdej nocy, gdy zamykała oczy, starała się ze wszystkich sił myśleć jedynie o domu. To właśnie w snach wracała do miejsca, do którego naprawdę przynależała.

8.

Kenzaburo był najmłodszym synem księcia Takedy, jednego z najbardziej szanowanych i mających największą władzę mężczyzn w Kobe. Rodzina Takeda od wielu pokoleń odgrywała znaczącą rolę w tym regionie. Wywodziła się z długiej linii wojowników, a jej korzenie sięgały najprawdopodobniej ósmego wieku. Książę Takeda zrezygnował z wysokiego stanowiska w Izbie Handlowej w Kobe zaraz po tym, gdy zmarła jego żona, rodząc Kenzaburo. Mimo to wciąż miał duży wpływ na los tego miasta.

Wokół postaci księcia krążyły rozmaite legendy, opowiadające o jego wielkim bohaterstwie. Mówiono, że ma siłę byka – zarówno fizyczną, jak i duchową. Odznaczał się podobno niezwykle silną wolą i ogromną odwagą. Ale po niespodziewanej śmierci żony mocno podupadł na zdrowiu. Honor i lojalność, do których przykładał wielką wagę, oraz głęboka miłość, jaką darzył matkę swoich synów, nie pozwoliły mu nawet myśleć o powtórnym małżeństwie albo o wzięciu sobie konkubiny. Taka postawa tylko wzmocniła jego reputację jako człowieka o niezwykłej sile ducha.

Kenzaburo nie mógł poznać swojej matki, ale ojciec i trzech starszych braci poświęcało mu prawie całą swoją uwagę. Chociaż bracia ze względu na dużą różnicę wieku byli dla niego właściwie jak ojcowie, więc w pewnym sensie dorastał jako jedynak. Gdy stał się nastolatkiem, jego trzej bracia od dawna mieli już żony i zajmowali wpływowe stanowiska w polityce oraz handlu. Powoli przychodziła też kolej na niego, by udowodnił, że jest godnym członkiem rodziny. Książę Takeda miał wobec niego wysokie oczekiwania. A gdy Kenzaburo już w wieku czterech lat sam nauczył się czytać i pisać, zatrudnił wielu nauczycieli, by poszerzali wiedzę chłopca z rozmaitych dziedzin nauki, a także trenowali z nim sztuki walki. Pierwszy nauczyciel Kenzaburo, pan Watanabe, nieustannie wychwalał wyjątkowe zdolności chłopca i otwarcie uznawał go za geniusza, uważając, że musi być darem od wielkich przodków rodziny Takeda. Książę był przekonany, że chłopak wiele zawdzięczał matce, która była bardzo mądrą i subtelną kobietą. Wiedział również, że po nim Kenzaburo odziedziczył siłę fizyczną, dlatego bardzo się cieszył, że jego syn wyróżnia się również w sztukach walki. Nic nie sprawiało mu większej przyjemności niż patrzenie na niego, gdy trenował ze swoim nauczycielem kendo. Mimo bardzo szczupłej sylwetki Kenzaburo wykazywał się w walce ogromną siłą i niewiarygodną samokontrolą. Książę był przekonany, że jego syn ma w sobie nieograniczony potencjał i to właśnie on poniesie sławę rodziny poza granice kraju, sięgając po najwyższe zaszczyty i władzę.

Wysokie stanowiska urzędnicze jednak nie robiły na Kenzaburo żadnego wrażenia. Wydawały mu się raczej większym ciężarem niż przywilejem. Najmłodszy z Takedów bowiem był niezależny w swoich przekonaniach, wrażliwy, współczujący, o refleksyjnym usposobieniu. Jego pasją było zgłębianie poezji i starożytnych pism wielkich japońskich i chińskich myślicieli. Wszyscy podziwiali jego urok osobisty i mądrość, ale Kenzaburo wolał sam spędzać czas na medytacjach i rozmyślaniach. W jego pokoju znajdowało się wyjście na mały ogród. Był to ostatni prezent, jaki książę Takeda podarował jego matce. Zaraz po narodzinach Kenzaburo pobłogosławił go najbardziej szanowany buddyjski kapłan w Kobe, nadając mu nazwę Ogrodu Zielonego Śniegu. Tę niewielką przestrzeń pokrywał soczyście zielony mech, a całość ogradzał rów szeroki na trzydzieści centymetrów, wyłożony czarnymi rzecznymi kamieniami. Kenzaburo uwielbiał patrzeć na pięćsetletnią sosnę górską, która rosła w samym środku. Jej splątane korzenie oplatały czarną skałę wulkaniczną, a pień przechylał się mocno na południe, sprawiając, że delikatne zielone igły mocno zwisały, rzucając cień na ziemię. Drzewem troskliwie opiekował się mistrz bonsai – przycinał gałęzie i wyginał je tak, żeby nabrały idealnego kształtu. Piękno tej starej sosny było tak wielkie, że nikt nie ośmielił się wejść nieproszony na jej terytorium. Kenzaburo jednak wiedział doskonale, jak okropne mogą być męki samotnej istoty. Czuje się ona wówczas jak człowiek guma zamknięty w maleńkiej klatce, jak Chinka ze skrępowanymi stopami czy Europejka w gorsecie, który sprawia, że jej talia nie ma więcej niż czterdzieści pięć centymetrów.

Gdy Kenzaburo patrzył na drzewo, najczęściej próbował sobie wyobrazić, jaki miałoby kształt, gdyby ciągle go nie przycinano i wyginano, gdyby mogło rosnąć swobodnie. Czy wspinałoby się do słońca i byłoby przez to tak wysokie jak inne drzewa? Czy nie byłoby szczęśliwsze, rosnąc w lesie pośród innych drzew, niż stojąc powyginane pośród tego jałowego ogrodu, porośniętego mchem?

Kenzaburo nie miał nikogo, z kim mógłby się podzielić swoimi przemyśleniami. Ojca nie mógł przecież niepokoić losem zwykłego bonsai. Dlatego zawsze czuł się samotny. Do obowiązków męskich członków rodziny Takeda należało podtrzymywanie tradycji przodków, którzy byli nieustraszonymi wojownikami, a od ich męstwa większa była jedynie siła ich charakteru. Zresztą nie mieli innego wyboru. Kenzaburo często więc tęsknił za matką, której nie mógł przecież nawet wspominać. Ojciec opowiadał mu tylko, jak bardzo go kochała. Aż do ostatniego tchnienia nie pozwoliła go sobie zabrać nawet na chwilę. Kenzaburo czuł, że jego zmarła matka go rozumie i na swój sposób wspiera. Poświęcił jej nieskończoną liczbę haiku. Na te, które już powstały, odpowiadał kolejnymi jakby w imieniu matki, dlatego wciąż tworzył nowe. Swoją poezję skrzętnie ukrywał przed ojcem i braćmi, bo wiedział, że nie zrozumieliby takiego sposobu wyrażania emocji. Tworzeniem sztuki parali się poeci, pisarze i tancerze. Na pewno nie było to zajęcie godne potomka wojowników. Kenzaburo wiedział, że przez całe swoje życie będzie się musiał mocno kontrolować, by zachować odpowiednią formę – tak jak drzewo bonsai w jego ogrodzie.

Jesienią, gdy Kenzaburo skończył osiemnaście lat, książę Takeda gościł u siebie amerykańskiego radcę prawnego. Gość pochodził z Brooklynu i nosił nowojorskie nazwisko William Mosse. Do Osaki przeniósł się kilka lat wcześniej, a książę poznał go dzięki młodszemu bratu. Pan Mosse przyjechał do Japonii w roku dziewiętnastym ery Meiji – co odpowiadało 1886 w kalendarzach świata zachodniego – jako misjonarz. Po kilku latach jednak opuścił misję i zaczął działać jako mediator i tłumacz w kontaktach handlowych między Stanami Zjednoczonymi i Japonią, a wkrótce stał się radcą prawnym. Książę Takeda zainteresował się nim, bo miał nadzieję, że przekaże Kenzaburo – który już od dłuższego czasu uczył się języka angielskiego – wiedzę na temat części świata innej niż Japonia. Był już starszym człowiekiem i mocno wierzył w tradycję japońskiego imperium, ale przyznawał też ogromne znaczenie zachodniej wiedzy i zdawał sobie sprawę, jak wielki będzie mieć ona wpływ na przyszłe pokolenia. W przeciwieństwie do wielu konserwatystów uważał też, że trzeba ją poznać, bo jest to jedyny sposób, by bronić czystości i godności imperium japońskiego. Aby pokonać wroga, należy go najpierw przejrzeć na wskroś, tak by nie mógł nas niczym zaskoczyć.

Pan Mosse był mężczyzną w średnim wieku, z blond włosami, jasną skórą i niebieskimi oczami, a jego pojawienie się w rodzinie Takeda niemalże od razu wywołało spore poruszenie. Również Kenzaburo natychmiast bardzo polubił szczupłego Amerykanina z głębokimi zmarszczkami i niesforną brodą. Z pokoju gościnnego, w którym się poznali, można było wyjść do karesansui, wiernie odtwarzającego alpejski krajobraz z jego formacjami skalnymi i strumykami. Gdy pan Mosse, ubrany w trzyczęściowy czarny garnitur, podziękował za zaproszenie i pochwalił piękno posiadłości, stało się jasne, że wyjątkowo dobrze mówi w języku japońskim. Rozsuwane drzwi, które dzieliły pokój od korytarza, były ozdobione dużymi obrazami przedstawiającymi jesienne pola, jakie pan Mosse podziwiał podczas swojej podróży do Kobe. Gdy tylko książę opuścił pokój, Kenzaburo przeszedł na język angielski i ku zdumieniu nowego nauczyciela posługiwał się nim bardzo płynnie i bezbłędnie.

– Pana wujek opowiadał mi, że uczy się pan angielskiego, ale nie spodziewałem się, że będzie pan mówił tak dobrze. – Amerykanin nie potrafił ukryć swojego podziwu dla młodego mężczyzny w granatowym kimonie, który siedział naprzeciwko niego przy stoliku na herbatę z czarnej laki.

Jego zachowanie zdradzało wysokie pochodzenie. Włosy jednak miał obcięte bardzo krótko, na modłę zachodnią, co dobrze współgrało z jego urodą.

– Dziękuję panu, panie Mosse. – Kenzaburo skłonił się uprzejmie i napił się stojącej przed nim herbaty. – Bardzo lubię uczyć się angielskiego. Wydaje mi się, że to wyjątkowo praktyczny język. Poza tym podoba mi się, że można w nim rozmawiać z każdym w ten sam sposób. Jak pan wie, w japońskim używa się różnych form w zależności od wieku, zajmowanej pozycji społecznej i innych czynników.

– Tak, ma pan rację – przytaknął pan Mosse. – Na początku bardzo trudno mi było nauczyć się tych wszystkich wariantów. Później, gdy już pojąłem, jak należy budować proste zdania, przez chwilę sądziłem, że będzie mi trochę łatwiej. Ale szybko się okazało, że byłem w błędzie. Z językiem japońskim jest tak, że im głębiej się go poznaje, tym staje się trudniejszy.

– Mogę sobie wyobrazić, że dla człowieka mówiącego w języku angielskim japoński może być naprawdę skomplikowany. – Kenzaburo zauważył, że klęczenie na podłodze było dla jego nowego nauczyciela bardzo niewygodne.

– Dlaczego więc zdecydował się pan przyjechać do Japonii, panie Mosse?

– To nie była moja decyzja. Skierowano mnie tu na misję. – Pan Mosse się uśmiechnął. Próbując znaleźć dla siebie wygodną pozycję, wciąż przenosił ciężar ciała z jednej nogi na drugą. – Ale bardzo się cieszę, że tak się stało.

– Czy życie w Japonii sprawia panu radość, panie Mosse?

– Oczywiście, że tak. – Amerykanin podkreślił odpowiedź uprzejmym uśmiechem, który wydał się Kenzaburo bardzo miły i szczery. Młody książę lubił patrzeć na jego brodę okalającą żółtawe zęby i zmarszczki, które tworzyły się teraz wokół jego niebieskich oczu.

– Ale chyba nie do końca spodobało się panu bycie misjonarzem... – zauważył. – Wujek mi opowiadał, że zrezygnował pan z tej pracy.

Pan Mosse podrapał się po siwiejącej brodzie, zanim odpowiedział.

– To nie tak. Podobała mi się praca misjonarza, nawet bardzo, ale uznałem ją za zupełnie zbyteczną.

– Dlaczego, panie Mosse?

– W pewnym momencie stało się dla mnie jasne, że Japończycy mają zupełnie inne nastawienie do Boga, a raczej bogów. Odkryłem, że czci się tu wiele bóstw, zupełnie inaczej niż tam, skąd pochodzę.

– Tak, to prawda – przytaknął Kenzaburo. – Czytałem, że w krajach Zachodu wierzy się tylko w jednego Boga. Czy tak jest faktycznie?

– Tak, tak właśnie wierzymy.

– Myśli pan, że to źle, gdy czci się wielu bogów?

– Nie, w żadnym razie – pan Mosse pokręcił głową, a gdy się uśmiechnął, w jego oczach można było zauważyć błysk.

– A czy teraz też czci pan wiele bóstw jak my, panie Mosse? – Kenzaburo zaśmiał się cicho. – Może przybył pan tu, by nas nawracać, a sam został pan nawrócony?

– Nie, książę. Ale uważam, że możliwe jest jednoczesne zachowanie swojej religii i akceptacja wyznania innych. Wciąż jestem chrześcijaninem. – Pan Mosse położył swoją prawą dłoń na piersi, by podkreślić swoje zaufanie do wyznawanej religii i Boga. – Ale zrozumiałem dość dobrze, na czym polega wasza wiara w wiele bóstw.

– A sądzi pan, panie Mosse, że inni chrześcijanie mają w tym względzie przekonania podobne do pańskich?

– Nie. – Amerykanin zamilkł na chwilę. – Z pewnością wielu chrześcijan tego nie rozumie. Ale nie widzę też nic złego w tym, że ich przekonania mogą się różnić od moich.

W rzeczywistości zaś było tak – o czym wujek Kenzaburo wcześniej mu opowiedział – że pan Mosse został odrzucony przez swój Kościół. Misjonarz, który z nim współpracował, publicznie go wyśmiał i upokorzył za to, że opuścił misję. Teraz, gdy Kenzaburo poznał Mosse'a osobiście, zrozumiał, że ani zwątpienie w religię chrześcijańską, ani chciwość – jak niektórzy sugerowali – nie były powodami, dla których ten zrezygnował z tej pracy. Kenzaburo był prawdziwie zafascynowany poglądami Amerykanina na temat religii. Było to wręcz niesłychane, że wciąż wierzył w swojego jedynego Boga, mimo to nie miał problemu z akceptacją innych wyznań. Otóż pan Mosse zachował wiarę chrześcijańską, ale jako intelektualista i człowiek myślący racjonalnie pojął, że nie istnieje tylko jedna duchowa droga, którą może podążać człowiek. Był na tyle mądry i świadomy tego, czym jest duchowość, by przekonać się, że wielu Japończyków bez znajomości chrześcijaństwa przez setki lat prowadziło nie mniej wartościowe życie duchowe i moralne niż większość ludzi Zachodu.

– A czy było panu trudno zrozumieć naszą religię? – Kenzaburo przyglądał się wnikliwie nauczycielowi.

– Powiem tak: mogłoby to być niezwykle trudne, zwłaszcza dla człowieka takiego jak ja, który przez całe życie miał do czynienia wyłącznie z chrześcijaństwem, ale ja nie miałem z tym dużych problemów. Myślę nawet, że moja droga jest częścią boskiego planu.

– Panie Mosse, naprawdę jest pan człowiekiem wielkiej wiary. Zazdroszczę panu tego głębokiego zaufania, jakie żywi pan wobec swojego Boga.

Tak mocna wiara wydawała się nawet Kenzaburo wręcz nieco dziecinna. To było dziwne, że tak inteligentny człowiek potrafi zawierzyć niemalże bezwarunkowo.

Pan Mosse skłonił uprzejmie głowę.

– Dziękuję, książę. Sam uważam siebie za badacza religii, a zajęcie to wymaga tolerancji dla innych wierzeń i praktyk religijnych.

– Teraz rozumiem, dlaczego mój wujek tak bardzo pana ceni.

Zmęczona, blada twarz pana Mosse'a lekko się zaczerwieniła.

– Dziękuję, to dla mnie wielki komplement. Cieszę się bardzo, że będę mógł przekazywać panu moją wiedzę.

– Mój wujek powiedział również, że bardzo dobrze zna się pan także na prawie oraz że jest pan człowiekiem godnym zaufania. I muszę przyznać, że teraz zupełnie mnie to nie dziwi – powiedział Kenzaburo z uśmiechem. – Człowiek wierzący zawsze jest wart zaufania, niezależnie od tego, jaką wiarę wyznaje.

– Nigdy nie zawiodę pańskiego zaufania – odpowiedział pan Mosse, odwzajemniając uśmiech. – Jeśli mogę spytać... Jak to się stało, że tak młody człowiek jak pan tak doskonale mówi po angielsku?

Kenzaburo wyglądał na bardzo zadowolonego.

– Jak pan zapewne wie, podstaw nauczyłem się od mojego wujka mieszkającego w Osace – odpowiedział.

– Ale choć pana wujek dobrze mówi w tym języku, to nie tak doskonale jak pan – zauważył Mosse.

Kenzaburo podziękował. Szczerość nauczyciela, która była w Japonii niezwykle rzadka, zrobiła na nim wielkie wrażenie.

– Zaczynałem się uczyć ze starych zeszytów wujka, ale potem trafiłem na angielską książkę, która wyraźnie poprawiła moją znajomość tego języka.

– Jaka to była książka? – zapytał pan Mosse.

– „Król Złotej Rzeki" Johna Ruskina – odpowiedział Kenzaburo. – Czytał pan?

– Nie, ale znam inne prace tego autora. – Pan Mosse napił się herbaty. Wyglądało, że zmiana tematu nieco go odprężyła.

– Opisana w niej historia wydawała mi się dość dziwna – stwierdził Kenzaburo i uśmiechnął się łagodnie. – Mimo to uważam, że jest to piękna baśń, która uczy zrozumienia inności i pokazuje, że warto być życzliwym. Choć jest krótka, czytałem ją bardzo długo, nie chcąc zbyt szybko poznać zakończenia. Była to w końcu moja jedyna angielska lektura. – Teraz Kenzaburo napił się herbaty i kontynuował:

– Bardzo chciałbym poznać zachodni świat, który został w niej opisany. Zobaczyć, jak żyją ci ludzie, spędzają czas, jak mijają im dni...

– A czytał pan jeszcze inne angielskie teksty?

– Tylko kilka krótkich opowiadań i artykułów z gazet, które dał mi wujek. A bardzo chętnie poznałbym ich więcej. Byłbym szczególnie zadowolony, gdyby przyniósł pan dla mnie takie, które pomogłyby mi dowiedzieć się czegoś więcej o zachodniej filozofii. Chciałbym ją lepiej zrozumieć, poznać dzieła największych zachodnich myślicieli – wyznał Kenzaburo, a jego oczy błyszczały.

– Oczywiście, książę. – Pan Mosse skłonił się z aprobatą. – Przygotuję dla pana lekcje z wielką starannością, tak by jak najlepiej odpowiadały pana zainteresowaniom.

Drogi Samuelu!

Jak ten czas szybko płynie, mój przyjacielu! Minęło już dziesięć lat, odkąd wyjechałem z Nowego Jorku, a Ty, stary druhu, zostałeś w tym czasie profesorem na uniwersytecie. Kto by pomyślał? I kto by się spodziewał, że ja będę tam, gdzie jestem, i że będzie to dla mnie najodpowiedniejsze miejsce na całym świecie?

Bóg kolejny raz zaskoczył nas swoim boskim planem, drogi przyjacielu. A niedawno zrobił mi kolejny prezent. Zaproponowano mi posadę prywatnego nauczyciela młodego księcia z Kobe. Będę mieszkał w jego posiadłości i przekazywał mu wiedzę o zachodnich obyczajach. Ten młody człowiek to z pewnością jedna z najinteligentniejszych osób, jakie w życiu spotkałem i zapewne spotkam. Już pierwsza rozmowa z nim zmieniła moje zdanie o Japończykach.

Nazywa się Kenzaburo Takeda i jestem przekonany, że któregoś dnia stanie się niezwykle ważną postacią w Japonii, możesz mi wierzyć. Sam nauczył się angielskiego i mówi w nim zachwycająco. Usłyszałem, że jego wujek, który jest moim klientem, nauczył go podstaw, ale wciąż nie mogę pojąć, jak to się stało, że tak młody człowiek, który nigdy nie słyszał oryginalnej wymowy, był w stanie opanować ją na tak wysokim poziomie. Zaimponował mi zresztą także w innych kwestiach. Niedawno przetłumaczył dla mnie kilka utworów poetyckich, które napisał, i muszę przyznać, że zrobiły na mnie duże wrażenie. Jego poezja jest elegancka, choć każdy utwór składa się w gruncie rzeczy jedynie z kilku słów. Czasami zastanawia mnie mój zachwyt nad tym chłopcem. Wiesz przecież, że niełatwo mi zaimponować. Jutro będę obserwował, jak Kenzaburo doskonali kendo – japońską sztukę walki mieczem. Powiedziano mi już, że również i w tej dziedzinie zaczyna być lepszy od swojego mistrza.

Sam, mój drogi przyjacielu, w każdym liście pytasz mnie, kiedy zamierzam wrócić do ojczystego kraju. Gdy mówiłem Ci, że obiecałem sobie spędzić w Japonii przynajmniej dziesięć lat, byłem niesłychanie naiwny. Towarzyszyło mi bowiem przekonanie, że przez ten czas uda mi się dowiedzieć wystarczająco dużo o tym niezwykłym kraju. I nawet jeśli czasami zdarza mi się poczuć, że widziałem już dość, Bóg zsyła mi kolejne powody, by tu zostać. Jestem przekonany, że to Jego wola wciąż mnie tu zatrzymuje.

Moja praca jako radcy prawnego idzie mi bardzo dobrze i przynosi kolejne wyzwania. A moja nowa posada prywatnego nauczyciela sprawia mi jeszcze większą przyjemność. Posiadłość księcia Takedy zapiera dech w piersiach. Pokój, który w niej zajmuję, posiada nawet własny ogród! Chciałbym, byś mógł go zobaczyć. Z pewnością byłbyś tak samo oczarowany jak ja. A tutejsze zwyczaje są wprost fascynujące. Nawet z mojego chrześcijańskiego punktu widzenia wydają się głębokie i godne uwagi. Sądzę, że mogę się tu jeszcze wiele nauczyć.

Mam nadzieję, że u Ciebie wszystko w najlepszym porządku, i modlę się, by naszym przyjaciołom oraz ich rodzinom dopisywały zdrowie i wszelka pomyślność.

Twój oddany William

Na lekcjach filozofii pan Mosse szeroko omówił poglądy największych zachodnich myślicieli, od Sokratesa po Kartezjusza. Żaden z nich jednak nie poruszył Kenzaburo tak mocno jak Gautama Budda. Młody książę Takeda od dziecka podziwiał buddyjskich mnichów i ich pełne oddania skupienie, z jakim odprawiali ceremonie w posiadłości jego rodziny. Jego zainteresowanie buddyzmem jeszcze wzrosło, gdy przeczytał książkę o życiu Siddharthy Gautamy. Być może dlatego, że odkrył podobieństwo między życiem jego oraz własnym i zapragnął stać się oświeconym i równie czystym jak Budda. Zdradził panu Mosse'owi swoją chęć podążania drogą duchową zamiast sprawowania wysokiego urzędu państwowego, jak oczekiwał od niego ojciec. Nauczyciel nie był zdziwiony wątpliwościami Kenzaburo. Doskonale rozumiał, że chce się rozwijać duchowo, co więcej, dostrzegał również podobieństwo między swoim uczniem i Siddharthą. Jak nikt zdawał sobie też sprawę, że Kenzaburo powinien uwolnić się od swojej rodziny, której oczekiwania względem niego zupełnie go przytłoczyły. Pan Mosse chciał pomóc młodemu księciu, dlatego nigdy nie zbywał jego wątpliwości i pytań. „Jeśli tylko takie jest twoje życzenie, książę – odpowiadał – powinieneś uczynić to, co uważasz za słuszne". Wiedział, że jest to typowa amerykańska odpowiedź, ale inna nie przyszła mu do głowy.

– Panie Mosse, boję się, że wtedy bardzo mocno rozczaruję swoją rodzinę – wyznał któregoś razu Kenzaburo i niespokojnie spuścił wzrok.

– Tak może się stać – przyznał Amerykanin. – Ale nie jest dobrze, gdy żyje się wyłącznie dla swojej rodziny. Jeśli naprawdę sądzisz, książę, że zostałeś powołany do tego, by zostać mnichem, powinieneś podążyć tą drogą. – Następnie podał mu przykład z własnego wykładu: – Gdyby Siddhartha nie zostawił swojego pałacu i nie zaczął wędrówki po świecie, nigdy nie obudziłby w sobie buddy. On jednak postanowił podążyć za swoim pragnieniem odnalezienia prawdy i swoim wyższym powołaniem. Niewielu ludzi jest w stanie to zrobić.

– Ale pan to zrobił, panie Mosse... – Kenzaburo wyglądał na zamyślonego.

– Ja? – Amerykanin się uśmiechnął, słysząc ten komplement.

– Nie, książę. Nie byłem tak odważny, choć chciałbym być...

– Ale przecież opuścił pan ojczyznę i przepłynął ogromny ocean, by znaleźć się w Japonii i spełnić swoje marzenie! – Doskonały angielski Kenzaburo zabrzmiał tym razem wyjątkowo pięknie. – Podążył pan własną drogą, prawda? Myślę, że wielu uznałoby pana za wyjątkowo odważnego.

– Cóż, książę, moim zdaniem to nie był akt odwagi. – Pan Mosse pokręcił głową. – Wykonałem jedynie część mojej misjonarskiej pracy.

– Ale takie zadanie sam pan dla siebie wybrał – podróż do dalekiej Japonii i rozpowszechnianie przesłania pańskiej religii. Tak było, panie Mosse?

– Oczywiście, książę – Amerykanin przytaknął. – I nie żałuję, chociaż nie dokończyłem swojej misji, jak początkowo zamierzałem. Wierzę, że Bóg wskazuje nam różne sposoby na to, byśmy mogli spełniać swoje marzenia – dodał i uśmiechnął się z zadowoleniem. – Uczenie ciebie, książę, a także doradzanie Japończykom i ludziom z mojego kraju w sprawach handlowych i prawnych również jest dla mnie satysfakcjonującym zajęciem.

– To prawdziwe szczęście, że to, na co się pan zdecydował, sprawia panu radość! – młody mężczyzna krzyknął z entuzjazmem. – Czasami zazdroszczę ludziom wolności podejmowania decyzji w zgodzie z własnymi pragnieniami – westchnął cicho.

– Ależ, książę, ty też masz wybór! – zaoponował Mosse z dużą dozą amerykańskiego optymizmu, którego nie potrafił się pozbyć przez te wszystkie lata pobytu za granicą. – Jesteś inteligentnym, odważnym mężczyzną. Nie mam najmniejszych wątpliwości, że możesz osiągnąć wszystko, co tylko sobie zaplanujesz.

– Tu nie chodzi o to, czego mogę dokonać, a czego nie – postanowił wyjaśnić Kenzaburo. – Przede wszystkim chodzi o to, co jest dla mnie dostępne, panie Mosse. Moje życie nie należy do mnie. Decydują za mnie ojciec i moja rodzina. Nie rozumie pan tego?

Ale pan Mosse doskonale wiedział, o czym mówi Kenzaburo. Jego optymizm nie sięgał tak daleko, by mógł w tym względzie okłamywać księcia.

– Jestem pewien, że Bóg wskaże panu właściwą drogę – zapewnił jak zawsze, gdy nie miał w zanadrzu lepszej odpowiedzi.

Kenzaburo się zaśmiał.

– Ale nawet to nie rozwiązałoby mojego problemu – zamilkł na chwilę, a następnie wyjaśnił swój punkt widzenia: – Nawet gdyby Bóg wskazał mi odpowiednią dla mnie drogę, i tak nie mógłbym z własnej woli nią podążyć. – Kenzaburo uśmiechnął się do swojego nauczyciela, który nie mógł uwierzyć, że wola Boga i jego własna mogłyby być różne.

– Przepraszam, nie to miałem na myśli – odpowiedział pan Mosse.

W tym samym momencie przyszła mu do głowy pewna idea, którą postanowił przedstawić Kenzaburo.

– Myślałem raczej o tym, że często dopiero na końcu naszego życia potrafimy stwierdzić, co stanowiło o naszym losie. Bóg nie zmusza nikogo do robienia rzeczy, których ten ktoś nie chce robić. – Pokręcił lekko głową. – Ale wskazuje nam drogę, gdy pokładamy w nim nadzieję, gdy głęboko w niego wierzymy.

– Znam bardzo dobrze pańskiego Boga, panie Mosse, ale nie wiem, czy on zna mnie tak dobrze jak pan. Ale mogę uwierzyć w to, że wskaże mi właściwą drogę. Czy to pan miał na myśli, panie Mosse? – Kenzaburo patrzył wyczekująco na nauczyciela. Starał się dotrzeć do sedna jego przekonań.

– Oczywiście, książę – pan Mosse wyczuł ironię w głosie młodego człowieka. – Rozmawialiśmy już o tym, że my z Zachodu wierzymy w istnienie tylko jednego Boga. Ale odkryłem, że w Japonii wierzy się w wiele bóstw. Na początku starałem się nawracać ludzi z pańskiego kraju na chrześcijaństwo, przekonywać ich, że jest tylko jeden Bóg. Z czasem jednak zacząłem widzieć wszystko w nieco innym świetle i rozumieć, że to, w którego boga się wierzy, w gruncie rzeczy nie ma żadnego znaczenia dopóty, dopóki się mu ufa i pozwala obdarzać się siłą współczucia i nadziei. – Popatrzył na Kenzaburo, by sprawdzić, czy ten nowo obrany przez niego kurs przynosi pożądane efekty. – Potrzebujemy Boga jako obiektu naszego absolutnego zaufania, który wypełni nas nadzieją oraz pozwoli odczuwać dobro i współczucie. Jesteśmy tylko kruchymi istotami potrzebującymi wiary, by doskonalić się z pomocą Boga.

– Jeśli mogę zapytać, panie Mosse, czy ufa pan swojemu Bogu bezgranicznie i bezwarunkowo? – Kenzaburo spojrzał głęboko w niebieskie oczy nauczyciela, które kolorem przypominały mu spokojne morze w bezchmurny dzień.

– Tak sądzę. – Amerykanin zamilkł na chwilę. – Uważam, że dzięki boskiemu przewodnictwu stałem się lepszym człowiekiem. Myślę też, że Bóg wskazuje słuszną drogę tym, którzy go szukają.

Kenzaburo kiwał lekko głową, zastanawiając się nad tym, co usłyszał.

– Nie chciałbym się wydać panu arogancki, panie Mosse – twarz młodego księcia pojaśniała – ale tej właściwej dla mnie drogi mam zamiar poszukać w sobie, dzięki własnej woli. – Oczy młodego mężczyzny błyszczały jak mokre czarne kamienie w słońcu. – Jeśli całkowite zaufanie Bogu potrafi zrobić wiele dobrego i uczynić kogoś lepszym człowiekiem i jeśli wynika ono po prostu z czystej wiary w Boga, to sądzę, że również do siebie samego można mieć zaufanie tak wielkie jak do Boga. – Podekscytowany Kenzaburo mówił dalej: – Czy nie lepiej jest sobie samemu zaufać bezgranicznie, niż całe to zaufanie odstąpić Bogu?

Późnym wieczorem pan Mosse klęczał na tatami w swoim pokoju i modlił się. Zapach herbaty z palonego ryżu, którą przyniosła mu pokojówka na noc, wypełniał wilgotne powietrze. Pod opuszczonymi powiekami pokazał mu się upiorny obraz jego miłosiernego Boga. Wiedział, że musi walczyć z pokusą, którą wyraził dzisiaj młody książę Kenzaburo: że absolutne zaufanie Bogu można skierować na samego siebie. Zastanawiał się, czy wiara naprawdę może do tego doprowadzić. I najwyraźniej Bóg, gdy prosił go o przewodnictwo, a On nie odpowiedział, sam zagubił się w tym labiryncie wiary, jaki stworzył dla niego pan Mosse.

– Ojcze – powiedział Kenzaburo do księcia Takedy, gdy – co się zdarzało niezwykle rzadko – pili razem popołudniową herbatę. – Chciałbym omówić z tobą coś ważnego.

Książę Takeda postawił filiżankę na stole między sobą i swoim synem. Oznaczało to, że Kenzaburo może kontynuować.

– W ostatnim czasie wiele myślałem o swojej przyszłości – zaczął mówić młodzieniec wyraźnie podenerwowany. – Chciałbym głębiej zająć się buddyzmem i rozważam nawet zostanie mnichem.

Książę Takeda znów napił się herbaty.

– Przemyśl to jeszcze raz dokładnie – poprosił.

– Ojcze... – Kenzaburo spojrzał na niego, a następnie skierował wzrok na nogi od stołu.

– Chciałbym, żebyś raz jeszcze przemyślał swoją przyszłość, Kenzaburo. Nie potrzebuję kapłana w rodzinie. Kapłani przychodzą do nas, gdy trzeba odprawić ceremonie. To zupełnie niepotrzebne, by jednym z nich był mój syn. – Jego głos był spokojny jak morze przed burzą.

– Ojcze – zaczął ponownie Kenzaburo, a jego oczy patrzyły błagalnie na surową twarz rodzica. – Nie chodzi o to, by odprawiać ceremonie. Chciałbym nauczyć się więcej o buddyzmie i to wyzwanie...

– To nazywasz wyzwaniem? – książę Takeda uderzył pięścią w stół.

Kenzaburo patrzył, jak filiżanki zadrżały na blacie, a herbata z nich rozlała się prawie po całej jego powierzchni.

– Jesteśmy potomkami wielkich wojowników! Największych! – książę Takeda mówił podniesionym głosem. – Zostały nam powierzone trudniejsze zadania do wykonania na tym świecie i powinieneś o tym doskonale wiedzieć!

Kenzaburo opuścił głowę. Gorzko żałował, że podzielił się z ojcem swoimi marzeniami. Bo nawet jeśli jego reakcja nie była zaskakująca, Kenzaburo miał nadzieję, że ojciec przynajmniej go wysłucha.

– Synu – książę Takeda spuścił z tonu. – Masz już dwadzieścia dwa lata i powinieneś zacząć myśleć poważnie o swojej przyszłości. Musisz wykorzystać swoje zdolności dla dobra i sławy naszej rodziny. Nie zapominaj, że nasi przodkowie przez cały czas obserwują to, co robimy.

– Tak, ojcze... – odpowiedział Kenzaburo pokornie, opuszczając głowę jeszcze niżej, by ukryć swój żal.

Książę Takeda wezwał służącego, żeby doprowadził stolik do porządku, a potem mówił dalej:

– Właściwie już dawno podjąłem decyzję co do twojej przyszłości. Będziesz studiować prawo – oznajmił stanowczo. – Jak wiesz, w Japonii nastąpił okres znaczących zmian i rząd coraz częściej przejmuje zachodnie wzorce. To właściwy czas, by wykorzystać twoje talenty i umiejętności. W przyszłym roku powinieneś zdać egzamin państwowy i poszukać dla siebie odpowiedniego wydziału prawa. W ten sposób natychmiast zwrócisz na siebie uwagę władz. A jestem pewien, że bez problemu zdasz egzamin i wkrótce będziesz sędzią w Sądzie Najwyższym.

Kenzaburo był świadom, że decyzja ojca była dobrze przemyślana i korzystna, ale w żadnej mierze nie pragnął tego dla siebie. Mimo to trzymał język za zębami, próbując opanować swój gniew na ojca.

– Poszukam ci nauczyciela, który przygotuje cię do egzaminu – dodał książę. – Być może powinniśmy się już pożegnać z panem Mosse'em.

– Ojcze, przez ostatnie lata pan Mosse bardzo wiele mnie nauczył. Jestem mu za to bardzo wdzięczny. Poza tym chciałbym się jeszcze więcej od niego dowiedzieć, zanim zdam egzamin.

Książę Takeda rozważał przez chwilę prośbę syna, po czym oznajmił:

– Dobrze, jak chcesz.

A po chwili westchnął głęboko, co oznaczało, że sprawa została omówiona.

Kenzaburo popatrzył na ojca.

– Właściwie nie potrzebuję nowego nauczyciela, tylko dobrych książek poświęconych prawu. Wtedy sam będę mógł się wszystkiego nauczyć.

– Kenzaburo, zdaję sobie sprawę z twoich wyjątkowych zdolności, ale z książek nie dowiesz się, jak zdać ten egzamin.

– Proszę, ojcze. Nie rozczaruję cię – zapewnił Kenzaburo z entuzjazmem, bo chciał za wszelką cenę uniknąć zmiany nauczyciela.

– Dobrze więc... – przytaknął książę Takeda pojednawczo.

– Poza tym chciałbym wyjechać w jakieś spokojne miejsce, choćby do Kioto, żebym mógł studiować w samotności. W odosobnieniu łatwiej się koncentruję, bo nic mnie wtedy nie rozprasza.

– Czy to naprawdę konieczne? – spytał książę, rozważając kolejną prośbę swojego syna.

Kenzaburo wiedział, że musi być posłuszny ojcu, dlatego obiecał mu, że będzie się uczył do egzaminu z prawa.

Książę Takeda więc z wielką starannością wybrał dla syna pensjonat pani Tamarai i polecił gospodyni, by zapewniła mu szczególną opiekę i całkowity spokój do nauki.

Marzenia Kenzaburo o zostaniu buddyjskim mnichem niby spaliły na panewce. Ale biorąc pod uwagę to, jak długo Kenzaburo się zastanawiał, czy powinien wybrać dla siebie ścieżkę rozwoju duchowego, szybka i bezdyskusyjna decyzja ojca w tej sprawie wydawała się wręcz śmieszna.

– Być może jest to wszystko wolą Boga, o której tak chętnie pan mówi, panie Mosse – stwierdził Kenzaburo, a w jego oczach można było dostrzec smutek. – Spędziłem wiele nocy na rozmyślaniu o moich synowskich obowiązkach i moich prawach, które mam jako wolna ludzka istota. – Zamilkł na chwilę. – Wiem też, że takie myślenie nie jest charakterystyczne dla nas, Japończyków. My oceniamy siebie na podstawie tego, jak oceniają nas inni. Musimy być im potrzebni.

Ciepłe popołudniowe słońce oświetlało twarz księcia, podczas gdy pan Mosse zastanawiał się nad właściwymi słowami pocieszenia. Siedział na krześle, a ręce trzymał na stole zrobionym w stylu zachodnim specjalnie dla niego, aby nie musiał przez cały czas siedzieć na podłodze w niewygodnej dla niego pozycji.

– Wszyscy ciągle o tym rozmyślamy, książę – zauważył. – I nikt sam z siebie nie potrafi stwierdzić, co jest jego najważniejszym życiowym zadaniem.

– Czy naprawdę jesteśmy tak bezkształtnymi istotami? Czy nasz świat jest aż tak niepewny, panie Mosse? – Kenzaburo uśmiechnął się smutno, a na jego twarzy pojawił się wyraz melancholii.

– Proszę, książę, nie zapominaj o tym, że rzeczy nie zawsze są takie, jakie się wydają. Boże błogosławieństwo i dobroć czasami są widoczne dopiero z perspektywy czasu. Być może teraz wygląda na to, że wszystkie pana marzenia i plany zostały zniweczone, ale trudno przecież poznać całą historię, dopóki się nie zakończy, prawda? To, co teraz wydaje ci się straszne, później może okazać się najlepszym, co mogło ci się przydarzyć.

– Podziwiam pana za ten niezniszczalny optymizm, panie Mosse – stwierdził młodzieniec z nikłym uśmiechem.

– Dziękuję, książę. – Pan Mosse również się uśmiechnął. – Ale ja jestem szczerze przekonany, że wszystko, co się dzieje w twoim życiu, jest elementem boskiego planu i że On prowadzi cię właściwą drogą. Małe przeciwności losu jak ta nie powinny cię, książę, zniechęcać czy oburzać. Bóg często stawia przeszkody na naszej drodze, byśmy się mogli z nich wiele nauczyć. Proszę, książę, nie miej pretensji do ojca, że podjął taką decyzję. Jestem przekonany, że bardzo dokładnie ją przemyślał i wybrał to, co uważał za najlepsze. – Nie bacząc na to, że prośba Kenzaburo zaowocowała jego tymczasowym zwolnieniem, mówił dalej: – To nasze ostatnie spotkanie w tym roku, ale będę bardzo szczęśliwy, jeśli będziemy dalej prowadzić nasze rozmowy w formie listów.

Wdzięczny Kenzaburo pokłonił się głęboko nauczycielowi.

– Będę pisał do pana po angielsku, panie Mosse. I oczywiście będzie mnie pan dalej uczył, gdy wrócę do Kobe, prawda?

– Mam taką nadzieję, książę. Będę czekał na twój powrót.

Nauczyciel głęboko zaczerpnął powietrza, żeby zapanować nad emocjami, i obaj uśmiechnęli się serdecznie do siebie.

– Tęskni pan za Ameryką, panie Mosse? – przerwał krótkie milczenie Kenzaburo.

– Tak, książę, bez wątpienia – odpowiedział pan Mosse.

Jego głos stał się spokojniejszy, gdy zaczął opisywać Kenzaburo krajobrazy, zapachy i miejsca, których tak bardzo mu brakowało i o których śnił niemalże każdej nocy.

– Najbardziej chciałbym znów zobaczyć most Brooklyński. Dzień przed moim wyjazdem z Nowego Jorku kolejny raz przeszedłem go pieszo. To było dziesięć lat temu.

Kenzaburo był urzeczony tym dalekim, ogromnym krajem pełnym uchodźców i imigrantów. Wierzył, że tylko tam nareszcie miałby szansę poczuć się wolny.

– Panie Mosse, zastanawiam się, czy nie kontynuować swojej edukacji za granicą – oznajmił nagle. – Gdy tylko zdam egzamin z prawa, chciałbym studiować na jakimś uniwersytecie w Anglii albo w Ameryce. Co pan o tym sądzi, panie Mosse? Czy mój ojciec by się na to zgodził? – Spojrzał na nauczyciela, a jego twarz pociemniała z obawy o decyzję ojca.

– To będzie dla mnie prawdziwa przyjemność, jeśli pewnego dnia będę mógł być ci, książę, pomocny przy wyborze odpowiedniej uczelni – powiedział Amerykanin. – W tym momencie jednak radzę ci, żebyś skoncentrował się na egzaminie. Twój ojciec będzie bardzo rozczarowany, jeśli go nie zdasz.

Kenzaburo spojrzał na podłogę i przytaknął.

– Tak będzie dla ciebie najlepiej, książę – starał się go pocieszyć pan Mosse.

– Może to faktycznie dobrze, że ojciec zabronił mi zostać mnichem. Będę mógł zobaczyć świat i nauczyć się wielu rzeczy.

– Dokładnie tak, książę. – Pan Mosse zastanawiał się, czy to on miał tak duży wpływ na swojego ucznia, czy też Kenzaburo doszedł do tego wniosku już wcześniej. – Myślę, książę, że masz przed sobą świetlaną przyszłość, a twój kraj odniesie wiele korzyści dzięki twoim zdolnościom. Jestem też pewien, że ojciec poprze twój pomysł wyjazdu za granicę. Książę Takeda jest wspaniałym człowiekiem. Dużą wagę przykłada do tradycji, ale ma postępowe poglądy. Z pewnością dostrzeże zalety takiego wyjazdu. Z tego, co wiem, wielu młodych Japończyków studiuje za granicą.

– A może ojciec już to dla mnie zaplanował? – zauważył Kenzaburo ze smutnym uśmiechem. – Proszę, niech pan nie wyjeżdża zbyt szybko do Ameryki, panie Mosse. Niech pan poczeka, aż wrócę z Kioto.

– Oczywiście, że poczekam. Mam coś pilnego do załatwienia w Osace, ale wrócę do Kobe i będę cierpliwie czekał na twój przyjazd z Kioto.

– Tak jak czeka pan, by znów zobaczyć most Brooklyński, panie Mosse? – zapytał Kenzaburo.

– Tak, książę, właśnie tak.

Pan Mosse wyciągnął dłoń w stronę swojego ucznia, a Kenzaburo uścisnął ją, ale na jego twarzy pojawił się głęboki smutek.

– Dziękuję, panie Mosse. Niech pański Bóg pana błogosławi.

Drogi Panie Mosse,

prawdopodobnie dotarł Pan już szczęśliwie do Osaki. Wielka szkoda, że musiał pan wyjechać przed uroczystościami urządzonymi w posiadłości Takedów z okazji narodzin księcia Hirohito. Mój ojciec zorganizował wielkie przyjęcie z nieskończoną liczbą muzyków i aktorów. Świętowaliśmy przyjście na świat nowego następcy tronu, ale przy okazji mój ojciec ogłosił naszym krewnym, że wyjeżdżam do Kioto. Wydawało się, że wszyscy poparli jego decyzję, bym został w przyszłości sędzią w Sądzie Najwyższym.

Dzisiaj wyruszyłem z wielkim bagażem. I musiałem unieść nie tylko ciężar prawie wszystkich moich książek, ale także obowiązków, które ciążą mi na sercu. Ale gdy tylko pociąg wyruszył, mój nastrój się poprawił.

Gdy patrzyłem przez okno, przyszła mi do głowy myśl, że krajobraz za nim ucieka tak, jak biegnie czas: czasami po prostu nie da się go zatrzymać. Gdy natomiast patrzy się wstecz, można dostrzec jedynie to, jak wszystko jest ulotne. Zgadza się Pan ze mną, Panie Mosse? Ten ciągle zmieniający się pejzaż jest piękny. Płatki kwiatów wiśni wirują jak śnieg, gdy zawieje wiatr. Coś wspaniałego. Czuję się wolnym człowiekiem, choć w pełni zdaję sobie sprawę, że moja wolność jest tylko chwilowa – tak jak obraz zmieniający się za oknem.

Mam nadzieję, że w Osace ma Pan okazję nacieszyć się pięknem wiosennych kwiatów, Panie Mosse. Czy w Pana ojczyźnie również kwitną wiśnie? Myślę, że Pana most pokryty płatkami tych kwiatów wyglądałby jeszcze piękniej.

Zawsze Panu wierny
Kenzaburo Takeda

9.

Gdy Michiko otworzyła drzwi, zobaczyła nowego gościa. Na ułamek sekundy czas się dla niej zatrzymał. Młody mężczyzna promieniał pięknem, jakiego wcześniej Michiko nigdy nie widziała. Miał na sobie śnieżnobiałą koszulę zapinaną na guziki, której rękawy – zgodnie z zachodnią modą – były zawinięte aż do łokci. Czarną kurtkę trzymał na nagim przedramieniu. Michiko gwałtownie spuściła wzrok i mimowolnie się zarumieniła.

– Witamy w pensjonacie Tamaraya – wygłosiła swoje zwyczajowe powitanie, następnie skłoniła się nisko, zrobiła krok do tyłu i otworzyła szeroko drzwi.

Kenzaburo ukłonił się lekko i wszedł do środka. Kierowca rikszy, który odebrał go z dworca na polecenie pani Tamarai, pospiesznie wziął jego bagaże i wniósł na werandę. Kenzaburo rozglądał się tymczasem po małym ogrodzie i wdychał zapach pączkujących bzów oraz wilgotnego mchu.

Michiko stała w ukłonie ze spuszczoną nisko głową i obserwowała go kątem oka. Opuściła ją jeszcze niżej, gdy

172

zobaczyła, że idzie pani Tamaraya z pudełkiem pełnym słodyczy oferowanych wyłącznie najznakomitszym gościom.

– Witamy cię bardzo serdecznie w pensjonacie Tamaraya, książę Takeda – gospodyni powitała młodego mężczyznę z serdecznością, jakiej Michiko jeszcze nigdy u niej nie widziała. – To wielki zaszczyt, że możemy cię u nas gościć.

– Dziękuję, pani Tamaraya. Ale księciem Takedą jest mój ojciec, mnie proszę nazywać Kenzaburo.

Wydawało się, że młody, przystojny mężczyzna zrobił na niej wielkie wrażenie. W jego obecności zmieniła się w inną osobę, była ciepła i serdeczna, aż Michiko zaczęła się zastanawiać, która z osobowości pani Tamarai jest tą prawdziwą. Jej uprzejmość w żadnej mierze nie wydawała się sztuczna. Jakby zamieniała się w okrutnego potwora tylko wtedy, gdy dziewczyna pojawiała się w jej pobliżu. Żaden z gości nie byłby się w stanie domyślić, jak potrafiła być bezwzględna.

Pani Tamaraya zapłaciła kierowcy rikszy i zaprowadziła Kenzaburo do jego pokoju, a Michiko poszła za nimi z bagażem w rękach. Mimo obecności właścicielki dziewczyna odważyła się rzucić ukradkowe spojrzenie na nowego gościa. Jego delikatny wyraz twarzy sugerował, że zaprzątały go wyłącznie wzniosłe myśli, zupełnie różne od ziemskich spraw, do których przywykła Michiko. Miał szlachetny nos i miłe ciemne oczy, które z dystansem patrzyły na wszystko dookoła, włącznie z ludźmi. Młodzieniec nie wydawał się arogancki; raczej nieco wycofany czy wręcz nieśmiały. Starannie uczesane lśniące włosy stanowiły piękną oprawę dla jego twarzy. Ponadto posiadał najdelikatniejszą i najgładszą skórę, jaką kiedykolwiek widziała Michiko. Było oczywiste, że nigdy nie zaznała działania słońca ani silnego wiatru. Patrząc na księcia, Michiko miała wrażenie, że spogląda na spokojne morze o poranku.

– Nie ma potrzeby, żebyś rozpakowywała moje rzeczy – zwrócił się do niej uprzejmie, zanim wszedł do pokoju. – Chciałbym zrobić to sam.

Michiko oblał gorący rumieniec, gdy się pokłoniła i zaniosła bagaże Kenzaburo do małego pomieszczenia, wydzielonego z jego pokoju rozsuwanymi drzwiami. Zanim jednak zdążyła rzucić jeszcze jedno spojrzenie w stronę Kenzaburo, pani Tamaraya zasunęła gwałtownie drzwi, jakby chciała podkreślić, że Michiko należy do innej sfery, niższej, w której istoty do niej podobne jedynie wegetują w mroku.

Gdy dziewczyna zeszła na dół, by włożyć swoje drewniaki, jej wzrok przykuły błyszczące skórzane buty Kenzaburo na granitowej platformie. Obok stały jedwabne pantofelki pani Tamarai, które nosiła tylko na specjalne okazje. Były wykonane z czerwonego jedwabiu i ozdobione eleganckim wzorem kwiatów wiśni. Śliczne i urocze, zupełnie niepasujące do ich właścicielki. – Proszę, niech książę poinformuje mnie natychmiast, jeśli czegoś będzie mu trzeba – usłyszała szczebiotliwy głos pani Tamarai dochodzący z pokoju gościa. – Pana łaskawy ojciec polecił mi zadbać o to, by podczas nauki miał pan zapewniony absolutny spokój. I tego właśnie może się młody książę tutaj spodziewać. Mam nadzieję, że pokój się panu podoba. To nasz najlepszy.

– Bardzo mi się podoba, dziękuję – powiedział Kenzaburo obojętnie.

– Wybrał pan sobie najpiękniejszą porę roku na pobyt tutaj – zauważyła pani Tamaraya. – Chociaż, jak niebawem pan zauważy, Kioto o każdej porze roku jest najwspanialszym japońskim miastem. Pański egzamin odbędzie się zimą, zgadza się? – spytała jeszcze.

– Tak. – Kenzaburo najwidoczniej nie zwracał na nią żadnej uwagi.

– Dołożę wszelkich starań, by pana pobyt w pensjonacie był jak najprzyjemniejszy. Dostałam już odpowiedni jadłospis od pańskiego ojca. Widać, że wybrał wyłącznie te dania, które dobrze wpływają na pracę mózgu. Proszę mi powiedzieć, co jeszcze mogę dla pana zrobić.

Pani Tamaraya zaczęła opowiadać historię swojego pensjonatu i okolicy, a Michiko nasłuchiwała, biorąc do ręki buty Kenzaburo. To były najpiękniejsze buty, jakie w życiu widziała. Wewnątrz wciąż były ciepłe. Przytuliła je, czując pod palcami lekko zaokrąglony kształt swych dojrzewających piersi i mocne bicie serca.

Michiko niespodziewanie stała się kobietą, tak jak śliwki nagle dojrzewają pod koniec lata. Pani Yoshida dokuczała jej od czasu do czasu z powodu tej przemiany, ale Michiko wciąż czuła się małą dziewczynką. Dopiero gdy wiosną w pensjonacie pojawił się Kenzaburo, uświadomiła sobie, że dorosła.

Do obowiązków Michiko należało przynoszenie do pokoju Kenzaburo trzech posiłków dziennie oraz popołudniowej herbaty i słodyczy. Nigdy jednak nawet nie uniosła głowy, by na niego spojrzeć. Pani Tamaraya wyraźnie jej tego zabroniła. Ale nawet gdyby nie dostała takiego zakazu, nie ośmieliłaby się tego zrobić. Na samą myśl o nim oblewała się rumieńcem, a jej serce zaczynało bić szybciej. Ostrożnie klękała i w milczeniu kładła posiłek na stoliku z laki. Zresztą wszystko robiła bez słowa, zawsze w taki sam sposób. Czasami nawet się zastanawiała, czy młody pan zauważa jej obecność, gdy klęka i kłania się nisko, zanim zasunie za sobą drzwi. Nigdy jednak nie ośmieliła się unieść głowy, by to sprawdzić.

Chociaż praca ta sama w sobie była bardzo monotonna, Michiko sprawiało wielką przyjemność sprzątanie pokoju Kenzaburo. Robiła to każdego ranka, gdy zaraz po śniadaniu wychodził na spacer. Choć nigdy nie patrzyła na to, co goście mieli w pokojach, tym razem nie potrafiła się powstrzymać, żeby nie rzucić sekretnego spojrzenia na rzeczy Kenzaburo. Miał wiele grubych książek, niektóre w obcym języku, oraz notatniki zapisane starannym charakterem pisma. Chociaż nie potrafiła przeczytać ani słowa, piękno jego notatek zapierało jej dech w piersiach. Przesuwała palcami po delikatnych znakach i wyobrażała sobie, jak wspaniałych rzeczy muszą dotyczyć. Wszystko, co książę posiadał, było wyjątkowo piękne: zachodnie ubrania, buty z miękkiej skóry, pióra zdobione kością słoniową i onyksami, srebrny nóż do otwierania listów z rączką zrobioną z nefrytu i wąski grzebień wykonany z ciemnego rogu bawolego. Doskonały świat Kenzaburo zniewalał Michiko swoim urokiem. Jej początkowa dziewczęca ciekawość szybko zamieniła się w podziw, a następnie w skrytą tęsknotę. Kenzaburo zaś nawet w najmniejszym stopniu zdawał się tego nie dostrzegać. Gdy nie przebywał w swoim pokoju, skupiając się na nauce, chodził na długie spacery. Ale Michiko nie potrzebowała do szczęścia jego obecności. Cieszyła się, że może być jego służącą, sprzątać jego pokój, prać ubrania, czyścić buty, przynosić posiłki i oddychać tym samym powietrzem, co on. W ten sposób czuła się częścią jego pięknego świata, niezależnie od tego, czy zauważał jej istnienie, czy nie.

Kenzaburo poczuł wielką ulgę, gdy zamieszkał w Kioto. Rozkoszował się samotnymi spacerami po mieście, bez służących chodzących za nim krok w krok. Bywał tu już wcześniej, ale to piękne miejsce z bogactwem świątyń i sanktuariów oczarowało go na nowo. Chodził na długie spacery w stronę Złotej Świątyni, by przyglądać się jej odbiciu rozmytemu w otaczającej ją wodzie, gdyż uważał, że jej złota elewacja jest zbyt wspaniała i błyszcząca, by można było na nią patrzeć bezpośrednio. Ponadto sądził, że tak idealne piękno zawsze powinno być nieco przysłonięte.

Myśl o tym, że musi zdać egzamin, czasami odbierała mu dech, ale cierpiał jeszcze bardziej, gdy wyobrażał sobie, że do końca życia będzie sędzią. I chociaż starał się siebie przekonać, że będzie mógł wymierzać sprawiedliwość, to gdzieś w głębi serca wiedział, że stanie się po prostu marionetką w rękach swojej rodziny. Gdyby mógł, wolałby się urodzić w prostej chłopskiej rodzinie jak ta pokojówka, która każdego dnia przynosi mu jedzenie... Ta młoda dziewczyna nigdy nie powiedziała do niego ani jednego słowa i unikała jakiegokolwiek kontaktu wzrokowego, ale jej czyste piękno zwracało jego uwagę. Obserwował ją niepewnie jak dziecko egzotycznego owada, tak delikatnego i płochliwego, że odlatuje natychmiast, gdy tylko ktoś próbuje go dotknąć. Jej zdrowa cera i szorstkie dłonie zdradzały proste pochodzenie, ale duże smutne oczy ozdobione długimi ciemnymi rzęsami miały w sobie tajemniczość, która robiła na nim wrażenie. Im częściej ją obserwował, tym bardziej był zauroczony jej niezwykłym pięknem. Niedługo potem czuł do niej bezgraniczny pociąg. W tej młodej kobiecie było coś tak niewiarygodnie czystego i ujmującego, że fascynowała go znacznie bardziej niż wszystkie inne dziewczęta, które do tej pory widział, we wspaniałych jedwabnych kimonach, obwieszone złotem i perłami.

Mijały miesiące, a Kenzaburo nie zamienił z Michiko ani jednego słowa, choć fantazjował o niej na wszelkie sposoby. Czasami wyobrażał sobie, że jest niebiańską księżniczką, która za karę za nieposłuszeństwo wobec ojca została wygnana na ziemię. Albo że jest jedynie przebraną za służącą żądną przygód władczynią, która chciała poznać życie wśród niższych warstw społecznych. Coraz częściej przechadzał się bez celu po pensjonacie w nadziei, że napotka choć jej spojrzenie. Każde z nich żyło więc we własnym świecie, jakby dzieliły ich od siebie tysiące lat, choć w głębi serca umierali z tęsknoty za wzajemną bliskością. Ale pewnego wieczoru u schyłku lata, gdy czerwone kwiaty porastające mury pensjonatu były w pełnym rozkwicie, wszystko się zmieniło.

Lato powoli zbliżało się ku końcowi, a Kenzaburo nie zrobił zbyt dużych postępów w nauce prawa. Znacznie więcej czasu poświęcił czytaniu książek i pisaniu poezji, zupełnie nie potrafiąc się skupić na przedmiocie swoich przyszłych studiów. Ale pewnego razu, gdy wrócił ze spaceru, jeszcze mocniej niż zwykle poczuł presję nadchodzącego egzaminu. Mył właśnie ręce w fontannie przy wejściu, gdy usłyszał cichy płacz. Poszedł w jego stronę.

Wiedział, że każdego wieczoru pani Tamaraya chodzi z kucharką na targ. To był jedyny moment w ciągu całego dnia, gdy młoda służąca była sama w pensjonacie. Znalazł ją siedzącą przy murze porośniętym czerwonymi kwiatami, których płatki delikatnie poruszały się na wietrze. Twarz miała schowaną w ramionach najprawdopodobniej po to, by stłumić płacz. Gdy usłyszała jego kroki, powoli podniosła głowę i zobaczyła go. Podskoczyła jak przestraszony zając, otarła ręką łzy, pochyliła głowę i skłoniła się tak nisko, by zakryć twarz. Kenzaburo podszedł do niej bardzo ostrożnie, jakby właśnie znalazł rannego ptaka i bał się, że ten zacznie nagle trzepotać złamanymi skrzydłami. Choć Michiko zakryła twarz, rozpoznał przecież, że została pobita. Bez słowa podał jej swoją białą lnianą chusteczkę. Michiko pochyliła głowę jeszcze niżej i zamiast wziąć chusteczkę, zrobiła krok do tyłu, a następnie, wciąż drżąc, odwróciła swoją opuchniętą twarz. Ku jej zaskoczeniu Kenzaburo chwycił ją za podbródek i uniósł go, jakby jego dłonie miały jakąś magnetyczną siłę. Zobaczył różowe policzki przerażonej dziewczyny i jej nieskończenie smutne oczy. Michiko odwróciła głowę i znów otarła łzy. Kenzaburo westchnął. Wiedział, że tylko pani Tamaraya mogła tak zbić dziewczynę, nawet jeśli wobec niego każdego dnia była nadzwyczaj uprzejma. Kłamstwo jednak zawsze wychodzi na jaw.

– Potrzebujesz jej – powiedział Kenzaburo i delikatnie wcisnął jej chusteczkę do ręki. – Nie musisz mi dziś wieczorem przynosić herbaty. Lepiej odpocznij, zanim wróci twoja pani.

Po tych słowach odszedł.

Michiko patrzyła w jego stronę. Głowę miał opuszczoną, a ręce skrzyżował na plecach, jakby pogrążył się w myślach. Gdy zniknął, otworzyła dłoń i zobaczyła w niej białą chusteczkę. Najpierw przysunęła ją do nosa, a następnie do ust, ale gdy poczuła na wargach jej gładką sztywną powierzchnię, nie odważyła się osuszyć nią twarzy. Zamiast tego przez chwilę podziwiała jej haftowaną obwódkę z szarego jedwabiu, a potem ukryła ją w dekolcie swojego kimona, blisko pulsującego serca, jakby chowała cenny klejnot. Podeszła do małej fontanny, żeby umyć twarz. Jej serce biło teraz jeszcze gwałtowniej. Kiedy wyjęła chusteczkę i przyłożyła ją do suchej już twarzy, pomyślała o dotyku jego dłoni.

Wieczorem, gdy przyniosła kolację do pokoju Kenzaburo, oddała mu chusteczkę upraną i wykrochmaloną z największą starannością. I wtedy po raz pierwszy spojrzała na młodego mężczyznę. W odpowiedzi obdarzył ją melancholijnym uśmiechem. Michiko pospiesznie spuściła wzrok, a ten uśmiech wydał jej się marzeniem na jawie.

– Proszę mi wybaczyć, młody panie – powiedziała i położyła przed nim chusteczkę, kłaniając się tak nisko, że czołem niemalże dotykała tatami.

– Dziękuję panu za... – głos się jej załamał, a po policzkach zaczęły płynąć łzy.

Michiko nie wiedziała, czemu płakała tak mocno. Najwyraźniej wszystkie te łzy, które tłumiła przez lata, i całe to skrywane cierpienie, jakiego doświadczyła, wreszcie znalazły ujście. Otarła twarz rękawem i znów się ukłoniła. Czuła się bezbronna i zawstydzona. Kenzaburo jednak wstał i podał jej chusteczkę. Uklęknął przy niej, gdy szlochała z głową schowaną w drżących ramionach.

– Chusteczka należy do ciebie. Tobie bardziej się przyda niż mnie.

– Proszę mi wybaczyć, młody panie, ale nie potrafiłam się powstrzymać. – Michiko pokręciła głową i spuściła ją.

– Twoja pani się o tym nie dowie, chyba że sama jej powiesz – zapewnił ją Kenzaburo i znów wcisnął jej w dłoń chusteczkę. – Chciałbym, żebyś ją zatrzymała.

Michiko obserwowała, jak Kenzaburo powoli odrywa swoje delikatne palce od jej dłoni. Spojrzała mu w oczy. Jej twarz była czerwona jak dojrzały owoc hebanowca, a serce biło szybciej i mocniej niż bębny taiko.

– Będzie mi bardzo smutno, jeśli jej nie weźmiesz – oświadczył Kenzaburo, po czym zacisnął jej drżącą dłoń wokół chusteczki.

Michiko, kłaniając się nisko, umieściła ją z powrotem w dekolcie kimona. Książę patrzył na nią jak na szkatułę pełną drogich klejnotów, którą właśnie odnalazł w błocie. Jego wzrok napotkał mokre od łez oczy dziewczyny. Gdy onieśmielona spuściła głowę, obudziło się w nim pragnienie, by delikatnie pocałować jej wilgotne powieki i poznać smak tych łez. Zamiast tego jednak usiadł na swoim miejscu i patrzył, jak Michiko rozkłada na stole miski i talerze z jego kolacją. Kiedy skończyła, ukłoniła się nisko i nie mówiąc ani jednego słowa oraz nie patrząc na Kenzaburo, wyszła z pokoju.

Tej nocy Michiko nie mogła zasnąć. Przyciskała mocno do serca chusteczkę, którą podarował jej książę, a wydarzenia tego dnia wciąż przelatywały jej przez głowę. Obraz jego twarzy, ulotny jak fatamorgana, pojawiał się i znikał w jej myślach. Tej nocy myślała również o swoim ojcu, starając się odnaleźć w pamięci jego postać, ale promienna twarz młodzieńca za każdym razem przysłaniała jego obraz. Intensywny zapach morza, który przez cały ten czas jej towarzyszył, zaczął nagle przynależeć do odległej przeszłości, jakby obecność Kenzaburo całkowicie zapanowała nad jej zmysłami. Wreszcie koło północy Michiko wstała z łóżka, włożyła kurtkę i wyszła na zewnątrz. Czyste nocne wczesnojesienne powietrze powinno przywrócić jej spokój umysłu. Przy blasku księżyca zakradła się do bambusowego lasu za pensjonatem i poszła w stronę swojego tajemnego miejsca – polany z dużą skalną bryłą.

Michiko odkryła to miejsce podczas jednej ze swoich prób ucieczki. I później za każdym razem w nie wracała. Tu, ukojona szelestem liści, mogła patrzeć w niebo i wyobrażać sobie, że znów znajduje się w swojej rodzinnej wiosce, ponownie przynależąc do świata, z którego została zabrana. I choć przez lata pamięć o jej rodzinie wyblakła jak fotografie zawieszone w słonecznym pomieszczeniu, to tej nocy widziała ją przed oczami jak żywą. Widziała matkę, jak modli się przy misce czystej wody, i zastanawiała się, czy Chiyo w tym momencie również przygląda się księżycowi.

Michiko gwałtownie wciągnęła czyste powietrze, jakby się łudziła, że odkryje w nim słonawy posmak dalekiego morza. Zanim jednak zdążyła zrobić wydech, usłyszała szelest. Zamarła. To były kroki... ostrożne kroki jakiegoś człowieka. Były na tyle ciche, że nie zaburzały nocnego spokoju. Michiko wiedziała, że ani pani Tamaraya, ani pani Yoshida o tej porze nie wychodzą z pensjonatu. Wstała więc i cofnęła się w głąb lasu, czekając, aż człowiek, którego kroki usłyszała, dotrze do tajemnej polany. Gdy po drugiej stronie łąki pojawiła się wysoka postać, Michiko wstrzymała oddech: Kenzaburo. Jej serce zaczęło bić jeszcze mocniej, a dłonie zwilgotniały. Jak najciszej zrobiła krok do tyłu, ale w nocnej ciszy słychać było nawet najdelikatniejsze dźwięki. Zobaczyła, że Kenzaburo odwrócił się w jej stronę.

– Kto tam? Jest tu ktoś? – zapytał cicho i zrobił krok do przodu.

Michiko nie wiedziała, jak się zachować. Odwróciła się więc po prostu plecami, by ukryć twarz, jak często robiła w ciągu dnia, ale w świetle księżyca Kenzaburo wypatrzył ją od razu.

– To ty! – powiedział i rozsunął gałęzie bambusa tak, by Michiko mogła wyjść na polanę.

Skłoniła się nisko, ale nie odważyła się nawet na niego spojrzeć.

– Wybacz mi, młody panie. Wybacz mi, proszę!

– Nie musisz mnie prosić o wybaczenie. To raczej ja przestraszyłem ciebie.

Jego głos był delikatny jak nocna bryza. Michiko nie potrafiła spojrzeć mu w oczy, ale czuła na sobie jego wzrok. Z opuszczoną głową wpatrywała się w jego buty, w których odbijał się księżyc.

– Sądziłem, że jestem jedyną osobą, która zna to miejsce – powiedział Kenzaburo i usiadł na skałach. – Księżyc jest tak jasny dzisiejszej nocy.

– Wybacz, młody panie. Proszę, przebacz mi.

Michiko skłoniła się nisko i zrobiła krok do tyłu, zanim się odwróciła.

– Poczekaj. – Kenzaburo zeskoczył ze skały. – Nie powinnaś odchodzić z mojego powodu. To ja jestem tym, który powinien stąd odejść. Przeszkodziłem ci w obserwowaniu księżyca.

– Nie, panie. – Michiko pokręciła głową. – Nie powinien pan iść.

– Nie powinienem? – spytał. W jego oczach odbijał się blask księżyca.

184

– Nie, panie. Proszę, wybacz mi.

Kenzaburo milczał. Było słychać jedynie szelest bambusowych liści. Przerażona Michiko podniosła wzrok znad jego stóp i powoli przesuwała go w górę, ku twarzy młodego mężczyzny. Odwrócił się gwałtownie i zdążył spojrzeć jej w oczy, zanim znów opuściła głowę.

– Nie moglibyśmy zostać tu oboje i wspólnie podziwiać tego wspaniałego księżyca? – zapytał. – Proszę, zostań.

Michiko brakowało słów. Opuściła podbródek na klatkę piersiową w nadziei, że uda jej się ukryć rumieńce.

– Panią Tamarayą nie musisz się martwić. Śpi głęboko i spokojnie. Poza tym to miejsce jest tak ukryte, że znikąd go nie widać. – Kenzaburo usiadł na skałach. – Proszę, usiądź i poobserwuj księżyc ze mną.

Michiko usiadła jak najdalej od Kenzaburo, by nie mógł usłyszeć, jak mocno bije jej serce. Położyła stopy na wilgotnej trawie, ale nie ośmieliła się podnieść głowy. Czuła, że jej twarz płonie, jakby miała wysoką gorączkę. Na szczęście światło księżyca nie było na tyle jasne, by widać było jej zaczerwienione policzki.

– Muszę przyznać, że nigdy nie widziałem tak pięknego księżyca – powiedział Kenzaburo. – Zobacz tylko, jak jest ogromny i jasny. – Jego głos był kojący jak ciepła herbata w zimną noc.

Michiko popatrzyła w stronę, którą wskazał, ale nie mogła się powstrzymać, by na niego nie zerkać.

– Jak masz na imię? – spytał Kenzaburo, jakby zauważył jej ukradkowe spojrzenia.

– Michiko, mam na imię Michiko, młody panie.

– Michiko. Po wszystkich tych miesiącach wreszcie znam twoje imię – zaśmiał się.

– Wybacz mi, panie – powiedziała Michiko z przyzwyczajenia i spuściła wzrok.

– Za to nie możesz przepraszać, bo to ja nigdy o nie nie zapytałem. – Zamilkł na chwilę. – A skąd pochodzisz? Z Kioto?

– Nie, młody panie. Pochodzę z wyspy, która nazywa się Yamatojima.

– Yamatojima… – Kenzaburo zdawał się szukać tej nazwy w pamięci. – Nigdy o niej nie słyszałem.

– Jest bardzo mała i leży daleko od głównej wyspy.

– Daleko od głównej wyspy… – powtórzył za nią. – Musi być zatem bardzo piękna.

– Tak, młody panie. Ale nie pamiętam już jej zbyt dobrze. Za długo jestem poza domem.

– A kiedy przyjechałaś do Kioto?

– Sześć lat temu – powiedziała Michiko zrezygnowanym głosem.

– I od tego czasu pracujesz w pensjonacie?

Michiko przytaknęła zrozpaczona. Przesuwające się chmury zasłoniły księżyc. Kenzaburo poczekał, aż przepłyną, jakby światło księżyca tworzyło jedyny most między nimi.

– Musiałaś być dzieckiem, gdy tu przyjechałaś. Nie tęsknisz za rodziną? Nie chciałabyś znów być w domu?

Zamiast odpowiedzieć, Michiko spojrzała z tęsknotą na księżyc. Usłyszała, jak Kenzaburo cicho westchnął ze współczuciem. Nagle zdała sobie sprawę, że jest z niewłaściwą osobą w nieodpowiednim miejscu i robi coś niedozwolonego. Wiedziała, że ta krótka chwila wystarczy, by znów dostała solidne lanie. Zeskoczyła ze skał.

– Wybacz mi, młody panie, muszę już iść.

– Nie chciałabyś jeszcze przez chwilę cieszyć się blaskiem księżyca? – spytał Kenzaburo zbity z tropu.

– W ogóle nie powinno mnie tu być. Muszę się wyspać.

– Rozumiem – w jego głosie było słychać przygnębienie. – Michiko, czy mogę cię o coś zapytać...? – Spojrzał na nią, a ona na niego. Zawahał się przez chwilę, zanim zaczął mówić dalej. – Chciałbym dowiedzieć się czegoś więcej o miejscu twojego urodzenia i o twojej rodzinie. Czy moglibyśmy się tu spotkać również jutro w nocy?

Michiko ukłoniła się niepewnie i przepraszająco. Co powinna zrobić? Paraliżował ją strach przed panią Tamarayą, ale Kenzaburo wywoływał w niej silniejsze uczucia niż wszystko, co dotychczas znała.

– Będę na ciebie czekał – obiecał. – Mam nadzieję, że przyjdziesz.

Nie odpowiedziawszy, Michiko ukłoniła się i pobiegła przez bambusowy las z powrotem do pensjonatu. Zastanawiała się, czy to wszystko jej się nie przyśniło. Ale jeśli był to sen, to nie chciała się z niego obudzić.

10.

Drogi Książę Takeda,

czas płynie bardzo szybko, odkąd wyjechałeś do Kioto. Proszę mi wybaczyć, że odpisuję z tak dużym opóźnieniem, ale polecono mi udać się do kilku moich rodaków mieszkających w Tokio i spędziłem tam prawie dwa miesiące. Wszyscy byli żołnierzami poza jednym, który pracował dla rządu w Wirginii. Zazwyczaj byli bardzo życzliwi, a ponadto dzięki nim wiele się mogłem dowiedzieć o tym, co dzieje się w mojej starej ojczyźnie. Ale podczas naszego spotkania szybko się okazało, że oni przynależą do Ameryki, a ja – do Japonii. Czy to nie zabawne? Uznali tak prawdopodobnie dlatego, że mówię po japońsku i noszę się w ten sposób. Zresztą rzeczywiście nie czuję się już Amerykaninem.

Pod koniec dnia najczęściej siadaliśmy wspólnie do kolacji i wypijaliśmy po kilka szklanek sake. Czuliśmy się przy tym bardzo patriotycznie nastawieni i bardzo amerykańscy. Chwalili egzotyczne piękno Orientu, ale mocno tęsknili za domami. W domu przecież zawsze jest najlepiej.

Lato było wspaniałe i jestem przekonany, że w Kioto też miałeś piękną pogodę. Jakże chętnie spędzałbym z Tobą, Książę, czas w tym cudownym mieście! Ale teraz ze względu na pracę muszę być w Osace, a z końcem roku raz jeszcze wyjadę do Tokio.

Chciałbym również wspomnieć, że opowiadałem o Tobie, Książę, mojemu przyjacielowi z młodości, który jest profesorem na Uniwersytecie Nowojorskim. Opisałem mu krótko surowe wychowanie, jakie otrzymałeś, i nie sądzi, by były jakiekolwiek problemy z Twoim przyjęciem na któryś z amerykańskich uniwersytetów, jeśli zdasz egzamin z prawa i języka angielskiego (a z tym nie powinno być przecież kłopotu). Załączam więc adres profesora Samuela Oldmana, wykładowcy z Nowego Jorku. Proszę, Książę, nie wahaj się pisać, jeśli miałbyś jakiekolwiek pytania.

Załączam także aktualne zdjęcie mostu Brooklyńskiego, które dostałem od mojej siostry. Chciałbym któregoś słonecznego dnia spacerować wzdłuż promenady jak ludzie na nim albo siedzieć sobie na jednej z ławek na moście i podziwiać przepływające statki. Sama ta tęsknota jest nawet przyjemna. Zawsze lubiłem ten most, ale nawet w połowie nie tak bardzo jak w tej chwili.

Właśnie przypomniało mi się, Książę, że niebawem masz urodziny. Chciałbym Ci więc życzyć wszystkiego dobrego. Mam nadzieję, że nauka idzie Ci dobrze oraz że doskonale poradzisz sobie z egzaminem.

Wierzę, że ten list zastanie Cię w dobrym zdrowiu.

Twój zawsze oddany William S. Mosse

Kioto, 19 sierpnia 1901 roku

Drogi Panie Mosse,

bardzo Panu dziękuję za list i fotografię z mostem Brooklyńskim. Jest wspaniały. Cieszę się na myśl, że któregoś dnia sam go zobaczę.

Rodzina wysłała mi pieniądze na urodziny, żebym wydał je na coś, czego pragnę, ale zupełnie nie wiem, co z nimi zrobić. Może powinienem je więc oszczędzić na podróż do Ameryki?

Z każdą deszczową chwilą czuję coraz bardziej, że zbliża się jesień. Chociaż w ciągu dnia wciąż jest gorąco, w nocy czuć już chłód, a świerszcze nie cykają tak głośno. Zawsze gdy nie mogę zasnąć, otwieram drzwi do ogrodu i wdycham upojny zapach złoceni.

Bardzo dziękuję za adres profesora Oldmana z Nowego Jorku. Bardzo sobie cenię Pana troskę.

Mam nadzieję, że ma się Pan dobrze, drogi Panie Mosse.

Pański Kenzaburo Takeda

Kioto, 21 sierpnia 1901 roku

Drogi Panie Mosse,

pisałem do Pana dopiero kilka dni temu, ale jest jeszcze coś, o czym muszę Panu opowiedzieć. Spędza mi to sen z powiek i nie potrafię dłużej zatrzymywać tego tylko dla siebie. Zdaję sobie sprawę, że może mnie Pan uznać za dziecinnego i nieodpowiedzialnego. Proszę, niech Pan też będzie świadom, że nie chcę Pana obciążać moimi osobistymi sprawami, ale jest Pan jedyną osobą, której mogę w tych kwestiach zaufać.

Nie jest mi łatwo przekazywać swoje myśli w ten sposób. Wie Pan, jak język japoński jest trudny, gdy mówi się w nim o uczuciach. Mimo to desperacko potrzebuję Pana rady. Może Pan przeczytać tę historię jak naiwny romans, bo z pewnością tak właśnie zabrzmi. Ale ostatnimi czasy spędzam cały ranek, czekając niecierpliwie, aż młoda służąca pojawi się pod moimi drzwiami. Potem przez cały dzień również o niej myślę, czekając, aż przyniesie mi popołudniową herbatę. Wreszcie czekam z utęsknieniem na porę kolacji, bo wiem, że wtedy znów ją zobaczę. Nasze spotkania są bardzo krótkie. Wymieniamy jedynie ukradkowe spojrzenia. Lecz to, że przez chwilę mogę ją zobaczyć, być w jej pobliżu, stanowi moją największą radość. Nigdy nie odczuwałem tak silnego pragnienia, żeby przebywać z kobietą, chronić ją, czynić szczęśliwą. Sama myśl o tym, że któregoś dnia będę musiał opuścić pensjonat, sprawia, że czuję się chory. Wiem, że te uczucia są zupełnie nierozsądne, ale nie potrafię inaczej.

Przed kilkoma dniami wyszedłem w nocy ze swojego pokoju, żeby pospacerować w bambusowym lesie znajdującym się za pensjonatem oraz zaczerpnąć świeżego powietrza. Jest to naprawdę piękny, majestatyczny las, który pełni funkcję naturalnego płotu odgradzającego teren pensjonatu. Powoli pracowałem nad oczyszczeniem z chaszczy małej skalnej polanki, tak by można tam było wygodnie posiedzieć i popatrzeć w niebo. Od kiedy bowiem odkryłem to miejsce, korzystałem z każdej okazji, by pobyć samotnie na łonie natury. Ale gdy pojawiłem się tam tamtej nocy, usłyszałem dziwne dźwięki między drzewami. Z niewiadomych dla mnie powodów wiedziałem, że nie chodzi o zwierzę, a pierwszą osobą, jaka przyszła mi do głowy, była młoda służąca. Rzeczywiście po chwili się okazało, że to ona ukryła się między drzewami. Moje niespodziewane pojawienie się musiało ją mocno przestraszyć, prawdopodobnie jednak wiedziała też, że nie mógłbym zrobić jej krzywdy, bo nie uciekła przede mną.

Była bardzo wystraszona, ale poprosiłem ją, żeby została, i razem obserwowaliśmy księżyc, podczas gdy wiatr kołysał drzewami. Dla mnie czas się wówczas zatrzymał. Nie potrafię w pełni opisać tego słowami, ale był to jeden z najwspanialszych momentów mojego życia. Wreszcie też zapytałem ją o imię – nazywa się Michiko. Poprosiłem ją również, żeby następnej nocy przyszła znów na polanę. I sam nie wiem, skąd znalazłem w sobie tyle odwagi.

Gdy o poranku przyniosła mi śniadanie, nie odważyła się na mnie spojrzeć. Ja też byłem zawstydzony i nie powiedziałem ani słowa. Ale gdy wieczorem przyszła z kolacją, wypowiedziałem głośno jej imię i przypomniałem o naszym nocnym spotkaniu. Od tego czasu widujemy się każdej nocy w bambusowym lesie. Michiko opowiedziała mi o swojej rodzinie i małej wyspie, na której się urodziła i dorastała aż do momentu, gdy została sprzedana i zabrana do Kioto. Jej historia jest wzruszająco piękna i smutna, aż zmusza człowieka do płaczu. Zawstydza mnie natomiast jej wielka siła. Michiko pochodzi z biednej, niewykształconej rodziny, ale jej dusza jest czysta i jasna jak woda w źródle. Podziwiam jej niezłomność i czczę niewinność.

W ciągu ostatnich nocy prawie nie spałem, ale czuję nieskończoną energię i szczęście, których nigdy wcześniej nie przeżyłem. Gdy tylko skończę pisać ten list, a całe japońskie imperium zapadnie w sen, ja z bijącym sercem pobiegnę do bambusowego lasu, by zobaczyć się z Michiko.

Wiem, że moja historia miłosna brzmi mało prawdopodobnie, ale gdyby to zależało wyłącznie ode mnie, ożeniłbym się z Michiko i zabrał ją z tego pensjonatu. Gospodyni bije ją często, a ona bardzo boi się jej gniewu. Ja jednak chciałbym odmienić jej życie. Ale jak mam to uczynić, skoro nie mam nawet pełnej władzy nad własnym? Nigdy nie byłem tak mocno przekonany, że poznałem swoje przeznaczenie, lecz nie mam ani środków, ani dość odwagi, by za nim podążyć.

Panie Mosse, proszę Pana o mądrą radę. Jest Pan człowiekiem, który potrafi logicznie myśleć, i jak nikogo innego, kogo znam, stać Pana na szczerość.

Proszę mi wybaczyć, jeśli moim listem sprawiłem Panu kłopot. Proszę, niech Pan zrozumie, że to, co teraz robię, jest całkowicie poza moją kontrolą.

Pański Kenzaburo Takeda

Osaka, 8 października 1901 roku

Drogi Książę Takeda,

zanim zacząłem pisać ten list, przez długi czas modliłem się do Boga, by dał mi mądrość i siłę, dzięki której potrafiłbym wskazać Ci właściwą drogę. Bardzo szanuję to, że ufasz mi, Książę, na tyle, by mi powierzyć swoją tajemnicę. Jednocześnie czuję się zobowiązany czy wręcz zmuszony do tego, by dać Ci tę właściwą odpowiedź.

Jak wiesz, Panie, większą część swojego życia spędziłem w celibacie. Nawet jeśli jako młody mężczyzna miałem kilka romansów i nie zawsze byłem wzorem chrześcijanina, popijając whiskey tu i tam. Obawiam się więc, że mogę Ci, Książę, udzielić złej rady i przysporzyć niepotrzebnych zmartwień Twojej rodzinie. Jako Twój nauczyciel jednak i przyjaciel chciałbym Ci pomóc i dlatego radzę Ci skupić się na tym, co jest dla Ciebie najważniejsze. Wierzę, Książę, w Twoją mądrość i dobroć, którą zauważa w Tobie każdy, kogo spotkasz. Wiem, że konfrontacja z rodziną nie byłaby łatwa, ale czy nie brałeś, Panie, pod uwagę tego, by omówić z nią taką ewentualność? Być może Twój ojciec nie byłby aż tak niechętny temu pomysłowi? „Uczciwością osiągniesz najwięcej", mówi stare przysłowie. Ja, Panie, mogę polecić Ci jedynie to samo.

Mam nadzieję, Książę, że ten list zastał Cię w dobrym zdrowiu.

Zawsze Ci, Panie, wierny
William M. Mosse

Drogi Panie Mosse,

po tym jak wysłałem Panu mój ostatni list, doszedłem do wniosku, że błędem było obciążanie Pana moimi osobistymi problemami. Wstyd mi, że opowiedziałem Panu o tak intymnych szczegółach mojej historii. Jakbym pragnął potwierdzenia słuszności moich uczuć, zdradzając je komuś zaufanemu. Teraz rozumiem, że wszystko stało się z powodów, które potrafiłem dostrzec dopiero z perspektywy czasu.

Mniej więcej w dniu moich urodzin gospodyni zachorowała na krótki czas, ale gdy tylko poczuła się lepiej, wyjechała, żeby odpocząć w pobliskiej miejscowości, w której znajdują się gorące źródła. Prowadzenie – wyjątkowo jak na tę porę roku – pustego pensjonatu zostawiła starej kucharce i młodej służącej, którą kocham. Michiko i ja zakochaliśmy się w sobie z tak wielką i naturalną intensywnością, że można to opisać jedynie poprzez następujące porównanie: nasza miłość była dla nas tak oczywista jak dla ptaków to, że latają, a dla ryb, że pływają. Nie potrafiłbym zachować się inaczej i nie żałuję, że się zakochałem, stając się z nią jednością. Gdy jesteśmy razem, czuję się najszczęśliwszym człowiekiem na ziemi, a wszystko wskazuje na to, że ona również jest ze mną szczęśliwa. Ale właścicielka pensjonatu wróciła i znów trudniej mi było widywać się z Michiko. Ona bardzo boi się swojej okrutnej pani. Czuję się chory, gdy widzę, na jaką mękę jest narażona. Po raz pierwszy w życiu boli mnie serce. Muszę jej pomóc uciec z tego miejsca.

Panie Mosse, bardzo sobie cenię Pana rozsądną radę. Jestem przekonany, że poradził mi Pan szczerą i uczciwą rozmowę z moją rodziną po długich przemyśleniach. Mimo to obawiam się, że nie ma takiej możliwości. Jak Pan wie, w rodzinie Takedów honor i tradycja odgrywają największą rolę i oczekuje się od nas, że zrezygnujemy z naszych osobistych pragnień, by poświęcić się wyższym celom. Taka decyzja oznaczałaby więc splamienie dobrego imienia mojej rodziny. Ale niezależnie od tego jestem przekonany, że znalazłem się w Kioto po to, by spotkać swoje przeznaczenie i stać się człowiekiem, którym powinienem być.

Bardzo Pana proszę, by nie informował Pan o niczym mojej rodziny. Spowodowałoby to tylko jeszcze większy konflikt. Kiedy nadejdzie odpowiedni czas, przedstawię całą sprawę ojcu, ale nie stanie się to szybko. Jeszcze nie znalazłem żadnego słusznego rozwiązania, pociesza mnie jednak myśl, że powierzyłem moją historię osobie, której mogę zaufać.

Zbliża się nieuchronnie czas, w którym będę musiał podjąć własne decyzje. I między innymi dlatego jestem Panu ogromnie wdzięczny za Pana przyjaźń, Panie Mosse.

Pełen nadziei, że wkrótce Pana zobaczy,
Pański Kenzaburo Takeda

11.

Gdy pani Tamaraya zachorowała, liczba gości zaczęła się zmniejszać powoli, ale zauważalnie. Złe wieści bowiem rozchodziły się szybko, choć często były mocno przesadzone. Choroba skóry, na którą cierpiała gospodyni, a która zmuszała ją do przebywania w swoim pokoju, gdyż musiała unikać słońca, nie była wprawdzie zaraźliwa, ale dla wielu gości stanowiła wystarczający powód, by zmienić pensjonat. Przez wiele dni Kenzaburo był więc w nim jedynym lokatorem, a Michiko i pani Yoshida miały dzięki temu znacznie mniej pracy. Dla Michiko i młodzieńca taki stan rzeczy stwarzał więcej okazji do bycia razem, a pani Yoshidzie umożliwiał częstsze picie sake.

Długie lato, które dało początek miłości Kenzaburo i Michiko, dobiegało końca. W całym kraju zawitała jesień, a widok złotych pól ryżowych wywoływał uśmiech na twarzach rolników. Ale zmiana pory roku nie osłabiła ich namiętności. Wydawało się wręcz, że oboje żyją wyłącznie dla tej jednej skradzionej z całego dnia chwili, gdy mogli się spotkać, a Michiko rozkwitła dzięki tej niespodziewanej miłości.

– Drzewo granatowca rodzi w tym roku tak wiele owoców! – powiedziała Michiko do pani Yoshidy, wnosząc do kuchni kosz pełen dojrzałych granatów.

Pani Yoshida siedziała bezczynnie w kuchni przy szklaneczce sake i cieszyła się popołudniowym słońcem.

– Długie lato dobrze mu zrobiło – zauważyła, sięgając do luźno uplecionego bambusowego kosza po soczysty owoc.

Rozcięła go i powąchała małe czerwone kuleczki, następnie przesunęła po nich jasnoróżowym językiem i natychmiast się skrzywiła. Granat był okropnie kwaśny.

– Te są do niczego. Kto je będzie jadł takie kwaśne! Czemu je zebrałaś, Michiko? – spytała i włożyła owoc z powrotem do kosza.

– Wszystkie leżały już na ziemi, bo pani Tamaraya zdecydowała, że w tym roku nie użyje ich do swoich kompozycji kwiatowych.

– Pewnie nawet ikebana mogłaby jej zaszkodzić, gdyby używała nieodpowiednich roślin... To był dla niej trudny rok. W jej wieku dostać takiej wysypki... – Kucharka dolała sobie sake. – To musi być gorsze, niż na to wygląda. Kto by pomyślał, że zostawi pensjonat i aż na miesiąc wyjedzie do Hakone... Musi być naprawdę poważnie chora.

Michiko przytaknęła i uznała, że akurat dla niej to dobrze. Pomyślała o Kenzaburo i tych skradzionych chwilach, które spędzali razem w letnie noce.

Stara kucharka wzięła kolejny łyk sake i powiedziała ściszonym głosem:

– To jej dusza jest chora. To choroba duszy ujawniła się na jej ciele i zajęła skórę! – Westchnęła. – Choć w gruncie rzeczy to biedna kobieta. Która z nas by nie zachorowała, gdyby jej mąż uciekł z inną?

– Mąż zostawił ją dla innej kobiety? – Michiko aż się zapowietrzyła i zakryła dłonią usta.

– Pssst!... – Pani Yoshida spojrzała na drzwi i odchrząknęła. – To nie wszystko. Zostawił ją dla młodej służącej, która tu kiedyś pracowała.

– Dlaczego?

– Naprawdę nie wiesz dlaczego, Michiko? – Pani Yoshida zaśmiała się głośno. – Nie wiesz, dlaczego ktoś miałby chcieć od niej uciec?

Michiko się uśmiechnęła, a pani Yoshida zrobiła chytrą minę.

– Rodzice pani wydali ją za syna znanego producenta porcelany z Nara – zaczęła opowiadać. – Miał zostać mistrzem tak jak jego ojciec i brat. Fabryka od wielu pokoleń była w rękach tej rodziny. Ale wyprowadził się do Kioto, by razem z panią prowadzić pensjonat. Może chciał zająć się czymś innym? Któż to wie. W każdym razie pensjonat odniósł wielki sukces, a on stwierdził, że nie ma tu nic do roboty.

– Nic? – spytała Michiko.

– Wiesz, jaka pani jest władcza... Wtedy nie było inaczej. – Pani Yoshida zaczęła naśladować poważną minę właścicielki. – Nie pozwoliła mu o niczym decydować.

Michiko przytaknęła i spróbowała sobie wyobrazić, jak przygnębiony musiał być jej mąż.

– Musiał się czuć zupełnie niepotrzebny!

– Tego możesz być pewna! Pani była jedynym dzieckiem swoich rodziców i była z nimi bardzo związana. Jej mąż pomyślał więc zapewne, że dobrze byłoby prowadzić pensjonat razem z żoną, która któregoś dnia wszystko to odziedziczy. Ale pani nie chciała, by jej pomagał. Co miał więc zrobić mężczyzna, którego żona zarabiała więcej od niego?

– To dlatego uciekł? – zapytała Michiko.

– Nie tak szybko. – Pani Yoshida napiła się sake, żeby zwilżyć usta. – Najpierw zaczął się bawić, bo cóż innego mu pozostało...

Michiko się uśmiechnęła, widząc entuzjazm kucharki.

– A wiesz, co pani wtedy zrobiła?

Młoda kobieta pokręciła głową.

– Wynajęła mu mały pokój w Gion, by nie przeszkadzał gościom, gdy wracał pijany.

– A więc wyrzuciła go z domu?

– Ależ nie. – Pani Yoshida machnęła ręką. – On po prostu miał ten pokój w Gion, gdzie nocował i mógł robić, co chciał, ale przychodził regularnie do pani po kieszonkowe.

– A ona mu je dawała? – Michiko otworzyła szeroko oczy ze zdziwienia. Nie mogła sobie wyobrazić, by pani Tamaraya była tak wyrozumiała.

– Nikt nie mógł pojąć dlaczego. Był jedyną osobą, wobec której zachowywała się wielkodusznie.

– Myśli pani, że go kochała?

– Kochała? – Pani Yoshida wybuchła śmiechem. – Kochała… – Zaśmiała się ponownie. – Właściwie czemu nie. Może…

– I mimo to uciekł z młodą służącą?

Kucharka przytaknęła.

– Pani zauważyła, co się dzieje między nimi, ale gdy nagle dziewczyna zniknęła, początkowo myślała, że po prostu uciekła jak inne małolaty, które bały się ciężkiej pracy. Dopiero później się okazało, że ta mała była z jej mężem w Nara.

Michiko pokręciła głową z niedowierzaniem. A ponieważ sama poznała smak miłości, doszła do wniosku, że panią Tamarayę można podziwiać za jej postawę.

– Potem miała pięć następnych służących. Nie myśl, że jesteś jedyną, na której się wyżywa. Żadna z nich nie wytrzymała dłużej niż trzy miesiące. Ty jesteś tu najdłużej.

Michiko patrzyła, jak pani Yoshida pije duszkiem sake i zadowolona przeciera ręką usta. A potem, jak niemalże zawsze, gdy była pijana, zaczyna śpiewać stare pieśni. „Wiosną poznałam mojego ukochanego pod wiśniowym drzewem" – nuciła kucharka z zamkniętymi oczami – „Latem kochaliśmy się pod wierzbą" – uśmiechała się, jakby przypominała sobie własne miłosne przeżycia – „Jesienią pożegnałam moją miłość pod czerwonym klonem"… – z głębokim westchnieniem kobieta otworzyła oczy i znów napełniła szklankę sake.

Za sprawą tych pieśni Michiko poczuła gwałtowne pragnienie, by spróbować kwaśnych owoców. Przepołowiła granat, wydłubała miąższ i włożyła sobie do ust. Świeży czerwony sok łaskotał ją w język, gdy rozgryzała małe kuleczki. Były tak kwaśne, że łzy stanęły jej w oczach. Uważała jednak, że mają cudowny smak, i zjadła ich więcej. Pani Yoshida skrzywiła się na ten widok.

– Michiko, wystarczy, że na ciebie patrzę, a robi mi się niedobrze. Jak możesz jeść coś tak kwaśnego?

– Lubię kwaśny smak – powiedziała Michiko i sięgnęła po następny granat. – To naprawdę smaczne – dodała.

– Zabawne… Zachowujesz się, jakbyś była w ciąży. – Pani Yoshida zachichotała, popijając sake. – Ale nie jesteś, prawda?

Michiko pokręciła głową, lecz dotarło do niej, że kucharka mogła mieć rację. Uśmiechnęła się niepewnie i poczuła się winna. Nie powiedziała jej przecież ani słowa o związku z Kenzaburo.

Stara kobieta nagle wybuchła śmiechem.

– Spójrz na siebie, Michiko! Jesteś cała czerwona, a ja się tylko z tobą droczę – powiedziała i dodała dobrodusznie: – Ale lepiej się pospiesz i znajdź dla siebie dobrego mężczyznę, dopóki jesteś piękna i młoda. Nie bądź głupia jak ja – stara i sama jedna na świecie – westchnęła. – Tylko jedno w tym jest dobre: że nikt mnie nie denerwuje.

– Dlaczego właściwie nie wyszła pani za mąż, pani Yoshida? – spytała Michiko, podczas gdy kucharka opróżniała kolejną szklankę sake.

– Wiesz, niektórzy ludzie po prostu nie mają szczęścia w miłości. Jak ja i łaskawa pani. Ty nie możesz skończyć jak my. Nie ma nic gorszego niż stara, samotna, zgorzkniała kobieta... – Pani Yoshida odwróciła głowę w stronę pokoju pani Tamarai.

Michiko zmiażdżyła granat między palcami. Czerwony sok spłynął jej po rękach jak krew.

– Jak mam znaleźć sobie męża, skoro nie mogę nawet na chwilę opuścić pensjonatu – zauważyła zrozpaczonym głosem.

– Wszystko może się zmienić – powiedziała pani Yoshida z pogodą ducha pijaczki i mądrością starej kobiety. – Nikt nie wie, co stanie się jutro. Tych, którzy mają wiele do stracenia, zmiany mogą przerażać, ale dla tych, którzy nie mają już niczego, mogą być szansą na nowe życie. Jutro może zdarzyć się dosłownie wszystko. Nie sądzisz?

Michiko przytaknęła z uśmiechem. Podobał jej się optymizm pani Yoshidy.

– Kto wie? – ściszyła głos kucharka. – Przecież łaskawa pani już jutro może paść trupem.

Michiko zakryła ręką usta, jakby sama powiedziała to, o czym nawet nie wolno było myśleć. Stara kucharka nie mogła powstrzymać śmiechu.

– Widzisz, co robi ze starszą kobietą porządna ilość sake? Nie powinnam tyle pić, ale bez sake nie umiałabym już żyć. – Triumfalnie podniosła szklankę. – Chciałam tylko powiedzieć ci, Michiko, żebyś nie traciła nadziei. Uwierz mi, nie będziesz już zbyt długo więźniem w tym pensjonacie. Wszystko się zmienia. I jeśli nawet nie zmieni się jutro, to następnego dnia. Twoje życie na pewno się tutaj nie zakończy.

Pani Yoshida chciała zrobić kolejną dolewkę, ale zorientowała się, że wypiła już całą butelkę. Podniosła się gwałtownie dość mocno odurzona.

– Wróćmy lepiej do pracy, zanim wypiję jeszcze trochę i naopowiadam ci kolejnych głupot. Lepiej, żebyśmy wyglądały na zajęte – dodała, chowając pustą butelkę.

– Co powinnyśmy zrobić z granatami? – spytała Michiko, podnosząc kosz z owocami.

– Zrobię z nich herbatę. Trochę miodu powinno złagodzić ostry smak. Jeśli chcesz jeść świeże, to zabierz kilka do swojego pokoju – powiedziała pani Yoshida, wiążąc fartuch. – Swoją drogą to ciekawe. Przed tobą tylko jedna młoda służąca je jadła – wyszeptała. – I wkrótce uciekła stąd z mężczyzną.

– Ach – szepnęła Michiko, próbując ukryć swoje rumieńce. Wystraszyła się, że stara kucharka domyśla się czegoś.

Nagle pani Yoshida zamieniła się w sierżanta.

– Michiko, przynieś więcej drewna. Musimy rozgrzać kuchenkę.

Tajemna miłość Michiko i Kenzaburo kwitła przez całą jesień. W Japonii zaczynała się teraz zima, zmurszałe liście pokrywały ulice, a drzewa wyciągały ku niebu nagie gałęzie. Niezebrane owoce hebanu drżały w koronach drzew i czekały, aż pożrą je głodne wrony. Każda noc, gdy dwoje młodych ludzi stawało się jednością, pogłębiała ich wielkie uczucie.

Rankiem w dniu shosetsu, gdy według kalendarza księżycowego powinien padać śnieg znamionujący nadejście zimy, Michiko zwymiotowała. Pani Yoshida pierwsza zauważyła, że coś się z nią dzieje.

– Nie sądzę, żeby to była wina jedzenia. Tak jest już od kilku dni. – Stara kucharka podeszła bliżej do Michiko. – Czy to możliwe, że ty...?

Popatrzyła na nią z góry, a potem nagle zaczęła dotykać jej piersi i brzucha. Michiko była tak zdumiona i zawstydzona, że pozwoliła się zbadać staruszce, jakby była lekarzem.

– Nie krwawisz już od kilku miesięcy, prawda?

Michiko spuściła wzrok.

– Ty głupia dziewucho! Czemu mi nie powiedziałaś? Czy on jest... – Pani Yoshida pokiwała głową, nie kończąc pytania. – Rozumiem – westchnęła głośno, nalała sobie sake i wypiła kilka łyków, zanim zaczęła mówić dalej. – Czy on wie?

Michiko pokręciła głową.

– Musisz mu jak najszybciej powiedzieć i jakoś rozwiązać tę sprawę. Ale nie bądź zaskoczona, jeśli nie będzie chciał mieć z tobą i dzieckiem nic wspólnego. Wiem, jacy są ci szlachetnie urodzeni panowie. Wolą nie mieszać swojej krwi z ludźmi takimi jak my.

Łzy natychmiast napłynęły Michiko do oczu i wkrótce zaczęły toczyć się po policzkach.

– Nie masz czasu na płacz. Musisz znaleźć rozwiązanie, zanim łaskawa pani się zorientuje. Chłopak z pewnością pochodzi z bardzo zamożnej rodziny, więc powinien być w stanie cię stąd zabrać. Może nawet da ci tyle pieniędzy, byś mogła zacząć nowe życie daleko od pensjonatu.

Michiko szlochała nie tyle z powodu ciąży czy ze strachu, że zostanie nakryta przez panią Tamarayę. Przerażała ją sama myśl o tym, że Kenzaburo mógłby zostawić ją i dziecko w potrzebie, bo nie potrafiłaby już żyć bez niego. Tej nocy powiedziała Kenzaburo o wszystkim.

Po długich rozważaniach Kenzaburo doszedł do wniosku, że jedynym wyjściem będzie ich wspólny wyjazd do Ameryki. Starannie zaplanował ucieczkę do Osaki, gdzie oboje wsiądą na statek płynący na Hawaje. Stamtąd dostaną się na kontynent amerykański, a potem dotrą do Nowego Jorku. Wiedział, że samo zorganizowanie wyjazdu zajmie im tyle czasu, że dziecko na pewno już zdąży przyjść na świat. Bo choć odłożył znaczną sumę, to nie taką, by wystarczyła im na długo, zwłaszcza że Michiko zrezygnuje z pracy w pensjonacie. Musiał szybko podjąć decyzje i wprowadzić je w życie. To był jedyny sposób, żeby zapobiec interwencji rodziny.

Gdy kilka dni przed egzaminem z prawa Michiko przyniosła mu śniadanie do pokoju, wtajemniczył ją w swój plan.

– Właśnie dlatego nie musisz się bać, Michiko. Nie zostaniemy tu. Uwolnię cię. – Kenzaburo chwycił jej dłonie. – Nie będziemy uciekać w strachu – powtórzył, by przekonać o tym Michiko i siebie. – Będziesz wolna i nikt nie będzie miał prawa więzić cię tutaj.

– Ale gdzie zatrzymamy się w Osace? – spytała Michiko i położyła ręce na brzuchu. – Boję się, że niebawem będzie znacznie większy. Co wtedy zrobimy?

– Znajdziemy jakiś nocleg i zostaniemy tam przez jakiś czas. A potem popłyniemy statkiem do Ameryki.

– A-Ameryki?

– Tak, do ogromnego zachodniego kraju, daleko od Japonii, gdzie zaczniemy nowe życie: ty, ja i nasze dziecko. – Kenzaburo uśmiechnął się przekonująco, ale jego oczy były wilgotne, a on sam wyglądał na wystraszonego. – W Ameryce będziemy wolni jak wszyscy inni ludzie.

– Z tobą pójdę wszędzie – powiedziała Michiko, a po jej policzkach spływały łzy.

– A teraz przestań płakać i posłuchaj mnie uważnie – powiedział Kenzaburo.

Przytaknęła, ale łzy wciąż spływały jej po policzkach. Kenzaburo pocałował ją i wytarł ręką słonawą ciecz. Położył dłoń Michiko na swoim sercu i szepnął jej do ucha, jakby się bał, że ktoś może ich podsłuchać:

– Zachowuj się zupełnie normalnie i wykonuj swoją pracę aż do wieczora. Potem spakuj swoje rzeczy i czekaj na mnie w swoim pokoju. Przyjdę po ciebie. Musimy złapać nocny pociąg do Osaki. Nie mamy czasu do stracenia.

– Naprawdę dziś w nocy opuszczę pensjonat? Z tobą? – spytała Michiko bardzo cicho, a potem wybuchła płaczem.

Kenzaburo wziął ją w ramiona.

– Tak, pojedziemy razem. Razem będziemy wolni.

Michiko wróciła do kuchni. Pani Yoshida kucała koło glinianego pieca jak stary kot. Właśnie kończyła śniadanie.

– Tu jesteś! Gdzieś ty była tak długo? Musiałam zacząć jeść, bo zupa robiła się zimna – powiedziała. – Chodź, usiądź tu, podgrzeję ci śniadanie na piecu.

Michiko patrzyła, jak kucharka podnosi tacę z jej jedzeniem. Nagle osunęła się na podłogę obok pani Yoshidy i zaczęła gwałtownie szlochać.

– Co się stało, Michiko? – spytała zdumiona kucharka, ale po chwili zmieniła ton głosu: – Co ci powiedział?

Michiko schowała twarz w dłoniach i ciągle płakała.

– Nie chce mieć z tobą nic więcej do czynienia?

Michiko pokręciła głową i otarła łzy.

– Chce dziś w nocy opuścić pensjonat i zabrać mnie z sobą.

– Dziś w nocy? Tak szybko? – wyszeptała pani Yoshida i zerknęła w stronę drzwi, żeby się upewnić, czy pani Tamarai nie ma w pobliżu.

Michiko przytaknęła i spojrzała ze smutkiem na starą kobietę.

– To dobre wieści, powinnaś się cieszyć – powiedziała z uśmiechem pani Yoshida, ale i ona miała łzy w oczach.

– Bez pani nie przeżyłabym tu tak długo. Dziękuję pani za wielką życzliwość. Nigdy nie zapomnę, co pani dla mnie zrobiła. – Michiko pokłoniła się nisko.

– Tak się cieszę, że zaczniesz nowe życie. On naprawdę musi cię kochać... – Uśmiechnęła się i dodała: – I kto teraz będzie słuchał starej wariatki?

Michiko znów łzy napłynęły do oczu.

– Nie płacz, Michiko. – Pani Yoshida delikatnie otarła jej twarz. – To pierwszy dzień twojego nowego życia. Nie będę pytać, dokąd pojedziesz. Będzie lepiej dla nas obu, jeśli nie będę wiedziała. Jedź jednak daleko i zapomnij o tym miejscu.

Michiko poczuła ten sam smutek, co wiele lat temu, gdy opuszczała rodzinną wyspę. Ale – inaczej niż wówczas swojemu rodzeństwu – teraz nie mogła obiecać, że szybko się zobaczą. Wiedziała, że tego dnia widzi panią Yoshidę po raz ostatni. Stara kucharka też miała tego świadomość. Gdy Michiko sprzątała dopiero co naostrzone noże, pani Yoshida weszła do kuchni, chowając coś pod kimonem. Zamknęła drzwi i wyciągnęła pikowane zimowe haori.

– Włóż je, gdy będziesz wychodzić – wręczyła je pomocnicy. – Od teraz będzie już coraz zimniej.

Michiko trzymała w ręce brązową kurtkę z namalowanymi bambusowymi gałęziami w kolorze soczystej czerwieni i nie wiedziała, co ma powiedzieć. Kurtka była wciąż ciepła od ciała pani Yoshidy i pachniała sake.

– Nie byłoby przyjemniej, gdybyś odeszła wiosną, gdy wszędzie kwitnie sakura? – Pani Yoshida się uśmiechnęła, nalała sake do szklanki i natychmiast wzięła duży łyk. – Nawet sake smakuje mi lepiej, gdy kwitną wiśnie.

Był taisetsu, dzień, który zapowiadał duże opady śniegu. Ale śniegu nie napadało ani trochę, mimo że niebo było zachmurzone. Po kolacji Kenzaburo poprosił do siebie panią Tamarayę i gdy przedstawił jej swój plan opuszczenia pensjonatu wraz z Michiko, ta poczuła, jakby uderzył w nią piorun. Krew napłynęła jej do zwiotczałej twarzy, a wysypka najwyraźniej zaczęła się nasilać, bo kobieta drapała się nerwowo tu i tam. Kenzaburo jednak zaproponował jej sumę, która była zbyt duża, by mogła ją odrzucić. Doskonale wiedział, że mimo wszystko była kobietą interesów, dlatego zawyżył zapłatę, by potraktowała tę sprawę jako poufną. Zakazał jej również w jakikolwiek sposób mieszać się w jego sprawy rodzinne, na przykład przekazując księciu Takedzie informacje o jego wyjeździe z Michiko. Jeśli rodzina zacznie się wypytywać o to, co się stało, pani Tamaraya miała powiedzieć, że Kenzaburo opuścił pensjonat bez uprzedzenia.

Wszystko odbyło się tak szybko, że pani Tamaraya właściwie nie wiedziała już, co się dzieje. Z grubą kopertą włożoną za dekolt zimowego kimona patrzyła, jak Kenzaburo i Michiko niczym dwa duchy odchodzą w mglistą noc. Lecz pieniądze nie złagodziły jej gniewu.

– Kto powiedział, że dziewczęta z rybackich wiosek są niewinne? Powinnam była się tego domyślić! Jakim cudem dopiero dziś się zorientowałam, że jest w ciąży? Ty też niczego nie zauważyłaś? – zwróciła się do pani Yoshidy, a jej oczy błyszczały z wściekłości. – Nie widziałaś jej brzucha?

– Nie, łaskawa pani, nie miałam pojęcia – odpowiedziała spokojnie kucharka, wypatrując Michiko w jej brązowym haori.

Wiedziała, że Michiko odwróciła się do niej, wypowiadając nieme słowa pożegnania, choć jej stare oczy nie dostrzegły szczegółów. Gdy riksza z Kenzaburo i Michiko ruszyła, kucharka poczuła w sercu ogromną pustkę.

– Ta mała suka zrobiła z nas wszystkich głupców! – pani Tamaraya pluła jadem. – Złapała młodego szlachcica i zaszła z nim w ciążę. Przebiegła lisica. I była na tyle sprytna, że nikt się nie domyślił, jak jest cwana. – Pani Tamaraya kręciła głową z niesmakiem. Jej obwisłe policzki płonęły taką samą wściekłością jak wtedy, gdy jej mąż uciekł ze służącą.

– Takie widocznie było jej przeznaczenie, łaskawa pani. – Stara kucharka pokręciła głową z rezygnacją i skrywanym zadowoleniem. – I było to też jego przeznaczeniem...

– Brednie! – krzyknęła pani Tamaraya. – Z pewnością nie kupiłam jej, żeby uwiodła młodego niewinnego mężczyznę. Mała wiejska dziwka!

Pani Yoshidzie zimny dreszcz przebiegł po plecach.

– Ale pani również odegrała w tym wszystkim dużą rolę, łaskawa pani. Nie widzi pani tego? – Kucharka odwróciła się do właścicielki. – Gdyby tak źle nie traktowała pani Michiko i tak okrutnie jej nie biła, dziewczyna prawdopodobnie nie uznałaby tego mężczyzny za swojego jedynego wybawiciela i nie zakochałaby się w nim tak mocno. A tak młody pan postanowił, że uwolni dziewczynę z tego okropnego miejsca...

– Okropnego miejsca? To ja ją uratowałam ze śmierdzącej rybackiej wioski. Niewdzięczna dziwka, która na domiar złego jeszcze zaszła w ciążę! Ona to wszystko zaplanowała. Zwyczajnie wykorzystała tego biednego głupca. Trzymaj lepiej język za zębami, bo nie wiesz, o czym mówisz.

– Ależ dobrze. – Pani Yoshida spuściła oczy. – Cieszę się jednak, że Michiko okazała się dziwką – uśmiechnęła się gorzko – bo wszystko potoczyło się tak, a nie inaczej. I zakończyło się dobrze dla wszystkich. Nieprawda? Dobrze pani zapłacił za tę dziwkę… – dodała kucharka już nieco bełkotliwie.

– Znowu piłaś przez cały dzień? – warknęła pani Tamaraya.

– Tak, piłam – pani Yoshida przytaknęła zadowolona.

– Musiałam przecież poświętować. W końcu kto by pomyślał, że Michiko spotka takie szczęście!

Stara kobieta odetchnęła głęboko. Świeże powietrze otrzeźwiło ją na tyle, że znów spokorniała.

– Wybacz mi, łaskawa pani, ale pójdę się lepiej położyć. Takie stare i głupie kobiety jak ja potrzebują snu. W moim wieku wszystko człowieka boli… – Potarła ręką kark. – Ale dzień był naprawdę wyjątkowy…

– Ty stara pijaczko! – wysyczała pani Tamaraya i wykrzywiła twarz z niesmakiem.

– Przykro mi, łaskawa pani. Bardzo panią przepraszam. Proszę, niech mi pani wybaczy – ukłoniła się kucharka przed właścicielką pensjonatu.

– Od tej sake miesza ci się w głowie.

– Tak, łaskawa pani, ma pani całkowitą rację – odpowiedziała pani Yoshida. – Dobrej nocy, łaskawa pani.

Skłoniła się nisko i weszła do domu.

Pani Tamaraya wpatrywała się w nią, dopóki nie zniknęła w drzwiach znajdujących się obok wejścia do kuchni. Jej gniew jeszcze nie minął, ale zdała sobie sprawę, że wyładowywała go na starej kobiecie, której nic już w życiu nie zostało poza alkoholem. Sake stanowiła jej jedyne pocieszenie. Niespodziewanie pomyślała o sobie – ona też się starzała i nie miała nikogo, kto by o nią zadbał czy chociaż pewnego dnia pogrzebał jej szczątki.

Stała na mrozie, drżąc z zimna i wsłuchując się w niepokojące wycie wiatru. Ta myśl była jak ostry cierń, bolesne ukłucie, które przepełniło ją strachem niepozwalającym patrzeć spokojnie w przyszłość – ciemną jak rozpościerająca się wokół niej noc.

Myślała też o dniu, w którym Michiko przyjechała do Kioto. Jak chłodno potraktowała wówczas tę małą zrozpaczoną dziewczynkę. Stara kucharka wcale się nie myliła. Pani Tamaraya wiedziała, że sama przyczyniła się do ucieczki tych dwojga.

Z zamyślenia wyrwał ją nagle dźwięk dzwonów z pobliskiej świątyni, który nie tylko ją przebudził z tego dziwnego odrętwienia, ale i niebo, które sypnęło śniegiem. Grube płatki spadały na jej posiwiałe włosy i powoli przykrywały okolicę białym welonem. Wreszcie nadeszło taisetsu.

Pani Tamaraya zamknęła drzwi do pensjonatu i poszła do swojej sypialni.

Gdy Kenzaburo i Michiko dotarli na dworzec, ulice były już pokryte śniegiem. Michiko z niedowierzaniem patrzyła na biały peron i myślała o dniu przed sześcioma laty, gdy przyjechała do Kioto. Dworzec w ogóle się nie zmienił.

Teraz jednak nie towarzyszył jej paraliżujący strach przed nieznanym. Trzymała się mocno bagażu i Kenzaburo, który właśnie kupował bilety.

Weszli na pusty peron i Michiko zaczęła rozpaczliwie wypatrywać pociągu.

– Zaraz przyjedzie – Kenzaburo przerwał milczenie.

– Wszystko będzie dobrze, nie martw się.

Michiko zmusiła się do uśmiechu.

– Powoli zaczynam rozumieć, jak musiał się czuć Siddhartha – powiedział Kenzaburo, spoglądając na puste tory.

– Siddhartha?

– Tak, Siddhartha. Książę odległego kraju – wyjaśnił Kenzaburo, patrząc na piękną twarz Michiko. – Posiadał wszystko, co tylko można sobie wyobrazić, ale zrezygnował z królestwa i wyrzekł się wszystkiego, żeby szukać prawdziwego szczęścia.

– A gdzie poszedł? – spytała Michiko. Jej oczy błyszczały z ciekawości.

– Wędrował po świecie i spotykał wielu ludzi.

– Jakich ludzi?

– Wielu takich, przed których widokiem dotychczas go chroniono – starych, chorych i umierających. – Kenzaburo nagle ściszył głos. – Siddhartha nie wiedział, że ludzie się starzeją, cierpią i umierają, bo jego ojciec skrzętnie to przed nim ukrywał. Jakże był głupi! Musiał przecież wiedzieć, że nie zdoła chronić syna przed rzeczywistością przez całe życie.

Kenzaburo zamilkł, gdy obok nich przeszedł mężczyzna

w średnim wieku ubrany zgodnie z zachodnimi trendami. Kilka kroków za nim dreptał jego tragarz. Michiko zakryła twarz. Była kobietą, która uciekała.

– Siddhartha był mądrym człowiekiem – kontynuował Kenzaburo. – A potem za sprawą medytacji i oświecenia stał się buddą.

– Ach, budda – przytaknęła Michiko.

– Często się zastanawiałem, czy Siddhartha opuściłby swój pałac, gdyby już wcześniej zobaczył, czym jest ból i cierpienie, gdyby poznał świat zewnętrzny. Co by się stało, gdyby jego ojciec nie trzymał go pod kloszem? – pytał Kenzaburo. – Myślę, że to jednak tkwi w naszej naturze. Chcemy zobaczyć, co jest za murami odgradzającymi nas od świata – analizował Kenzaburo, nie czekając na odpowiedź Michiko. – Myślę, że ojciec Siddharthy był koniecznym elementem jego drogi do osiągnięcia nirwany. Po przezwyciężeniu trudności przychodzi do nas to, co dobre. Ojciec Siddharthy był z pewnością jedną z przeszkód, które syn musiał pokonać.

Zawiadowca zagwizdał i na końcu toru pojawiły się światła nadjeżdżającego pociągu. Michiko i Kenzaburo poczekali, aż skład się zatrzyma, i wsiedli do środka. Nie wypowiadając ani słowa, zajęli miejsca obok siebie, bojąc się, żeby nie wydarzyło się coś nieoczekiwanego. Byli przerażeni myślą, że tutejsza policja albo wysłannicy księcia Takedy wyciągną ich na peron. Gdy pociąg wreszcie ruszył, Michiko odetchnęła z ulgą.

– Czy ojciec Siddharthy w końcu go znalazł? – spytała. – Czy Siddhartha musiał wrócić do pałacu?

– Nie – odpowiedział Kenzaburo i ścisnął jej dłoń. – Został oświecony. Stał się buddą i opuścił wszystkich, nawet swoją rodzinę.

– Jako oświecony nie mógł wrócić do domu?

– Nie – odpowiedział Kenzaburo stanowczo. – Gdy ktoś doświadcza oświecenia, nie może wrócić do swojego poprzedniego życia. W rozwoju duchowym można iść jedynie do przodu, nie da się zawrócić.

– Ale czy on nie kochał swojej rodziny? Musieli przecież strasznie za nim tęsknić – zauważyła Michiko. Myślami była na swojej wyspie.

– Powrót do domu nie był dla niego jedynym sposobem na okazanie miłości – odpowiedział Kenzaburo. – Miał bardzo silne powołanie, musiał więc przezwyciężyć ograniczenia. Jeśli rodzina naprawdę go kochała, powinna się cieszyć z tego, jak daleko zaszedł i jak wyjątkowym stał się człowiekiem.

Z zamkniętymi oczami i głową opartą o szybę Michiko wyobrażała sobie tego oświeconego mężczyznę z odległego kraju. Niczym wędrowiec przy końcu swojej długiej podróży zasnęła szybko i głęboko, jakby nie spała od wielu dni. Kenzaburo przyglądał się jej twarzy, a potem delikatnie położył rękę na jej ciepłym brzuchu. W ciemnym oknie pociągu widział swoje odbicie. Własna twarz wydawała mu się obca. Miał wrażenie, że patrzy z bliska na kogoś innego. Na mężczyznę, który wziął swój los we własne ręce.

Kioto, 6 grudnia 1901 roku

Drogi Panie Mosse,

minęło wiele miesięcy, odkąd otrzymałem Pana ostatni list. Proszę, niech Pan przyjmie moje szczere przeprosiny za to, że nie odpowiedziałem wcześniej. Nieustannie o Panu myślę i nawet nie potrafię zliczyć tych wszystkich sytuacji, gdy tak bardzo chciałem porozmawiać z Panem o tym, co przydarzyło mi się minionego lata. Przeżyłem nieprawdopodobny zbieg okoliczności. A nazywam tak to wszystko, bo spotkało mnie to bez żadnego ostrzeżenia, niejako przypadkiem. Chciałbym nadać moim uczuciom odpowiedni wyraz, jak robią to zachodni pisarze, ale brakuje mi słów, gdy próbuję opisać te zdarzenia. Może wstydzę się mojego zachowania, a może po prostu muszę się nauczyć być tak bezpośrednim jak ludzie z Zachodu.

Zanim Panu opowiem, co przeżyłem, muszę Pana prosić, żeby całą tę historię zachował Pan tylko dla siebie. Jest Pan jedynym człowiekiem, któremu mogę zaufać, a rozpaczliwie potrzebuję zdradzić komuś to, co się stało. Komuś, kto mnie wysłucha. Obiecuję, że moja rodzina nie będzie Panu robiła z tego powodu żadnych problemów.

Panie Mosse, kobieta, o której wspominałem panu w ostatnim liście, będzie miała ze mną dziecko i właśnie jesteśmy w drodze do Osaki. Zapewne teraz napędziłem Panu strachu. Ale jeszcze raz proszę, by nic Pan o tym nie mówił mojej rodzinie. Za żadną cenę niech Pan nie zdradza szczegółów zawartych w tym liście. Gdy zdecydowałem się odejść z Michiko, doskonale wiedziałem, że będę musiał zerwać wszelkie więzi z krewnymi. Jestem tego w pełni świadomy. Z pewnością zastanawia się Pan, czemu robię coś tak nierozważnego i ryzykownego. Ale jestem przekonany, że postępuję słusznie, i nie żałuję niczego.

Powtarzał mi Pan wiele razy, że Bóg wskaże mi właściwą drogę, gdy w pełni mu zaufam. Panie Mosse, ja ufam zupełnie tej mojej decyzji. Ufam, że wszystko obróci się na dobre i będę prowadził moje życie bez żalu. W pewnym sensie czuję się teraz trochę jak Siddhartha, zanim opuścił swój pałac. I jestem przekonany, że dopiero dotrze do mnie faktyczny ciężar mojej decyzji, ale się nie boję.

Tak czy inaczej, muszę bardzo rozważnie planować moją przyszłość, bo zdaję sobie sprawę, że moja rodzina będzie starała się mnie ukarać i sprowadzić do Kobe. Planuję wyjechać do Ameryki, jak tylko nasze dziecko będzie wystarczająco duże na taką podróż. Ogromnie mi wstyd prosić Pana o wsparcie, panie Mosse, ale błagam, niech Pan mi pomoże przebyć ten ocean dzielący mnie od Ameryki. Chciałbym wraz z moją rodziną zacząć nowe życie w nowym kraju, w którym mogę być tym, kim jestem.

Zgłoszę się do Pana, jak tylko dotrę do Osaki, gdzie Pan mieszka. Mam nadzieję, że pewnego dnia znajdę się na pokładzie statku płynącego do Pana ojczyzny.

Z nadzieją czekam na tę chwilę, gdy znów się zobaczymy.

Pański Kenzaburo Takeda

12.

Życie Michiko i Kenzaburo w Osace rozpoczęło się wraz z pierwszą w tym roku burzą śnieżną. Niebo było tak ciężkie jak ich niepewna przyszłość. Dość szybko przyzwyczaili się do nowego życia w dzielnicy na wzgórzu, leżącej w pobliżu portu. Wynajęli mały stary dom z dużym pokojem dziennym, wąską werandą i niewielkim podwórkiem. W dniu, w którym się wprowadzili, Kenzaburo podarował Michiko srebrny pierścionek na znak ich zaślubin. Książę nigdy jeszcze nie żył w tak skromnych warunkach, ale szybko się przyzwyczaił. Bardzo natomiast podziwiał pomysłowość i entuzjazm Michiko. Z zapałem czyściła każdy kąt ich domu i zmieniła go w przytulne schronienie, w którym powoli zapominali o przeszłości. Oboje napawali się nową dla nich wolnością.

Z okazji toji, najdłuższej nocy w roku, zjedli duszoną czerwoną dynię, a wieczór noworoczny zaczęli od soba, klusek gryczanych, które zrobiła Michiko.

– To najlepsze soba, jakie kiedykolwiek jadłem – powiedział Kenzaburo już po pierwszym kęsie.

Michiko uśmiechnęła się nieśmiało, zakrywając dłonią usta.

– Naprawdę?

Kenzaburo przytaknął.

– Nie wiedziałem, jak dobrze smakują owoce własnej pracy. Skromna codzienność. Makaron zrobiony własnymi rękami. – Uśmiechnął się z dumą. – Do tej pory omijały mnie radości prostego życia.

– Ja też nigdy nie jadłam lepszego soba – zgodziła się z nim Michiko. – I choć jestem przyzwyczajona do ciężkiej pracy, to nigdy nie dawała mi ona aż takiej radości. Być może radość płynąca z prostego życia jest zupełnie bez znaczenia, jeśli nie ma się z kim jej dzielić.

– Zgadza się. Myślę, że ten makaron smakuje tak dobrze dlatego, że jemy go razem.

Kenzaburo wziął w dłonie filiżankę z herbatą i wzniósł toast za ich nowe życie w nadchodzącym roku.

– Za wspaniały rok spędzony razem! – powiedział.

– Za nasze dziecko! – dodała Michiko i zarumieniona położyła dłoń na zaokrąglonym brzuchu.

– Tak, za nas troje!

Kenzaburo ostrożnie przyłożył filiżankę do jej brzucha, a potem się napił.

Zaraz po północy Kenzaburo zaprowadził Michiko do małej kapliczki w pobliżu ich domu. Panował ostry mróz, ale oni się modlili, żeby spełniły się ich marzenia.

– O co prosiłaś? – spytał Kenzaburo, gdy Michiko skończyła modlitwę.

– Żebyśmy żyli razem szczęśliwi i zdrowi oraz żeby nasze dziecko przyszło na świat zdrowe i miało długie życie. – Oczy Michiko lśniły w ciemności od łez. – Modliłam się też za panią Yoshidę. – Popatrzyła na brązowe haori, które kucharka podarowała jej w dniu wyjazdu z Kioto. – Mam nadzieję, że wszystko u niej dobrze i że ma nową dziewczynę do pomocy. – Wspomnienia zmąciły jej dobry nastrój. – A jakie były twoje prośby? – spytała szybko.

– Żeby ten rok przyniósł nam szczęśliwe życie w Nowym Świecie. – Kenzaburo chwycił dłoń Michiko. – Chciałbym ci jeszcze pokazać świątynie z Ise, zanim wyjedziemy do Ameryki. To święte miejsce. Odwiedzimy je przed naszą podróżą i tam zaniesiemy nasze prośby ku niebu.

Michiko przytaknęła z uśmiechem.

– Zanim wyjechałam do Kioto, myślałam, że zobaczę Złotą Świątynię, i wszyscy moi przyjaciele zazdrościli mi tego. Ale spędziłam w Kioto sześć lat i nigdy jej nie widziałam. – Westchnęła. – Pensjonat pani Tamarai był moim Kioto, moim więzieniem.

Kenzaburo uścisnął jej zimną dłoń.

– Może pewnego dnia, gdy będziemy już starzy i siwi, wrócimy do Kioto. Złota Świątynia wciąż będzie tam stała...

– Tak, pewnego dnia... – powiedziała Michiko rozmarzona.

– W drodze do Jokohamy zrobimy kilkudniowy postój w Ise – Kenzaburo sprowadził marzenia do rzeczywistego życia.

– Jokohamy?

– Tak. Statek do Ameryki odpływa z Jokohamy. Najlepiej będzie, jeśli opuścimy Osakę zaraz po urodzeniu się dziecka. Ciągle mam poczucie, że jesteśmy zbyt blisko Kobe. Mam nawet krewnych w Osace, choć z pewnością się na nich nie natkniemy, dopóki żyjemy wśród prostych ludzi.

Michiko zwiesiła głowę. Zmartwiła ją ich niepewna przyszłość.

– Nie trap się tym, Michiko. Potrwa to jeszcze trochę, zanim wsiądziemy na pokład statku, ale już jesteśmy wolni i mamy przed sobą przyszłość – powiedział Kenzaburo.

– Zostawmy przeszłość. Nie mam zamiaru patrzeć za siebie.

Kenzaburo rzeczywiście starał się nie wracać do przeszłości. Nie zgłosił się do pana Mosse'a, jak początkowo zamierzał, choć jego ukochany nauczyciel zapewne pomógłby im w dostaniu się do Ameryki. Kenzaburo jednak uznał, że lepiej będzie nie mieszać go do swoich spraw, przede wszystkim ze względu na jego biznesowe powiązania z rodziną Takeda. Zamiast więc szukać pomocy u niego, zdecydował się pójść tą samą długą i trudną drogą co wszyscy inni chcący zacząć nowe życie w Ameryce. Musiał jednak jakoś utrzymać Michiko i dziecko, więc poszedł szukać pracy w porcie.

– Przepraszam pana – ukłonił się, wchodząc do skromnego biura pana Matsui.

Czajnik stojący na piecu piszczał, sygnalizując, że już jakiś czas temu zagotowała się woda. Zarządca portu był niskim mężczyzną z siwymi włosami i pomarszczoną twarzą.

Zaskoczył go widok młodego człowieka w długim płaszczu skrojonym według zachodnich wzorców i w skórzanych butach.

– Ach, tak. Matsui, miło mi – wstał i również się ukłonił.

– Przyjemność po mojej stronie. – Kenzaburo skłonił się ponownie, starając się ukryć swoje arystokratyczne pochodzenie.

Pan Matsui był zaskoczony, że ten młody mężczyzna, zapewne ze znaczącej rodziny, okazuje mu tak wielką życzliwość.

– Tak więc, panie…?

– Nazywam się Ta… – Kenzaburo musiał szybko wymyślić nazwisko, które byłoby podobne do jego prawdziwego – …Tanaka, ale proszę mówić do mnie po prostu Kenzaburo.

Choć Kenzaburo był znacznie młodszy od pana Matsui, zarządca nie mógł się zdobyć na to, by mówić do niego po imieniu.

– Panie Tanaka, co mogę dla pana zrobić?

– Potrzebuję pracy – powiedział Kenzaburo wprost.

– Rozumiem. Ale to nie jest właściwe miejsce dla pana… Zatrudniam tu jedynie robotników portowych.

– Każda praca jest dla mnie właściwa, panie Matsui. Mogę robić wszystko tu w porcie – wyjaśnił Kenzaburo.

Matsui pomyślał, że młody mężczyzna z niego kpi.

– Nie rozumiem, dlaczego mógłby pan chcieć tu pracować – powiedział i popatrzył na niego z niedowierzaniem.

– Potrzebuję pracy jak każdy – bronił się Kenzaburo.

– Ale niech pan na siebie popatrzy! – Matsui wskazał na błyszczące buty Kenzaburo i jego eleganckie ubrania.

– A potem niech pan popatrzy na mężczyzn pracujących w porcie. Pan tu po prostu nie pasuje.

– W moim życiu zaszły spore zmiany i muszę zacząć pracować, żeby utrzymać rodzinę, panie Matsui.

– Nie wiem, co to za zmiany, ale nie sądzę, żeby znalazł tu pan odpowiednie zajęcie. Praca w porcie jest bardzo ciężka. To nie miejsce dla młodego, eleganckiego mężczyzny jak pan.

– Panie Matsui – zaoponował Kenzaburo. – Zapewniam pana, że mogę wykonywać każdą pracę niezależnie od tego, jak byłaby ciężka.

– Nie wie pan, o czym pan mówi, panie Tanaka – powiedział zarządca bez ogródek. – Proszę mi wybaczyć to pytanie, ale czy przez całe swoje życie pracował pan ciężko choćby przez jeden dzień?

W odpowiedzi Kenzaburo spuścił wzrok.

– Tak sądziłem. Nie wytrzyma pan tu nawet jednego poranka.

Kenzaburo podniósł głowę.

– Niech mi pan pozwoli przepracować tu trzy dni. Pokażę panu, że jestem wystarczająco twardy, by podjąć się zadania każdego rodzaju. A jeśli po trzech dniach nie będzie pan ze mnie zadowolony, nie zatrudni mnie pan więcej.

Pan Matsui rozumiał, że Kenzaburo mówi poważnie. Zapalił fajkę, podczas gdy Kenzaburo niecierpliwie czekał na odpowiedź. Matsui pracował w porcie od małego. Gdy dobiegał sześćdziesiątki, został jego zarządcą. Podczas tych wielu lat widział nieskończenie wielu robotników oraz imigrantów z różnych krajów, ale nigdy wcześniej nie spotkał kogoś takiego jak Kenzaburo. Ciekawiło go więc, dlaczego ten młody człowiek wylądował w jego biurze.

– Proszę, niech da mi pan szansę – poprosił Kenzaburo, a Matsui usłyszał desperację w jego głosie i zrobiło mu się go żal.

– Niech pan przyjdzie wcześnie rano, zaraz po wschodzie słońca, do dużego doku. Będzie tam trzeba uporać się ze sporym ładunkiem z Jokohamy.

– Dziękuję panu, panie Matsui. – Kenzaburo skłonił się nisko. – Będę bardzo wcześnie. – A po chwili powtórzył, jakby nagle przyszło mu do głowy: – Kenzaburo Tanaka, tak się nazywam.

Mocno zaakcentował nazwisko, a gdy to zrobił, doznał mglistego poczucia wolności.

– Panie Tanaka! Swoje eleganckie ubrania lepiej niech pan zostawi w domu, jeśli chce pan tu pracować! – krzyknął jeszcze za nim Matsui, gdy wychodził.

Następnego dnia jeszcze przed wschodem słońca Kenzaburo był w porcie. Przyszedł w nowej kurtce przeznaczonej do pracy, którą kupił poprzedniego dnia, by dopasować się do innych robotników. Lodowaty wiatr przewiewał jego ubrania, skutkiem czego cały czas trząsł się z zimna. Chodził żwawo w tę i z powrotem, dopóki nie zaczęli się pojawiać inni mężczyźni. Gdy zebrało się ich około dwudziestu, przybył także Matsui.

– Dzisiaj potrzebuję tylko dziesięciu – oznajmił.

Mężczyźni zaczęli szeptać między sobą. Niektórzy próbowali policzyć wszystkich, którzy przyszli.

– Połowa z was, której nie wywołam, musi zgłosić się jutro.

Matsui zaczął czytać nazwiska z listy.

– Kuno!

– Tutaj! – Mężczyzna w wieku Kenzaburo podniósł rękę i skłonił się przed panem Matsui.

– Mazuka!

Starszy mężczyzna stojący koło Kenzaburo potwierdził swoją obecność skinieniem głowy.

– Omura! Noguchi! Shirai! Kuramoto! Ono! Tomonaga! Arai! I Hamada!

Potem złożył i schował listę.

– Wywołani niech pójdą za mną do biura.

Zaprowadził dziesięciu robotników do swojego biura, a pozostali odeszli ze spuszczonymi głowami. Kenzaburo podbiegł do pana Matsui i zastąpił mu drogę.

– Panie Matsui, jestem Tanaka. Byłem wczoraj u pana w biurze.

– Tak, pamiętam – odburknął Matsui.

– Przepraszam, jeśli jestem nieuprzejmy, ale powiedział pan, że od dzisiaj mogę zacząć pracę.

– Tak, panie Tanaka. A nie powiedział pan przypadkiem, że potrzebuje pracy jak każdy inny człowiek?

– Tak, panie Matsui. A pan powiedział, że mam przyjść jutro z samego rana. I oto jestem.

– Tak, widzę. – Zarządca spojrzał na Kenzaburo i zauważył, że ma na sobie proste tanie ubranie. – A widzi pan

226

tamtych ludzi? – zapytał i wskazał na mężczyzn, którzy odchodzili z kwitkiem. – Tamci też przyszli dzisiaj, żeby pracować, ale dziś nie było wystarczająco dużo do zrobienia. Musi więc pan przyjść jutro. Tak robią wszyscy, którzy potrzebują zajęcia.

Kenzaburo nie wiedział, co powinien powiedzieć. Poczuł się jak rozpieszczone dziecko, które nie zna słowa „nie" i któremu pierwszy raz w życiu czegoś odmówiono.

– Proszę przyjść jutro. Może będzie pan miał więcej szczęścia. – Matsui skinął krótko na Kenzaburo i odszedł z dziesięcioma pracownikami.

Kenzaburo przychodził do portu codziennie, ale został zatrudniony dopiero po tygodniu. Nie pozwolił już sobie na żaden wyraz niezadowolenia, zamiast tego starał się wmieszać między robotników, by dowiedzieć się czegoś więcej o ich życiu. Nawet najprostsi z nich, gdy rozmawiali z Kenzaburo, zauważyli, że był inteligentny i dobroduszny.

– Wydajesz się wykształconym człowiekiem – powiedział jeden z nich o nazwisku Kubota. – Dlaczego chcesz pracować właśnie tutaj?

– Tak samo jak wy potrzebuję pracy, żeby utrzymać swoją rodzinę – uśmiechnął się Kenzaburo.

– Nie wierzę ci. Z pewnością ukrywasz jakąś tajemnicę.

– Ja też tak myślę – dodał młody chłopak o imieniu Hirano. – Opowiedz nam swoją historię. Dlaczego trafił tu ktoś taki jak ty?

– Dlaczego chcecie to wiedzieć? – Kenzaburo zwlekał z odpowiedzią.

– Bo chcemy. Sądzisz, że możesz tak po prostu do nas dołączyć, a my uznamy cię od razu za jednego z nas? Musimy wiedzieć, co knujesz. Może jesteś szpiclem, który ma się dowiedzieć, czy któryś z nas nie kradnie rzeczy z załadunków? Kto wie? – Hirano zwrócił się do innych robotników, a oni przytaknęli z aprobatą.

Kenzaburo pokręcił głową z uśmiechem.

– Nie, zapewniam was, że to nie ten przypadek.

– W takim razie opowiedz nam, dlaczego tu jesteś – nie dawał za wygraną Hirano.

– Cóż – Kenzaburo wzruszył ramionami – chciałem się dowiedzieć, jak przebiega proces załadunku i rozładunku w porcie – rzucił wymijająco pierwsze, co mu przyszło do głowy.

– Jako robotnik nie nauczysz się tu wiele – syknął Hirano. – To już zresztą pewnie zauważyłeś.

– Właściwie nie – zaprzeczył Kenzaburo. – Czekam już siedem dni, ale wciąż nie dostałem tu pracy.

– Sam zobaczysz, Tanaka. Zgadzam się z Hirano. Nie wiem, czego można nauczyć się o załadunku i rozładunku, gdy cały dzień przenosi się worki w tę i z powrotem. Starszy mężczyzna położył Kenzaburo rękę na ramieniu.

– Powiedz mi więc, czemu naprawdę tu jesteś.

Wszystkie oczy zwróciły się na Kenzaburo. Chociaż gest Kuboty wydał mu się życzliwy, Kenzaburo czuł, że musi wymyślić historię, którą chcieli usłyszeć – opowieść o upadłym szlachcicu.

– Roztrwoniłem rodzinny majątek i chcę wyjechać do Ameryki, żeby zacząć nowe życie. Dlatego tu jestem. Muszę zarobić, żeby przepłynąć ocean.

– A więc kiepski z ciebie gracz! – wykrzyknął ktoś, a pozostali wybuchnęli śmiechem.

– Jestem teraz innym człowiekiem. – Kenzaburo uśmiechnął się triumfalnie. Tym razem wszyscy zdawali się wierzyć w jego historię. – Jestem biednym człowiekiem, który musi wyżywić swoją rodzinę jak wy wszyscy. Tak, marny ze mnie gracz. Straciłem wszystkie pieniądze.

Znów wszyscy się śmiali.

– Właśnie przegapiłeś statek z Jokohamy na Hawaje – powiedział Hirano po tym, jak jego śmiech rozpłynął się w zimnym powietrzu. – Wypłynął jeszcze jesienią, a na pokładzie był mój kuzyn.

– Wiesz, kiedy odpływa następny? – zapytał Kenzaburo.

– Tego nikt nie wie – Hirano pokręcił głową. – Może już żaden nigdy nie wypłynąć.

– Jak dla mnie to albo jest tam prawdziwy raj, albo najstraszniejsze piekło – rzucił sarkastycznie Kubota. – Czemu chcesz płynąć do Ameryki?

Zanim Kenzaburo zdążył odpowiedzieć, przyszedł Matsui i wreszcie wywołał jego nazwisko. Po tym jak przez siedem dni czekał cierpliwie na porannym mrozie, wreszcie dostał pierwszą pracę.

Od tej pory był wywoływany coraz częściej, ale zarobki były znacznie niższe, niż przypuszczał. Nie spodziewał się także, że życie robotnika jest aż tak trudne. Najwyraźniej musiał się dowiedzieć, że niełatwo jest wyjechać do Ameryki. Minie wiele miesięcy, jeśli nie lat, zanim uda mu się zobaczyć most Brooklyński w Nowym Jorku. Pocieszał się jednak, że dzięki temu jego dziecko przez ten czas stanie się wystarczająco silne, żeby przetrwać podróż.

Za sprawą ciężkiej pracy Kenzaburo stawał się coraz twardszym mężczyzną. Na jego delikatnych dłoniach szybko pojawiły się odciski, a skóra zmieniła się w szorstką skórę robotnika. Niezależnie jednak od tego, jak wiele czasu spędzał w towarzystwie pracowników portu, wciąż mówił, jadł i pił inaczej niż oni. Mimo to ich początkowa niechęć zniknęła, a mężczyźni się przekonali, że jest wobec nich lojalny. I choć wykonywał wyniszczającą go pracę, nigdy jeszcze nie był tak szczęśliwy jak teraz.

Pół roku po tym, jak opuścili Kioto, pewnego pięknego wiosennego poranka Michiko urodziła córeczkę Asako. Początkowo nie mogła uwierzyć w swoje szczęście. Musiała się szczypać od czasu do czasu, by upewnić się, że to wszystko jest prawdą. Teraz często myślała o pani Yoshidzie. Gdy tylko widziała starszą kobietę na ulicy albo gdy Kenzaburo przynosił sake. Za każdym razem, kiedy przyrządzała rybę oraz pieczone warzywa, wspominała tę dobrotliwą staruszkę, która wszystkiego ją nauczyła. I najbardziej żałowała nie tego, że nie zobaczyła Złotej Świątyni, tylko tego, że od razu nie opowiedziała jej o swojej miłości do Kenzaburo. Ale czy miała inne wyjście?

Coraz częściej Michiko myślała również o swojej rodzinie z wyspy. Co powiedziałaby jej matka, gdyby zobaczyła swoją wnuczkę Asako? Czy jej ojciec, gdyby wciąż żył, byłby szczęśliwy, że poślubiła Kenzaburo? Czy jej siostra i młodsi bracia wciąż pamiętają o starszej siostrze, która wyjechała, gdy byli tak mali? Mimo to nie rozmawiała z Kenzaburo o swojej rodzinie. A on nigdy nie wspominał o własnej.

Z miesiąca na miesiąc pan Mosse czekał z coraz większym niepokojem, aż Kenzaburo się do niego zgłosi. Chciał opowiedzieć swojemu byłemu studentowi o rozpaczy jego rodziny. Być może udałoby mu się namówić go na powrót do Kobe. Ale Kenzaburo rozpłynął się w powietrzu – bez żadnego wytłumaczenia, bez listu, w którym wyjaśniłby, co się stało.

Książę Takeda trzymał w tajemnicy zniknięcie syna, aby uniknąć niepotrzebnych plotek. Gdy Kenzaburo nie pojawił się w wyznaczonym dniu w Kobe, wysłał posłańca do pani Tamarai tylko po to, by się dowiedzieć, że młody książę opuścił pensjonat kilka dni temu. Potajemnie sam więc wybrał się do Kioto i odkrył, jakie były faktyczne przyczyny zniknięcia Kenzaburo. Nie było mu trudno przekonać pani Tamarai, żeby złamała swoją obietnicę zatrzymania sekretu młodych tylko dla siebie. Gdy książę Takeda opanował gniew, zapłacił jej ogromną sumę, żeby tym razem lepiej trzymała język za zębami.

Po powrocie do Kobe zakazał swojej rodzinie kiedykolwiek wymawiać imię Kenzaburo. Jako że okrył ich hańbą, od tej pory mieli go uznawać za martwego. Każdy sługa, który ośmielił się wspomnieć o młodym księciu, miał to przypłacić życiem. Wszyscy zdawali sobie sprawę, co dla księcia Takedy znaczyły honor i lojalność. Bez porozumienia z krewnymi książę wymazał też imię syna z wszelkich ksiąg i dokumentów rodzinnych. Kenzaburo przestał dla niego istnieć.

Minął rok, odkąd Michiko i Kenzaburo przybyli do Osaki. Ich pierwotny plan opuszczenia Japonii powoli tracił sens, bo coraz lepiej im się żyło w nowej okolicy, zamieszkiwanej przede wszystkim przez robotników. Decyzja o wyjeździe była dla Kenzaburo również coraz trudniejsza ze względu na to, że coraz ważniejszym człowiekiem stawał się w porcie. Po wielu miesiącach jego ciężkiej pracy przez przypadek okazało się, że bez problemu radzi sobie z pracą biurową, rejestracją załadunków oraz rozładunków i nadzorowaniem wszelkich administracyjnych procedur. Był jedynym człowiekiem w porcie, który znał język angielski, więc gdy zaczęły przypływać statki zza oceanu, bardzo doceniono jego umiejętności. Nie potrzeba było wiele czasu, by zaoferowano mu objęcie kierowniczego stanowiska. Szybko też wyrobił sobie reputację niezwykle wydajnego pracownika z wyjątkowymi zdolnościami.

Michiko nie interesowała się tym, co się działo w porcie. Bycie matką sprawiało jej większą radość, niż sądziła, że to w ogóle możliwe. Czasami nie mogła uwierzyć, że bezgraniczna miłość do córki nie przeciążyła jeszcze jej serca.

– Nie powinniśmy wkrótce zarejestrować Asako? – zwróciła się pewnego dnia do swojego męża, gdy mała zasnęła.

Kenzaburo podniósł głowę znad angielskiego wydania *Nędzników*, które przez przypadek znalazł jeden z robotników na statku z Jokohamy. Spojrzał na Michiko, która trzymała na rękach Asako, i na jego twarzy pojawił się szczery uśmiech. Obie były źródłem jego wielkiego szczęścia, ale takie biurokratyczne drobiazgi jak ten wciąż przypominały mu o ich położeniu.

– Może lepiej będzie ją zapisać, gdy się dowiemy, kiedy będziemy mogli wsiąść na pokład statku płynącego do Ameryki – odpowiedział.

– Masz rację. Tak będzie zdecydowanie lepiej. – Michiko poznała natychmiast, że zadała niewygodne pytanie.

– Ależ jestem głupi! – Spojrzał na śpiącą Asako. – Zmieniłem przecież nazwisko – powiedział Kenzaburo. – Gdy zgłaszałem się do pracy, nazwałem się Tanaka i z czasem bardzo mi się spodobało to nazwisko.

– Tanaka?

– Dotychczas wcale o tym nie myślałem – wyjaśnił. – Ale ono już się w pewien sposób ze mną zrosło. Nie podoba ci się, Michiko?

– Jestem tylko trochę zaskoczona. To wszystko.

– Jesteśmy rodziną Tanaka! – wykrzyknął radośnie.

– Jeśli tobie się podoba, mnie również. – Michiko się uśmiechnęła.

– Asako Tanaka – oto imię i nazwisko, pod jakim wpiszemy ją do rejestru! – powiedział Kenzaburo. – Co sądzisz? Dzięki temu będzie mogła wieść zwyczajne życie...

– Życie bez cierpienia, mam nadzieję.

– Michiko, w każde życie wpisane jest cierpienie – przerwał jej Kenzaburo. – Nie ma znaczenia, czy jest ono zwyczajne, czy wyjątkowe.

– Prawdę mówiąc – stwierdziła Michiko po chwili milczenia – gdy pierwszy raz cię zobaczyłam, nie potrafiłam sobie wyobrazić, że możesz mieć w życiu jakiekolwiek troski. Wydawałeś mi się istotą ze wspaniałego, idealnego świata, zupełnie innego niż mój.

– Nawet najpiękniejszy świat ma swoje bolesne i brzydkie oblicze. Trudno to sobie wyobrazić, ale moje życie też było czasami pełne smutku. – Kenzaburo zbliżył się do Michiko. – Wiem, że w przeszłości wiele wycierpiałaś, ale nie ma takiego smutku, którego nie można by było pokonać. Nie należy jedynie zapominać, że gdy skończą się nasze troski, czeka na nas wielkie szczęście.

Oczy Michiko wypełniły się łzami, ale udało jej się podarować Kenzaburo promienny uśmiech.

– Nie zapomnę o tym – obiecała.

Kenzaburo również się uśmiechnął i popatrzył na twarz śpiącej Asako. Starał się wymazać z pamięci obraz własnej rodziny oraz ten dziwny smutek, płynący z dawnego życia w luksusie. Im mocniej jednak próbował odsunąć od siebie swoją przeszłość, tym częściej nawiedzały go wspomnienia. Czasami wręcz bolały tak samo dotkliwie.

W deszczowy dzień wiosną 1902 roku, gdy Asako miała dziesięć miesięcy, jeden z pracowników portu, przemoczony do suchej nitki, nie mogąc złapać oddechu, zaczął się dobijać do drzwi domu Kenzaburo i Michiko. Michiko właśnie gotowała ryż na kolację. Obudzona gwałtownym hałasem Asako niemalże natychmiast zaczęła płakać.

– Kk-Ken-Kenzaburo! Szybko, niech pani idzie!

Michiko nie od razu zrozumiała, o co chodzi bełkoczącemu mężczyźnie, ale najwyraźniej było to coś pilnego.

– Kk-Ken-Kenzaburo! – wyjąkał ponownie.

– Co z nim? – spytała z niepokojem. Czuła, że musiało stać się coś strasznego.

– Kenzaburo… Kenzaburo nie żyje! – wykrzyknął wreszcie mężczyzna.

W tym momencie ucichły wszystkie hałasy, a świat otaczający Michiko nagle zniknął. Czuła się, jakby ktoś wbił jej sztylet prosto w serce. Zaczęła się trząść, poczuła okropne skurcze w żołądku. Potrząsała głową, wpatrując się w robotnika, ale nie potrafiła wypowiedzieć słowa. Wszystkie siły ją opuściły. Rondelek z ryżem wypadł jej z rąk i przeturlał się po glinianej podłodze w kuchni. Podbiegła do drzwi, zostawiając rozsypany ryż i płaczącą Asako. Po drodze zerwała rzemyk od sandała, więc zrzuciła oba drewniaki. Jej bose stopy ślizgały się po mokrej ziemi, ale biegła dalej w dół wzgórza. Posłaniec nie mógł dotrzymać kroku tej krzyczącej i płaczącej kobiecie.

Gdy Michiko dotarła do portu, zabrano ją natychmiast do męża. Był blady jak ściana. Przykryto go dwiema słomianymi matami, spod których wystawały jedynie jego stare skórzane buty. Gdy jeden z mężczyzn podniósł maty, Michiko upadła na ziemię. Gardło Kenzaburo było przecięte bardzo głęboko, a otwarte oczy patrzyły smutno w szare niebo. Jego usta były lekko uchylone, jakby chciał coś jeszcze powiedzieć. Nawet najtwardsi żeglarze musieli się odwrócić, by ukryć łzy, które cisnęły się im do oczu, gdy patrzyli na płaczącą Michiko, trzymającą w ramionach zwłoki męża.

Gdy książę Takeda dowiedział się przez przypadek, że młody urzędnik w porcie w Osace, którego bardzo chwalili jego partnerzy biznesowi, to jego najmłodszy syn Kenzaburo, wysłał jednego ze swoich wojowników, żeby go zabił. Książę Takeda uznał ten wyrok za słuszny. Uważał, że lepiej było zakończyć życie syna, niż pozwolić mu żyć w hańbie.

Kenzaburo zapłacił najwyższą cenę za swoją miłość i wolność. Tego deszczowego dnia wykrwawił się w porcie w Osace, nie postawiwszy stopy na amerykańskiej ziemi.

13.

Wieczorem spadł silny wiosenny deszcz, który zmył krew Kenzaburo. W tawernie pani Sakai unosił się zapach smażonej ryby i alkoholu pitego przez portowych robotników. Wszyscy rozmawiali o morderstwie Kenzaburo. Jego śmierć była jednym z tych wydarzeń, o których opowiadano ciągle od nowa, tak jak mówiono o wielkim pożarze Kita, który zniszczył prawie całą północną część Osaki.

– Jak to się mogło stać? – pani Sakai nie mogła uwierzyć, że to prawda. Ze względu na swoje ciepło i życzliwość była uważana za babcię przez wiele osób, które nie miały już własnej. – Wciąż bardzo dobrze pamiętam tego młodego miłego człowieka – dodała.

– Kogoś takiego szybko się nie zapomni, zwłaszcza w okolicy takiej jak ta – powiedział Kubota. – Wie pani, on bardzo się od nas różnił. – Przetarł czoło chusteczką, którą wyjął z torby. – Można było pomyśleć, że to jakiś bóg zszedł do nas na ziemię tylko na chwilę i teraz znów został wzięty do nieba, tam, gdzie jego miejsce. Może był zbyt dobry na ten świat? – Pokręcił smutno głową, a kilku mężczyzn przy stole przytaknęło, opróżniając swoje kubki.

– Nie mogę jednak zrozumieć, dlaczego własna rodzina potraktowała go w tak brutalny sposób.

– To jego rodzina kazała go zabić? To było morderstwo honorowe? – spytała pani Sakai i zamarła na chwilę.

– Inne rozwiązanie jest niemożliwe w tych okolicznościach.

Kubota uniósł wysoko brwi i zobaczył zdziwienie na twarzy współpracowników. Czy któryś z nich znał inne wyjaśnienie tej tragedii?

– To prawda – stwierdził stary człowiek siedzący na drugim końcu stołu.

Pani Sakai nalała mu sake.

– Człowiek taki jak Tanaka nie mieszka w takiej biednej okolicy i nie wykonuje tak marnej pracy jak nasza – dodał Kubota. Rozejrzał się po zadymionym pokoju i zniżył głos. – Widziałem, jak Tanaka otworzył pismo podane mu przez jednego z napastników. Przeczytał je i coś do nich powiedział – Kubota zaczął mówić szybciej. – Tanaka wyglądał, jakby chciał się jakoś wyplątać z tej sytuacji, ale ostatecznie pokręcił głową i oddał list jednemu z mężczyzn. Najwyraźniej odmówił zrobienia czegoś, co mu nakazano. Po jego wzroku poznałem, że coś jest nie tak, ale nie miałem dość odwagi, by do niego podbiec. Do diabła z nimi, przeklęci mordercy! – Kubota uderzył pięścią w stół. – A potem wszystko zdarzyło się tak szybko. Nikt z nas do nich nie podszedł. Wiadomo przecież, że od takich jak oni trzeba się trzymać z daleka. Kilku z nas wszystko widziało, ale nikt nie wiedział, co powinien zrobić. – Przełknął sake i zakrył twarz dłońmi. – Gdybym jednak wiedział dokładnie, co się stanie…

– A jak mielibyśmy się zmierzyć z dwoma wyćwiczonymi wojownikami, którzy mieczem potrafią obciąć głowę?! – krzyknął starszy mężczyzna z drugiego końca stołu. – Przecież zabiliby każdego, kto by się wmieszał w tę sprawę. Zamordowanie takich mało znaczących istot jak my nie byłoby dla nich niczym więcej niż kilkoma ciosami mieczem. Tanaka pochodził z bardzo potężnej rodziny, która znajduje się ponad prawem. Nawet policja była po ich stronie. Zabrali jego zwłoki i rzeczy z jego domu – głos starszego mężczyzny był bardzo ostry. – Słyszałem, jak policja powiedziała żonie, że jego ciało zostanie oddane rodzinie, a ona ma trzymać język za zębami i się nie wtrącać.

– Ale przecież to jest jakiś absurd! – zawołała pani Sakai. – Jak ona sama ma się teraz zająć maleńkim dzieckiem?

– Takim jak oni jest to obojętne. To są właśnie tacy ludzie – kontynuował starszy mężczyzna z twarzą zaczerwienioną od sake.

– Mam uwierzyć, że nie mrugnęliby nawet okiem, gdyby jego młoda żona i córeczka umarły z głodu? Przecież to dziecko ma w sobie ich krew! – oburzyła się pani Sakai.

– Wierzcie mi, oni za szczyt swojej łaski uważają to, że nie kazali zabić również ich – powiedział starzec z niesmakiem.

– Lepiej uważaj na słowa – szepnął mężczyzna z sąsiedniego stolika. – Musimy być ostrożni, jeśli nie chcemy, by nam również poderżnięto gardła.

Na te słowa w karczmie natychmiast zapanowała cisza. Pani Sakai nalała sake starcowi i pomyślała o Kenzaburo, który jadł tutaj jedynie raz, może dwa razy, z innymi robotnikami. Był typem obserwatora, ale zapewne właśnie dlatego wyróżniał się z tłumu. Od razu wiedziała, że jest kimś szczególnym. I chociaż prawie go nie znała, mimo to nie potrafiła się otrząsnąć po tym tragicznym wydarzeniu. Czuła, że musi jakoś pomóc jego żonie i dziecku.

– A gdzie właściwie jest pani najmłodsza, pani Sakai? – zapytał starszy mężczyzna, żeby zmienić temat. – Nie jest przypadkiem wystarczająco dorosła, żeby pani pomagać?

– Midori ma dopiero szesnaście lat, to jeszcze dziecko – uśmiechnęła się pani Sakai.

– Dziecko? Nie przesadza pani? Ma tyle lat, że może wyjść za mąż! – zauważył starzec. – Naprawdę powinna tu z panią pracować ręka w rękę. Jak to tak, że pozwala swojej starej matce tak ciężko pracować? No ale beniaminki są zawsze najbardziej rozpieszczone – powiedział, jakby wiedział o tym z własnego doświadczenia.

– Tak, wiem. Ale gdyby pan miał córkę w jej wieku, też by ją pan rozpieszczał. Nic na to nie można poradzić – pani Sakai uśmiechnęła się usprawiedliwiająco. – Muszę kogoś zatrudnić. Jest tu zbyt wiele pracy jak na mnie jedną.

Pani Sakai pochyliła się nad stołem. Jej mąż umarł miesiąc temu i wszyscy wiedzieli, że małżonkowie byli z sobą bardzo zżyci. Razem prowadzili gospodę i żyli szczęśliwie aż do momentu, gdy pan Sakai nagle poważnie zachorował.

– Czy mam przynieść jeszcze trochę sake? – Pani Sakai ukryła smutek za życzliwym uśmiechem. – Martwi są martwymi. Co możemy na to poradzić, my, żyjący? Możemy się jedynie za nich napić, prawda?

– Ma pani rację – odpowiedział starszy mężczyzna.

– Niech pani przyniesie więcej sake. W dzień taki jak ten możemy jej potrzebować.

Wiosenny deszcz utrzymywał się jeszcze przez kilka dni. Gdy wreszcie znów pojawiło się słońce, pani Sakai wybrała się do Michiko ze słonymi kluseczkami ryżowymi oraz drobną kwotą w kopercie. Ziemia była jeszcze mokra, ale słońce świeciło wyjątkowo mocno, sprawiając, że wiele kwiatów zaczynało rozkwitać.

Pani Sakai czekała cierpliwie, aż Michiko podejdzie do drzwi. Tak jak się spodziewała, młoda matka wyglądała na zupełnie załamaną i wycieńczoną, jakby cały tydzień niczego nie jadła. Jej usta były spierzchnięte, a twarz pozbawiona życia.

– Nazywam się Sakai – przedstawiła się starsza kobieta. – Prowadzę małą gospodę przy porcie. – Na próżno próbowała skupić na sobie uwagę Michiko. – Przepraszam, że panią nachodzę, ale czy mogę wejść?

Wydawało się, że Michiko jest zupełnie obojętne, kim lub czym była. Wpuściła kobietę do domu, nawet na nią nie patrząc. Zaprowadziła ją na werandę, z której wychodziło się do małego ogrodu. Rosło tam kilka pięknych magnolii. Ich białe kwiaty kołysały się na wietrze i wydzielały słodki zapach.

– Proszę, przyniosłam pani coś do jedzenia. – Pani Sakai położyła paczkę z ryżowymi kluseczkami obok Michiko i podała jej kopertę. – Wszystkim jest bardzo przykro z powodu tego, co się zdarzyło. To nie jest wiele, ale proszę, niech pani weźmie.

Michiko skłoniła się nisko, nie wiedząc, co powinna zrobić, ale gdy podniosła głowę, wybuchła płaczem.

– Wiem, wiem. – Pani Sakai spojrzała na śpiącą dziewczynkę. – Pani ból jest z pewnością nie do zniesienia, ale musi pani wytrwać. Niech pani pomyśli o swojej córeczce. – Starsza kobieta lekko pogłaskała małą po delikatnej główce.

Michiko jednak nie potrafiła powstrzymać łez. Zakryła dłońmi usta, by zdusić szloch, bo nie chciała obudzić Asako.

– Ja też niedawno straciłam męża. I choć jego czas już nadszedł... – urwała i spojrzała na Michiko, a potem skierowała wzrok na ogród. – Mój mąż był już stary i wiedziałam, że długo już ze mną nie będzie. Ale gdy odszedł, zrozumiałam, jak wiele straciłam, dlatego bardzo cierpię z tego powodu. – Uśmiechnęła się melancholijnie, wdychając głęboko zapach magnolii.

Michiko otarła łzy i spojrzała na panią Sakai, którą zakrywał cień drzewa. Na jej spokojnej pomarszczonej twarzy pojawiła się głęboka tęsknota za życiem, które straciła na zawsze. W jej oczach jednak widziała również zaufanie do losu, czego Michiko nie mogła powiedzieć o sobie. Wątpiła, czy kiedykolwiek odzyska wiarę w siebie.

– Mój zmarły mąż i ja razem otworzyliśmy gospodę i przepracowaliśmy tam wiele lat. Troje moich dzieci prowadzi już własne życie, ale najmłodsza córka wciąż mieszka ze mną. Ale to nie to samo. – Pani Sakai pokręciła głową i westchnęła. – Dzieci nie mogą zastąpić nam mężów.

Mogę sobie wyobrazić, co pani czuje, zwłaszcza że jest pani tak młoda. Ale musi pani teraz myśleć o przyszłości. Trzeba odsunąć od siebie przeszłość niezależnie od tego, jak jest bolesna – pani Sakai starała się podbudować Michiko. – Pani zmarły mąż z nieba będzie się troszczył o to, żeby pani razem z córeczką miała szczęśliwe życie, nie sądzi pani?

Michiko przytaknęła, ale łzy wciąż spływały jej po twarzy.

– Jak ma na imię malutka? – spytała kobieta.

– Asako – wykrztusiła z siebie Michiko.

– A pani jak ma na imię?

– Michiko.

– A pani rodzinne nazwisko?

– Tanaka. – Michiko pomyślała o dniu, w którym Kenzaburo jej o nim powiedział.

– Musi się pani zaopiekować córeczką najlepiej, jak pani potrafi – kobieta wydawała się niewzruszona łzami Michiko. – Pani czas na ziemi jeszcze nie dobiegł końca. – Zamilkła na chwilę. – Michiko, przyszłam do pani, żeby zaoferować pracę w mojej gospodzie. Dam pani pokój, w którym będzie pani mogła zamieszkać z córeczką. Przynajmniej będzie pani miała każdego dnia ciepły posiłek i dach nad głową.

– Tak bardzo pani dziękuję. – Michiko ukłoniła się nisko. – Jak mogę się odwdzięczyć za pani dobroć?

– Zrobi to pani, gdy znów stanie na nogi i zacznie żyć. – Pani Sakai uśmiechnęła się i wskazała na magnolie. – Niech pani spojrzy na te drzewa: ich delikatne kwiatki odradzają się po każdej srogiej zimie. Czy to nie zdumiewające?

Pani Sakai uniosła głowę i z rozmarzeniem, jak młoda dziewczyna, patrzyła na kwiaty. Przypominała nieco panią Yoshidę.

– Zrobię wszystko, co w mojej mocy, żeby wychować Asako. Ma pani rację, to mój obowiązek, żeby się o nią troszczyć. Mój mąż będzie na nas spoglądał z nieba i to dla niego będę żyć.

– Dobrze. – Pani Sakai uśmiechnęła się do Michiko.

– Może się pani wprowadzić do mnie w każdej chwili. Przygotuję pokój. Z pewnością widziała już pani gospodę Sakai przy porcie.

Michiko przytaknęła.

– Niech pani przyjdzie, gdy będzie mogła. Będę na panią czekać.

Pani Sakai wstała. Michiko skłoniła się nisko, wdzięczna za nową szansę w życiu. Otarła łzy i głęboko zaczerpnęła powietrza. Pachniało wiosną jak tego dnia, gdy po raz pierwszy spotkała Kenzaburo.

Tej nocy Michiko rozmyślała o bogach i o tym, w jaki sposób kierują światem. Dzięki dobroci obcych osób, takich jak pani Sakai, nie wątpiła w ich obecność. Przy całym nieszczęściu wciąż wierzyła, że istnieje jakiś bóg, który pomógł jej, wysyłając do niej mądrą i współczującą kobietę, która uratowała ją przed rozpaczą. Być może było to zadośćuczynienie za to, że odebrał jej rodzinę, choć jest jeszcze tak młoda? A Kenzaburo? Czemu któryś z bogów dał jej największy prezent z możliwych, a potem odebrał go tak szybko i w tak okrutny sposób? Co ona takiego zrobiła, że spotkała ją tak wielka tragedia?

Wreszcie pomyślała również o własnej rodzinie, zwłaszcza o matce, i poczuła sam gniew. Wydawało się jej bowiem, że oto znalazła przyczynę swojego nieszczęścia: jej nędza rozpoczęła się wszak od momentu, gdy matka zdecydowała, żeby wysłać ją do Kioto. Michiko postanowiła, że nigdy nie odsunie się od Asako, nigdy jej nie zostawi – niezależnie od tego, jak trudno byłoby jej stać po stronie dziecka. Nie potrafiła znieść samej myśli o tym, że Asako mogłaby kiedykolwiek cierpieć tak jak ona.

Nie spała całą noc, drżąc z powodu coraz wyraźniejszego przekonania, że całe swoje życie cierpi dlatego, gdyż nigdy nie była wystarczająco kochana przez matkę.

W gospodzie pani Sakai zamieszkała w pustym, pozbawionym okien pokoju obok kuchni. Dzięki temu mogła jednocześnie pracować i zajmować się Asako. Inaczej niż elegancki i spokojny pensjonat pani Tamarai gospoda była raczej dość obskurną tawerną dla robotników portowych. Były tam jedynie dwa pokoje gościnne, a realne dochody przynosił głównie bar. W okresach natężenia pracy sezonowej w każdym pokoju gnieździło się około pół tuzina mężczyzn ściśniętych jak sardynki. Niektórzy spali bez pościeli, bezpośrednio na starym tatami z wypaloną papierosami nieskończoną liczbą śladów. Mimo to Michiko podobały się ten gwar i chaos. Miała nadzieję, że pulsujące w gospodzie życie pomoże jej uporać się z jej bezgranicznym smutkiem – i tak też się stało, przynajmniej w pewnym stopniu.

Michiko pracowała przede wszystkim w kuchni, przejmując obowiązki męża pani Sakai. Od czasu do czasu, gdy było wyjątkowo dużo klientów, pomagała też roznosić jedzenie i picie. Przy okazji musiała radzić sobie z narzekaniem i złośliwością sezonowych pracowników, co w miejscu takim jak to nie było niczym niezwykłym. A ponieważ Michiko była młoda i ładna, wielu z nich ją zaczepiało. Tylko ci, którzy znali Kenzaburo, zostawiali ją w spokoju z szacunku dla jej zmarłego męża.

Patrząc z boku na Michiko, można było pomyśleć, że w gospodzie Sakai zaczęła wszystko od nowa. W głębi jednak wiedziała, że śmierć Kenzaburo zakończyła również jej życie. Ale miała Asako, i to dla niej warto się było starać. Dziewczynka nie była ani trochę podobna do ojca i Michiko drżała na myśl o tym, że w takim razie życie małej będzie takiej jak jej. W jej twarzy trudno było dostrzec szlachetne rysy Kenzaburo. Asako wyglądała jak Michiko, z jej dużymi smutnymi oczami.

Męcząca praca w kuchni sprawiała, że czas mijał Michiko w mgnieniu oka, mimo to nie mogła zaznać spokoju. Często chodziła do portu i wpatrywała się w miejsce, w którym Kenzaburo wydał swoje ostatnie tchnienie. Dla niej tam właśnie był jego grób niezależnie od tego, co z jego zwłokami zrobiła rodzina. Tu ostatni raz go widziała i tu się z nim pożegnała.

Wciąż była zdruzgotana tym, co się wydarzyło, tak że nie mogła nawet przespać nocy. Cierpiała z powodu nawiedzających ją koszmarów, w których Kenzaburo umierał ciągle od nowa. Z czasem zaczęła walczyć z bezsennością za pomocą taniej sake, bo tylko po sporej ilości alkoholu na chwilę przysypiała. Zaczęła wówczas bardzo dobrze rozumieć, dlaczego piła pani Yoshida – żeby zapomnieć. Zastanawiała się czasem, jakie straszne wspomnienia chciała zatrzeć w swojej pamięci.

Minęło dziesięć lat, odkąd umarł Kenzaburo, i Michiko wyraźnie się postarzała. Jej zdrowa cera stała się matowa, najpewniej na skutek nadmiernego picia, a włosy stały się niemalże siwe, choć nie miała jeszcze trzydziestu lat. Smutek Michiko był nieuleczalny, a czas nie goił jej ran. Choć pilnie wykonywała swoją pracę, jej rosnące przywiązanie do alkoholu nie uszło uwagi pani Sakai.

– Pomyślże o małej Asako – tłumaczyła jej gospodyni. – Jest teraz w takim wieku, w którym człowiek się wszystkiego uczy. Czego może nauczyć się od matki, która ciągle jest pijana? Sądzisz, że dzięki sake uśmierzasz swój ból? Ale to nie jest prawda. Musisz go pokonać własną siłą, inaczej nigdy nie przestaniesz pić.

– Niech mi pani wybaczy, pani Sakai. Nie będę już więcej tego robić – obiecała Michiko, ale niewiele to znaczyło, bo zbyt długo była już uzależniona.

W końcu gospodyni sama zaczęła podupadać na zdrowiu i prowadzenie tawerny prawie całkowicie spadło na barki Michiko. Pani Sakai zaś większość czasu spędzała w swoim pokoju, bawiąc się z Asako. Staruszka traktowała Asako jak swoją wnuczkę. Wydawało się, że najmłodsza córka pani Sakai, Midori, również widzi w Asako swoją młodszą siostrzyczkę. Ale Midori postrzegała to nieco inaczej.

– Jestem coraz starsza i słabsza. Ostatnio wszystko mnie boli – powiedziała do niej pani Sakai, gdy pewnego dnia z powodu pogody miała silne bóle reumatyczne.

– Przejmiesz po mnie gospodę, gdy mnie już nie będzie, ale zanim umrę, chciałabym zobaczyć, jak wychodzisz za mąż.

– Podoba mi się to, że żyję tylko z tobą. Nie potrzebuję męża – odpowiedziała Midori.

Nie widziała powodu, żeby wychodzić za mąż jak jej siostry. Wiedziała, że będzie umiała prowadzić gospodę bez pomocy mężczyzny. Wydawała więc ciężko zarobione pieniądze swojej matki na jedwabne kimona i ozdoby do włosów. Jak większość rozpieszczonych dzieci myślała jedynie o własnych przyjemnościach i zachciankach. Choć ze swoim niskim czołem i wysuniętym podbródkiem nie była szczególnie atrakcyjna, to w drogich kimonach wyglądała jak egzotyczny kwiat, zwłaszcza w oczach klientów kantyny, ubranych w proste bawełniane ubrania i chodaki. Czuła się wśród nich niczym księżniczka, dlatego lubiła się im pokazywać. Wypełnianie życia kosztownymi rzeczami sprawiało jej wielką przyjemność i schlebiało jej próżności.

– Midori, pomyśl o tym, że nie będziesz wiecznie młoda. Teraz, gdy masz dwadzieścia kilka lat i jesteś świeża jak płatki wiosennych kwiatów, pewnie nie potrafisz sobie nawet wyobrazić, że kiedyś będziesz stara jak ja. Ale z czasem wszystko się zmienia. A to, jak teraz wykorzystasz swój czas, będzie miało konsekwencje w twoim późniejszym życiu.

– Nie martw się o mnie, mamo. Sama potrafię się o siebie zatroszczyć – odpowiedziała Midori z wyższością w głosie.

– Ale nie tylko to mnie martwi. Z gospody, nawet jeśli nie jest duża, można dobrze żyć. A my na szczęście mamy Michiko, która zrobi dla ciebie wszystko i nigdy cię nie oszuka. Martwię się jednak o to, że jesteś za bardzo skupiona na sobie. – Pani Sakai uśmiechnęła się smutno, gdy obrażona Midori odwróciła głowę. – Gdy przyszłaś na świat, nasza tawerna świetnie prosperowała i razem z ojcem bardzo cię rozpieściliśmy. Wcześniej nie mieliśmy zbyt wiele pieniędzy, dlatego gdy nagle ich przybyło, kupowaliśmy ci wszystko, co tylko chciałaś. Ale życie nie kręci się wokół ciebie, rozumiesz? – Pani Sakai starała się podejść do córki. – Musisz nauczyć się dzielić tym, co masz, z innymi. Tyle razy cię prosiłam, żebyś nauczyła Asako czytać, ale ty tego nie robisz. Dlaczego, Midori? Ona jest przecież dla ciebie jak młodsza siostra.

– Matko, Asako nie jest moją siostrą! – Midori odsunęła się od matki i spojrzała jej prosto w oczy. – Ona jest tylko córką naszej służącej. Dlaczego mam ją uważać za swoją siostrę?

– I właśnie dlatego nie nauczysz jej czytać?

– Tak, właśnie dlatego. Nie mam zamiaru bratać się z pracownikami.

– Jak możesz mówić coś takiego, Midori? – spytała zraniona kobieta. – Michiko i Asako są z nami od dziesięciu lat, a ty wiele razy bawiłaś się z małą. Patrzyłaś, jak dorasta, a Michiko troszczyła się o ciebie, jakbyś była jej młodszą siostrą. Czy nie robiła wszystkiego, o co ją prosiłaś?

Midori odwróciła głowę i milczała. Pani Sakai znała odpowiedź, więc mówiła dalej:

– Ciągle czegoś chciałaś, a Michiko starała się zrobić to najlepiej, bo jesteś moją córką. Jak możesz po tych wszystkich latach uważać je za naszą służbę?

– Jak mogę, matko? Mogę, bo one są służącymi – odpowiedziała Midori. – Zatrudniłaś Michiko, żeby pracowała w kuchni, i dałaś jej oraz Asako dach nad głową i jedzenie. Michiko pracuje dla nas. Nic więcej! Czy inni pomocnicy też są częścią naszej rodziny?

– Ale to jest coś zupełnie innego, Midori. Ci ludzie mają własne rodziny i wykonują określoną pracę, którą im zlecamy. A Michiko robi wszystko, o co ją poproszę. Dzięki niej mogę odpoczywać w swoim pokoju, nie martwiąc się o los gospody. Nie rozumiesz tego?

– Matko, uratowałaś jej życie. Przynajmniej w ten sposób może ci się odwdzięczyć.

Pani Sakai westchnęła. Nie wiedziała, co jeszcze mogłaby powiedzieć, poza tym czuła się słabo. Ale Midori ciągnęła kłótnię:

– Michiko powinna wiedzieć, kto jest panem tego domu. I zatroszczę się o to, gdy przejmę tawernę.

– Przykro mi to słyszeć, Midori. Michiko i Asako nie mają nikogo na świecie poza nami. Nie mają nawet dokąd pójść. A ty również będziesz potrzebować kogoś, kto pomoże ci prowadzić gospodę. Michiko pomogłaby ci we wszystkim, a Asako byłaby dla ciebie wielkim wsparciem. Ty i ona możecie żyć inaczej niż my, jeśli tylko chciałabyś ją czegoś uczyć.

– Matko! Jak możesz stawiać mnie na jednym poziomie z Asako? Ja jestem twoją córką, a Asako to córka służącej!

Pani Sakai pokręciła głową rozgoryczona.

– Midori, nie uważam, że jesteście takie same. Ale biedna Asako nie ma nikogo poza matką. – Nie mogła dalej mówić i nie wiedziała, czy to zwyczajny atak bólu, czy tak bardzo zraniły ją bezduszne słowa córki.

– Nie możemy nic poradzić na to, że Michiko pije. Ona sama jest sobie winna – dodała Midori.

– Muszę odpocząć, Midori. – Pani Sakai rozłożyła poduszki. – Pomyśl o tym, co ci powiedziałam. Mam nadzieję, że zmienisz zdanie. – Położyła się i zamknęła oczy.

Midori przygryzła wargi z wściekłości. Sympatia, jaką jej matka żywiła do Asako, rodziła w niej gwałtowną zazdrość. Dlatego postanowiła zadbać o to, aby Asako nie nauczyła się niczego, co przydałoby się jej do zarządzania gospodą. Bała się, że jeśli jej matka pożyje jeszcze kolejnych dziesięć lat, to w końcu przekaże tawernę Asako. Tylko jeśli dziewczyna niczego nie będzie umiała, Midori nadal będzie jej prawą ręką, a potem jedyną spadkobierczynią.

Midori zachowywała się okropnie w stosunku do Asako. Zakazywała jej wchodzić do pokoju pani Sakai i pilnowała, by dziewczynka przez cały dzień pracowała. Z powodu bólu kolan pani Sakai prawie w ogóle nie opuszczała sypialni i Midori postanowiła, że sama będzie jej przynosić posiłki. Co prawda kazała Michiko je przygotowywać, ale sama niosła tacę, by utrudnić jej jakąkolwiek komunikację z matką.

– Midori, czemu Michiko do mnie nie przyszła? – spytała pani Sakai ochrypłym głosem.

– Musiała wrócić do kuchni. Jest zbyt wiele do zrobienia – odpowiedziała Midori.

– A dlaczego od jakiegoś czasu nie widuję Asako? Gdzie ona jest?

– Chciałabym to wiedzieć, matko. Jest strasznie nieposłuszna i leniwa. Nie chce robić tego, co jej każę. Cały czas bawi się gdzieś na ulicy.

– Moja mała Asako? – Pani Sakai pokręciła głową. – Nie, to nie może być prawda.

– Matko, nie masz pojęcia, co się dzieje. Jestem tu jedyną osobą, która się o ciebie troszczy. Michiko albo pracuje w kuchni, albo pije, a Asako jest wszystko jedno, co się z tobą dzieje. Cóż za niewdzięczne dziecko!

– Ale, Midori, dlatego właśnie musisz uczyć Asako, jakby była twoją młodszą siostrą. Dzieci muszą się uczyć, bo gdy nie mają takiej możliwości, stają się niegrzeczne i schodzą na złą drogę.

– Matko, tak bardzo się staram wbić jej coś do głowy, ale Asako jest po prostu zbyt leniwa, żeby się uczyć.

Pani Sakai znów pokręciła głową.

– Czy mówisz mi prawdę, Midori? – Jej stare oczy popatrzyły na córkę.

Midori się zaczerwieniła.

– Nie wierzysz własnej córce?

– Może jest w tym trochę prawdy, ale znam Asako dobrze. To grzeczna dziewczynka. Potrzebuje tylko kogoś,

252

kto wskaże jej właściwą drogę, a jej matka jest myślami zawsze gdzie indziej.

– Ale to jest ich sprawa, matko! Czemu mam się zajmować cudzymi problemami? One powinny po prostu wykonywać swoją pracę. Jeśli sobie nie poradzą, to poszukam kogoś, kto da radę.

Starej kobiecie prawie pękło serce, gdy słyszała bezwzględne słowa córki.

– Czemu zachowujesz się w ten sposób, Midori? Ta gospoda zawdzięcza swój sukces dobrej woli ludzi, którzy tutaj pracują. Twój ojciec i ja założyliśmy to miejsce z myślą o setkach głodnych robotników portowych, którzy nie mieli pieniędzy. Oddaliśmy im nasze pokoje, żeby mieli dach nad głową. Tak zaczynaliśmy i to jest idea naszej gospody. Nie chcę, byś wykorzystywała swoją przewagę nad Michiko i jej córką. Jak mogę zostawić ci tawernę, skoro zachowujesz się w tak podły sposób?

– Co chcesz przez to powiedzieć, matko? – Midori nie wierzyła własnym uszom. – A komu miałabyś ją zostawić, jeśli nie własnej córce? Może Michiko i Asako?

– Nie to chciałam powiedzieć, Midori. Dla twojego dobra chciałabym, żebyś nauczyła czytać i pisać Asako, by mogła ci pomagać w prowadzeniu gospody. Świat szybko się zmienia i kobiety potrzebują wykształcenia. Mamy coraz więcej klientów i przyda ci się każda pomoc, jaką będziesz mogła otrzymać. Nie chcesz, żeby Asako cię w tym wspierała i była kimś więcej niż pomocą kuchenną?

– Nie potrzebuję niczyjej pomocy! – krzyknęła Midori.

– Asako jest córką głupiej służącej i też nie powinna być nikim więcej!

Pani Sakai z niedowierzaniem patrzyła na córkę. Przewróciła stolik z jedzeniem i opadła wyczerpana na poduszki.

– Nie mam apetytu. Natychmiast przyprowadź tu Asako – przykazała.

Wściekła Midori opuściła pokój matki. Nie przysłała do niej dziewczynki, ale pod koniec dnia sama poszła do pokoju Michiko. Gdy weszła, Asako aż podskoczyła ze strachu, a Michiko schowała butelkę z sake za plecami. Obie patrzyły bezradnie na Midori, która trzymała w ręce jedwabne kimono.

– Asako! – wrzasnęła Midori. – Co zrobiłaś z moim kimonem?

Przewróciła jasnoniebieski strój na drugą stronę tak, że stał się widoczny wzór – białe fale – i wskazała na kilka dużych brązowych plam na plecach.

– To nie ja! – krzyknęła dziewczynka. – Przysięgam, że ja nawet nie widziałam tego kimona, panienko Midori.

– Ty mała kłamczucho! Pewnie myślałaś, że dam ci je, gdy będzie poplamione. Dlatego je pobrudziłaś. – Midori podeszła do Asako i tak mocno uderzyła ją w twarz, że dziewczynka upadła na podłogę.

– Proszę, niech pani przestanie! – błagała Michiko. Zachowanie Midori sprawiło, że natychmiast wytrzeźwiała.

– Asako nigdy by czegoś takiego nie zrobiła, dobrze pani o tym wie.

– Za dużo pijesz, żeby móc trzeźwo myśleć – odbąknęła Midori. – Popatrz tylko! Ty i twoja córka. Dwie cwane kłamczuchy. Wiecie, co by zrobiła moja matka, gdyby się o tym dowiedziała? Obie by was z miejsca wyrzuciła!

Perspektywa znalezienia się na ulicy sprawiła, że Michiko prawie stanęło serce.

– Wybacz, panienko, tak mi przykro – zaczęła znów błagać. Upadła na kolana i pochyliła się aż do podłogi. – To się już nigdy nie zdarzy. Proszę, wybacz jej.

– Masz pojęcie, ile to kimono kosztowało?! – krzyczała Midori do leżącej u jej stóp Michiko. – Musiałabyś tu pracować do końca swojego życia, żeby je odkupić!

Michiko spojrzała na nią.

– Proszę, panienko, Asako to jeszcze dziecko. Nie wiedziała, co robi. Ukażę ją surowo i usunę te plamy.

Midori rzuciła kimono na podłogę i patrzyła ze złością na matkę i córkę, które pochylały nisko głowy.

– Asako, wstań – warknęła Midori, a Asako niemalże podskoczyła ze strachu.

Gdy tylko stanęła przed Midori, ta znów uderzyła ją w twarz.

– To, żebyś nie myślała, że będę tolerować złe zachowanie. U kogokolwiek! – wrzasnęła i wyszła energicznie z pokoju.

Gdy tylko zatrzasnęła za sobą drzwi, Michiko wzięła na ręce płaczącą córkę. Przeszedł ją zimny dreszcz, gdy dostrzegła podobieństwo między Midori a panią Tamarayą. Była zrozpaczona, bo nie potrafiła ochronić Asako. W tym układzie przypadła jej rola pani Yoshidy.

Od tego dnia Michiko biła Asako na oczach Midori, jak tylko znalazła powód, by ją ukarać. Ale gdy były same w pokoju, smarowała specjalną maścią skórę córki i uśmierzała jej ból za pomocą mochi ze słodką czerwoną fasolą.

– Moja biedna Asako, bolało, prawda? Ale jest lepiej, gdy ja cię biję, niż gdyby ona miała to robić. Nie byłabym w stanie na to patrzeć – powiedziała Michiko, opróżniając kubek z sake. – Pewnego dnia to wszystko się skończy. Tak czy inaczej.

Z każdą zimą pani Sakai stawała się coraz słabsza, aż w końcu choroba przykuła ją do łóżka. Mimo że jej stan był bardzo ciężki, wciąż to ona zarządzała gospodą. Codziennie kazała Midori zdawać raport z tego, co się dzieje w tawernie, żeby przygotować ją do przejęcia wszystkich obowiązków. Gdy krótko przed shunbun no hi – równonocą wiosenną – Midori zatrudniła pielęgniarkę, wszyscy sądzili, że koniec starszej pani jest bliski. Michiko przygotowywała dla niej posiłki z największą starannością, a przy każdym z nich odmawiała za nią modlitwę. Wiedziała jednak, że nie może powstrzymać jej śmierci. Poczuła więc wielką ulgę, gdy z nadejściem wiosny starsza pani za sprawą jakiegoś cudu zaczęła czuć się lepiej. Wiosną także Asako obchodziła urodziny. Z tej okazji Michiko podarowała jej jak co roku pudełko pełne mochi z nadzieniem z fasoli.

– Asako, tak się cieszę, że masz już szesnaście lat – powiedziała czule Michiko, patrząc na coraz piękniejszą córkę. – Jesteś już znacznie rozsądniejsza niż twoja matka…

I była to prawda. Bo Michiko z wiekiem piła coraz więcej. Przestała solidnie pracować i zaniedbywała swoje obowiązki, tak że większość zadań w kuchni spadała na Asako.

– Nie mogę uwierzyć, że jesteś już taka dorosła – mówiła dalej Michiko. – Gdyby tylko twój ojciec mógł cię zobaczyć...

Jej oczy wypełniły się łzami jak zawsze, gdy mówiła o Kenzaburo.

– Nie płacz, mamo – prosiła Asako. – To jest dobry dzień, nie pora na smutki.

– Asako, moja mała, dziękuję, że to wszystko znosisz. Twoja matka jest beznadziejną alkoholiczką i nic nie może dla ciebie zrobić. – Z poczucia winy i wstydu Michiko spuściła głowę.

– Ale nie zapomniałaś kupić mi ulubionego mochi z okazji moich urodzin. I jesteś ze mną. Więcej nie potrzebuję. Chcę tylko, byś przy mnie była. – Asako uścisnęła jej ręce. – Dziękuję za prezent, mamo.

– Jesteś kochaną dziewczynką, Asako. – Oczy Michiko wciąż były wilgotne od łez. – Pewnego dnia również panienka Midori to dostrzeże.

– Jestem do tego przyzwyczajona, mamo – powiedziała Asako. – Nie martw się. – Ale teraz i jej łzy napłynęły do oczu.

– Nie czuj nienawiści do panienki Midori. Gdy cię bije, robi to, żeby udowodnić, że jest lojalna wobec swojej rodziny. Nie powinnyśmy jej nienawidzić, to przecież córka pani Sakai. A bez pani Sakai już dawno obie byśmy nie żyły. Wiesz przecież, że... – Michiko nagle urwała i wybuchła płaczem.

– Wiem, mamo, i robię wszystko, żeby nie denerwować panienki Midori.

– Nigdy nie zapomnij o tym, co zrobiła dla nas pani Sakai – dodała Michiko cicho.

Asako przytaknęła.

– Nie zapomnę, mamo. Ale naprawdę bym chciała, żebyś mniej piła. Boję się na samą myśl o tym, że przez sake pewnego dnia zostawisz mnie samą na tym świecie.

– Tak mi przykro, Asako. Będę próbowała, ale... wybacz mi. – Pełna poczucia winy opuściła głowę, bo dobrze wiedziała, że nie potrafi przestać.

Spojrzała na swoje stwardniałe dłonie i srebrną obrączkę, którą nosiła na palcu. Asako wiedziała, że matka myśli o ojcu. Długie rzęsy zasłoniły oczy Michiko, przez co jej twarz wydawała się jeszcze bardziej ponura.

– Asako, chciałabym, żebyś dzisiaj odpoczęła – powiedziała Michiko na koniec. – Dzisiaj ja zajmę się kuchnią. Nie chcę, żebyś pracowała we własne urodziny.

– Nie, mamo. Nie dasz rady zrobić sama wszystkiego.

– Bzdura. Przecież kiedyś to był mój obowiązek, nie pamiętasz? – Uśmiechnęła się blado. – Asako, posłuchaj. Czuję się lepiej, a moja mała córeczka właśnie przestała być dzieckiem. – Michiko odwróciła twarz i otarła łzy.

– Nie płacz już, mamo. Wszystko jest dobrze, dopóki tu jesteś.

Michiko przytuliła się do niej.

– Gdyby tylko twój ojciec mógł cię zobaczyć! Naprawdę nie mogę się już doczekać, kiedy znów z nim będę w niebie.

Uścisnęła córkę i poczuła ciepło jej młodego ciała.

Tego dnia Michiko poszła sama na targ i nie wróciła. Mijały dni, ale nie było od niej żadnej wiadomości. Asako szukała jej w ciągu dnia, a nocami płakała za nią przez sen. W swoich koszmarach widziała matkę martwą, straciła więc nadzieję, że kiedykolwiek się zjawi. Po szesnastu dniach znaleziono w porcie jej rozkładające się zwłoki. Asako zaś przyniesiono jedyną rzecz, którą posiadała – srebrną obrączkę.

Ziścił się najstraszniejszy lęk Asako – była sama na świecie. Tęskniła za smutną twarzą swojej matki i za jej szorstkimi rękami, które zawsze pachniały rybą. Tęskniła za pustym wzrokiem Michiko i jej długimi westchnieniami. Włożyła obrączkę matki na palec i obiecała sobie, że nigdy jej nie zdejmie. Często dotykała jej, myśląc o matce, tak jak Michiko, tęskniąc za Kenzaburo. Asako miała tylko nadzieję, że rodzice są razem w niebie i że matka wreszcie odnalazła spokój. Czasami się zastanawiała, czy jej rodzice nie byliby szczęśliwsi, gdyby ona nigdy się nie urodziła.

Asako wyglądała na wyjątkowo spokojną, choć wiodła ciężkie życie sieroty. Pracowała jeszcze więcej niż zwykle, nie pozwalając sobie na odpoczynek. To był jej sposób na to, żeby nie zadręczać się przeszłością i nie poddać się rozpaczy, która zabiła jej matkę. Zaczęła tylko odczuwać ogromną niechęć do mochi z nadzieniem z czerwonej słodkiej fasoli. Dostawała po nich mdłości.

Midori natomiast nie zachowywała się już tak wrogo wobec Asako. Na miejsce Michiko zatrudniła nową pomoc kuchenną, a Asako zostawiła jej obowiązki i pokój, w którym dorastała. Dziewczyna była jej wdzięczna, że nie wyrzuciła jej na ulicę. Miała jednak świadomość, że Midori trzyma ją w gospodzie tylko ze względu na panią Sakai, której stan zdrowia tak się pogorszył, że było tylko kwestią czasu, kiedy Asako straci jej ochronę i wsparcie. Chociaż Midori słabo jej płaciła, Asako pracowała do upadłego i starała się nie popełniać żadnych błędów oraz niczym nie denerwować panienki. W końcu nie miała już matki, która mogłaby ją chronić i pocieszać.

Pani Sakai mocno odczuła śmierć Michiko, uznała jednak, że lepiej będzie, jeśli nie będzie zbyt mocno okazywać Asako swojego smutku. Pewnego dnia poprosiła Midori i Asako do siebie. Siedziała przy oknie, przez które wpadało ciepłe popołudniowe powietrze.

– Matko, nie jest ci zbyt trudno tak siedzieć? – spytała z troską Midori.

– Czuję się dzisiaj bardzo silna. Prawdopodobnie to zupa z młodego żółwia dodała mi energii. – Pani Sakai uśmiechnęła się do Asako, która klęczała nieśmiało obok Midori. – Jesteś już prawie dorosła, Asako! Nie widziałam cię już od dawna. Czemu mnie nie odwiedzasz?

Asako była przerażona tym, jak bardzo pani Sakai się postarzała. Jej włosy były zupełnie białe, a szyja i plecy tak wygięte, że głowę miała opuszczoną jak więdnąca lilia.

– Niech mi pani wybaczy, miałam tyle do zrobienia – powiedziała i poczuła lodowaty wzrok Midori. – Poza tym mama zawsze mi powtarzała, że nie powinnam pani przeszkadzać.

– Cóż za głupoty mówiła twoja mama! Moje biedactwo.

– Pani Sakai pokręciła głową, ale już po chwili zmieniła ton głosu: – Twoja mama miała obowiązek cię wychować, a gdy go wypełniła, odeszła do twojego ojca, do nieba. Rozumiesz, Asako?

Asako przytaknęła, powstrzymując płacz.

– Teraz musisz znaleźć sobie męża i założyć własną rodzinę.

Asako się zaczerwieniła i uśmiechnęła smutno, bo ta uwaga przypomniała jej, że jest sama na świecie.

– Jedna z moich córek mnie nie posłuchała – pani Sakai uśmiechnęła się nieco złośliwie do Midori – ale ty powinnaś posłuchać starej kobiety jak ja. Wyjdź za mąż i miej wiele dzieci. To będzie dla ciebie najlepsze. Rozumiesz?

Asako przytaknęła posłusznie, chociaż do tej pory nie myślała o małżeństwie.

– Midori – pani Sakai zwróciła się teraz do córki. – Zatroszcz się, proszę, o to, żeby Asako wyszła za mąż za dobrego człowieka. Byle tylko nie był żeglarzem! Asako nie ma już nikogo na tym świecie, więc będzie potrzebowała mężczyzny, który będzie ją wspierał, a nie takiego, którego pochłonie woda. Rozumiesz?

– Tak, matko – powiedziała Midori.

– Midori, moja córko – zaczęła jeszcze raz pani Sakai niemalże tęsknie – przejmiesz naszą gospodę, gdy umrę.

– Matko... – Midori opuściła głowę z szacunkiem.

– Ale nie możesz zapomnieć o jednym – kontynuowała pani Sakai. – Jeśli nie będziesz dobrze traktować swoich ludzi, także goście nie będą się tu dobrze czuli. Pamiętaj, żeby traktować innych tak, jak sama byś chciała być traktowana. Każdy pewnego dnia musi umrzeć i wtedy nie będzie mieć znaczenia, ile pieniędzy spoczywa pod poduszką czy ile jedwabnych kimon leży na półce.

Midori słuchała spokojnie, ale Asako czuła się przy niej nieswojo.

– Jestem niewykształconą kobietą – głos pani Sakai był cichy, ale wyraźny – mimo to udawało mi się z powodzeniem prowadzić tę gospodę. Jest mała i trochę zaniedbana, ale goście czują się tu dobrze, a ja staram się oferować im to, co najlepsze. W przeciwieństwie do mnie, Midori, ty zdobyłaś wykształcenie, więc tym bardziej możesz zrobić wiele dla innych.

Midori spojrzała z troską na matkę, która musiała chwilę odpocząć.

– Midori, moja córko – usta starej kobiety były spierzchnięte, ale w oczach stanęły jej łzy. – Jesteś teraz dorosłą kobietą. Jesteś mądra i wierzę, że dobrze będziesz prowadzić naszą tawernę. Ale pamiętaj, że żaden interes nie będzie kwitł bez ciężkiej pracy i życzliwości wobec innych.

Midori obserwowała, jak jej matka walczy z wyczerpaniem, a jej oczy stają się coraz bardziej zamglone.

– Potrzebuję teraz trochę snu. Jestem bardzo zmęczona.

Oznaczało to, że Midori i Asako powinny sobie pójść.

Pani Sakai zaczerpnęła głęboko powietrza przez nos i zamknęła oczy. Westchnęła jeszcze krótko i zasnęła. Umarła spokojnie we śnie, zanim Midori wróciła do jej pokoju z popołudniową herbatą.

Po śmierci pani Sakai Midori skoncentrowała się na prowadzeniu gospody i wyraźnie zmniejszyła swoje wydatki na luksusowe rzeczy. Zainwestowała pieniądze w odnowienie tawerny, wymieniła stare tatami i papier ryżowy w shoji. Rzeczywiście starała się prowadzić rodzinny interes tak, jak radziła jej matka. I choć Asako była miło zaskoczona jej postawą, była coraz bardziej niepewna swojej sytuacji. Wykonywała po cichu swoją pracę, nie mając ani wrogów, ani przyjaciół.

Czas płynął jak woda i gospoda Sakai funkcjonowała coraz lepiej. Midori stała się zaradną kobietą interesu, czego nikt się po niej nie spodziewał. Miała krótki romans z przystojnym i o wiele od niej młodszym robotnikiem, który przyjechał do Osaki w poszukiwaniu pracy, ale gdy okazało się, że ma żonę i dziecko, z obawy przed kolejnymi upokorzeniami Midori zaczęła unikać dwuznacznych relacji z mężczyznami.

Asako również miała okazję się zakochać. Gdy miała już prawie trzydzieści lat, poznała Yojiego Yamaguchi. Yoji dostarczał węgiel do gospody i był jedną z niewielu osób, które Asako spotykała regularnie. Chociaż wymieniali z sobą jedynie pozdrowienia, Asako czuła, że są do siebie podobni. Była zaskoczona, jak bardzo uspokajała ją jego obecność, bo przy większości ludzi czuła się niepewnie, i swobodę tę uznała za znak, że Yoji to dobry człowiek. Gdy patrzyła, z jaką sumiennością układa przywieziony dla nich węgiel, przypomniała sobie, co powiedziała pani Sakai przed śmiercią. Może to właśnie Yoji był tym mężczyzną, którego mogłaby poślubić i z którym mogłaby mieć wiele dzieci? Wydało się jej to dziwne, ale wiedziała, że to jest ten mężczyzna. Także Yoji czuł, że Asako do niego pasuje. Minął jednak jeszcze cały rok, nim odważył się do niej zbliżyć. Zaledwie kilka tygodni po tym, jak zamienili z sobą pierwsze słowa, przestraszony Yoji, który miał już trzydzieści trzy lata i nigdy jeszcze nie starał się o żonę, zaproponował Asako małżeństwo. Ku jego zaskoczeniu ona jedynie skinęła głową, jakby oczekiwała tych oświadczyn.

– Myślę, że będziesz dobrą żoną – powiedział do niej i zaczerwienił się jak chłopiec. – I sądzę, że spodobasz się mojej matce.

– Mojej matce też byś się spodobał, ale zmarła, gdy miałam szesnaście lat.

– A ojciec? – spytał Yoji.

– Zmarł, gdy byłam jeszcze bardzo mała. Nie pamiętam go.

– Ja też straciłem ojca i rodzeństwo. Jestem jedynym dzieckiem, które przeżyło. Wychowała mnie matka i teraz jesteśmy na tym świecie we dwoje: ona i ja – powiedział Yoji. – Ale wkrótce będziemy we troje i mam nadzieję, że pojawi się również kilkoro dzieci.

Asako zaczerwieniła się pełna nadziei. Gdy zobaczyła, jak Yoji się uśmiecha, poczuła, że pierwszy raz w życiu jest zakochana.

– Moja matka nigdy nie sądziła, że znajdę sobie tak piękną pannę młodą jak ty – Yoji uśmiechnął się jeszcze szerzej, odsłaniając zęby, które w jego twarzy poczerniałej od węgla zalśniły śnieżną bielą. – Będzie nas namawiać, żebyśmy mieli wiele dzieci, no i chciałaby cię prosić, żebyś wprowadziła się do nas od razu, jeśli to możliwe.

Asako wyobraziła sobie, jak to będzie mieć własną rodzinę, własne dzieci i dom. Dotknęła srebrnej obrączki matki. Miała nadzieję, że rodzice patrzą na nią z nieba.

Midori była zupełnie oszołomiona planami Asako i Yojiego. I choć mówili jej, że to matka pana młodego życzy sobie szybkiego ślubu, to podejrzewała, iż to jej wcześniejsze zachowanie wobec dziewczyny przyspieszyło cały proces.

Midori bardzo chciała się pojednać z Asako, pragnęła, żeby jej wszystko wybaczyła, ale nie miała na to zbyt wiele czasu. Nie mogła znieść myśli, że Asako opuści Sakai w ten sposób. Postanowiła więc znaleźć okazję, żeby zadośćuczynić jej za wszelkie krzywdy i zniewagi.

– A może mogłabym zorganizować wam ślub? – spytała ostrożnie. – Nie mogę obiecać, że będzie to bardzo wystawne przyjęcie, ale…

Asako pokręciła głową z uśmiechem pełnym wdzięczności, nie pozwalając jej dokończyć zdania.

– To bardzo miłe z pani strony, panienko Midori, ale chcemy mieć jedynie prostą ceremonię w rodzinnym mieście mojego przyszłego męża, w małej kaplicy.

– Tak, oczywiście... – odpowiedziała Midori, starając się ukryć zakłopotanie. – A wiesz może, która to kaplica?

– Proszę mi wybaczyć, ale wiem tylko, że moja teściowa brała tam ślub. To jest poza Osaką, a ona nalegała, żebyśmy pobrali się właśnie tam.

– Rozumiem. To musi dla niej wiele znaczyć.

– Słyszałam, że to nie jest daleko stąd – dodała Asako.

– A może ja też mogłaby wziąć udział w ceremonii jako twoja rodzina... Oczywiście, jeśli byś chciała...

Spojrzenia obu kobiet się spotkały. Asako było zaskoczona propozycją Midori.

– Ale musiałabyś tego chcieć – dodała Midori.

– Cóż, to jest naprawdę bardzo mała ceremonia. Tylko my dwoje i moja teściowa. Nie zaprosiliśmy nikogo więcej, panienko Midori – wyjaśniła Asako przepraszająco.

– Tak, rozumiem – powiedziała Midori.

– Przykro mi. Mój mąż nie ma żadnej rodziny, którą moglibyśmy zaprosić, a ja nie chciałabym... – Asako opuściła głowę.

– Już dobrze, Asako, rozumiem. Ale chętnie urządziłabym ci wesele. Moja matka byłaby szczęśliwa – dodała cicho.

Gdy Midori wspomniała o pani Sakai, oczy Asako wypełniły się łzami.

– Nie zapomnę pani życzliwości. To, że zaoferowała nam pani pomoc, znaczy dla mnie bardzo wiele.

– Asako... – Jej głos drżał ze wzruszenia. – Tak mi przykro. Mam nadzieję, że kiedyś mi wybaczysz.

– Panienko, proszę...

– Nie pamiętaj mnie wyłącznie źle. Byłam wtedy samolubną młodą dziewczyną. Nie jestem złym człowiekiem. Proszę, nie nienawidź mnie.

– Nigdy nie będę panienki nienawidzić. Nigdy też nie zapomnę pani dobroci i pani wspaniałej matki. – Łzy ponownie napłynęły Asako do oczu.

– Asako… – Midori wyciągnęła do niej rękę i obie spojrzały na siebie, płacząc. – Żałuję tego, co zrobiłam, ale nie cofnę już czasu. Mogę się tylko postarać, żeby lepiej układało nam się w przyszłości. Powiedz mi, proszę, jeśli będę mogła cokolwiek dla ciebie zrobić.

– Wszystko zostało zapomniane. Wciąż jestem pani bardzo wdzięczna za to, że po śmierci mojej matki zatrzymała mnie pani u siebie – wyznała Asako i skłoniła się nisko.

– Zawsze będę pani za to wdzięczna. Chciałabym tylko, żeby moja matka i pani Sakai wciąż z nami były.

– Z pewnością patrzą na nas z nieba, Asako, i cieszą się twoim szczęściem.

Obie uścisnęły się serdecznie. Midori wreszcie zrozumiała, co miała na myśli jej matka. Asako mogłaby być jej młodszą siostrą. Wiedziała jednak, że na to było już za późno.

Wieczorem, tuż przed przeprowadzką Asako pakowała swoje rzeczy. Wydało się jej zabawne, że wszystko, co miała w życiu, zmieściło się w jednej niewielkiej torbie. Rozejrzała się po pustym pokoju i poczuła znajome zapachy: starego tatami, smażonej ryby, słonawą woń suszonych alg i słaby aromat wina śliwkowego, które tak lubiła jej matka. Pożegnanie z pokojem, w którym spędziła całe swoje życie, wydawało się jej jak sen.

Usłyszała nagle, że ktoś zbliża się do drzwi.

– To ja, Midori. Czy mogę wejść? – spytała gospodyni cichym głosem.

Asako zerwała się, żeby otworzyć drzwi. Midori stała przed nią uśmiechnięta z dużym pudełkiem zawiniętym w czerwony jedwab.

– Proszę, niech pani wejdzie, panienko Midori. – Asako odsunęła się na bok, żeby właścicielka mogła przejść.

– Już wszystko spakowałaś – zauważyła Midori i rozejrzała się po pustym pokoju.

– Tak, panienko. Nie było tego dużo. – Asako się uśmiechnęła i zaproponowała jej, żeby usiadła na zabutonie.

– To prawda. – Midori spojrzała na torbę stojącą w kącie. – A więc jutro rano przyjedzie tu po ciebie twój przyszły mąż, tak?

– Tak, musimy wyjechać zaraz przed świtem – odpowiedziała Asako.

– Rozumiem.

– Oczywiście mamy zamiar jeszcze tu przyjechać, żeby się pożegnać. Nie będę pani budzić tak wcześnie rano.

– Cóż, jestem tutaj teraz.

Asako zobaczyła, że w oczach Midori lśnią łzy, a po chwili zaczęły spływać po jej policzkach. Obie kobiety siedziały na podłodze i starały się ukryć wzruszenie.

– Asako, jest mi naprawdę smutno, że odchodzisz. Czuję się tak, jakbym właśnie traciła młodszą siostrę. Oczywiście jestem też bardzo szczęśliwa, że znalazłaś sobie męża i że niebawem założysz rodzinę. Z pewnością będziesz kochającą żoną i matką.

Asako drżała, starając się powstrzymać łzy.

– Dziękuję, panienko. – Udało jej się ukłonić.

– Proszę, Asako, to trochę pieniędzy. Nie jest tego wiele, ale to mój prezent dla ciebie. – Midori podała jej kopertę.

– A to jest jedwabne kimono na twój ślub. – Wysunęła pudełko w stronę Asako. – Chciałabym, żebyś jutro je włożyła. Myślę, że będziesz w nim dobrze wyglądać.

– Panienko, to niemożliwe, ja nie mogę... – Asako kręciła głową przytłoczona hojnością Midori. – Nie zasługuję na tak wielki prezent.

– Nikt nie zasługuje na niego bardziej niż ty – stwierdziła Midori. – Byłoby dla mnie straszne, gdybyś go nie wzięła. Proszę, Asako, nie zawstydzaj mnie.

Asako ukłoniła się nisko, potem spojrzała na Midori, która była już panią w średnim wieku. Samolubna dziewczyna dawno gdzieś zniknęła.

– Mam nadzieję, że któregoś dnia będziesz potrafiła mi wybaczyć, Asako – dodała Midori ze łzami w oczach.

Asako odpowiedziała głębokim ukłonem. Rozpłakała się przy tym na dobre.

– Asako. – Midori uścisnęła jej dłoń. – Mam nadzieję, że urodzisz wiele dzieci i będziesz miała dużą rodzinę.

Asako skłoniła się ponownie. Chciała coś powiedzieć, ale brakowało jej słów. Widziała łzy w oczach Midori i po raz pierwszy dostrzegła podobieństwo między nią i panią Sakai. Była przecież jej córką.

W przeciwieństwie do tego, co Yoji powiedział Asako, jego matka była niemile zaskoczona, że syn chce się żenić. Ojciec i brat Yojiego zmarli ponad trzydzieści lat temu, gdy ich rodzinną wioskę zdziesiątkowała epidemia cholery. Jego matka przeprowadziła się wraz z nim do Osaki i nie wyszła ponownie za mąż. Całą swoją uwagę skupiła więc na ukochanym synu, który często chorował i był nieśmiały w kontaktach z ludźmi. Jego nagłe obwieszczenie przeraziło więc ją do szpiku kości.

– Co to znaczy, że nikogo nie ma? Jest sierotą? – Zagniewana matka starała się dowiedzieć wszystkiego o narzeczonej syna. Wzięła swój koszyk z przyborami do szycia i zbliżyła się do Yojiego. – Jeśli jest zupełnie sama, to znaczy, że to sierota!

Yoji wyprostował się, gdy matka usiadła obok niego.

– Nie, nie jest. Jej matka zmarła, gdy miała szesnaście lat, a ojciec, gdy była jeszcze niemowlęciem. Miała więc rodziców.

– A jak to się stało, że zmarli tak młodo? – zapytała podejrzliwie. – Może jest w ich rodzinie jakaś straszna dziedziczna choroba? Nie sądzisz, Yoji? Albo ciąży nad nimi klątwa?

– Nie mów tak! – zdenerwował się Yoji. – Nie cieszysz się, że wreszcie znalazłem sobie narzeczoną?

– Skądże, oczywiście, że się cieszę – powiedziała, ale niezbyt przekonująco. – Muszę się jednak upewnić, że dokonałeś dobrego wyboru. Jesteś moim jedynym synem. Nie zniosłabym tego, gdyby jakaś obca kobieta zrujnowała ci życie.

Yoji pokręcił głową.

– Dlatego powinnaś się cieszyć, że spotkałem Asako. Będzie się nami opiekować i urodzi mi dzieci. Twoje wnuki. Nie rozumiesz tego?

– Mam nadzieję, że jest na to wystarczająco zdrowa – powiedziała szczerze, ale z ironicznym uśmiechem.

– Oczywiście, że jest. Będziesz zadowolona. Wiesz przecież, że jeszcze nigdy nie podobała mi się żadna kobieta. Zobaczysz, matko, ta jest dla mnie odpowiednia.

Matka Yojiego jeszcze nigdy nie widziała, żeby jej syn był tak kimś zauroczony. Zawsze był zamknięty w sobie, dlatego mogła go mieć tylko dla siebie. Teraz zaś znalazł sobie kogoś innego, kto będzie się o niego troszczył. Zadrżała na samą myśl o tej kobiecie.

– Musi się zachowywać przyzwoicie w każdych okolicznościach – syknęła rozgoryczona staruszka. – W przeciwnym razie będzie mieć ze mną do czynienia.

– Matko, radzę ci, żebyś była dla niej miła i nie mówiła przy niej takich rzeczy.

– Jeśli ma mieszkać z moim synem w moim domu, to będę jej pilnować niezależnie od tego, ile będę musiała w to włożyć wysiłku.

– Asako jest dobrą kobietą. Po prostu bądź dla niej miła. Nie musisz się o nic martwić – powiedział Yoji, próbując zakończyć kłótnię.

– Zobaczymy, czy rzeczywiście jest taka dobra. A jeśli nie...

– Wtedy co?! – Yoji podniósł głos. Nie mógł już znieść tego złośliwego tonu i wyglądał na tak zdenerwowanego, że matka otworzyła usta ze zdziwienia. – Jeśli nie będziesz miła dla Asako, nie będziesz mogła z nami mieszkać.

Nie mogła uwierzyć własnym uszom. Jej jedyny syn, jej cały świat stawiał przed nią kobietę, którą dopiero poznał.

– Co ty powiedziałeś?! – krzyknęła z niedowierzaniem.

– Nie będę z wami mieszkać?! Chcesz wyrzucić z domu swoją matkę dla kobiety, którą ledwie znasz?

Yoji zaczerpnął głęboko powietrza.

– Przykro mi, ale chciałbym tylko, żebyś była życzliwa dla mojej żony – powiedział. – Powinna czuć się dobrze w swoim nowym domu. To wszystko. Nie chcę kłótni tylko z tego powodu, że ty chcesz o wszystkim decydować. Sama wiesz, że potrafisz być bardzo trudna...

Drobne ciało jego matki drżało z wściekłości.

– Mówisz tak do mnie po wszystkich latach, które dla ciebie poświęciłam? – zbeształa go. – Stawiasz tę obcą kobietę wyżej ode mnie, swojej biednej owdowiałej matki, która wychowała cię zupełnie sama? – Dobyła z siebie przesadny szloch, którego nie powstydziłaby się dobra aktorka.

Yoji pokajał się wylewnie, prosząc ją o wybaczenie. Zdawał sobie sprawę, że właśnie zostało przekreślone jego marzenie o spokojnej, kochającej się rodzinie. Wiedział, że jego matka będzie za wszelką cenę próbowała rządzić i wszystko kontrolować. Był też świadom, że najbardziej bała się tego, że go straci. Stanowił jedyny sens jej życia. Najbardziej jednak martwiło go to, że w żaden sposób nie mógł zmienić tej sytuacji.

Po ślubie Asako wprowadziła się do Yojiego i jego matki. W małym domu były jedynie dwie sypialnie, oddzielone suwanymi drzwiami, więc młoda para miała niewiele prywatności. Mimo to Asako szybko przystosowała się do nowych warunków i okazała się dobrą żoną i posłuszną synową. Staruszka nie mogła jej zbyt wiele zarzucić, nawet jeśli ze wszystkich sił próbowała znaleźć choćby jakiś drobiazg. Asako starała się nigdy nie kwestionować wymagań teściowej oraz nie ignorować jej poleceń. Mimo to matkę Yojiego tak bardzo bolało to, że musiała się dzielić synem z inną kobietą, że nie mogła spać w nocy. Szybko więc podupadła na zdrowiu i pod koniec zimy zmarła na zapalenie płuc.

Jej niespodziewana śmierć była dla małżonków dramatycznym wydarzeniem. Chociaż staruszka nie ułatwiała im życia, Asako czuła się, jakby znów zmarła jej matka. Yoji natomiast czuł również ulgę, bo wreszcie nie musiał manewrować między obiema kobietami.

Asako i Yoji istnieli teraz tylko dla siebie i prowadzili spokojne życie. Co prawda nigdy nie mieli zbyt wiele pieniędzy, ale nie cierpieli też biedy. Asako nigdy jeszcze nie była tak szczęśliwa i na zawsze zapamiętała ten czas jako najwspanialszy w całym jej życiu. Niecały rok po śmierci teściowej Asako urodziła córkę, którą nazwali Miho Yamaguchi. Dziewczynka dostarczyła młodym rodzicom wiele radości, ale wkrótce po jej narodzinach również Yoji zachorował bez wyraźnego powodu, tak jak jego matka. Asako robiła wszystko, żeby wrócił do zdrowia. Zabierała go do różnych lekarzy, dawała rozmaite lekarstwa. Nikt jednak nie wiedział, co mu było, i mimo pełnej poświęcenia opieki Yoji stawał się coraz słabszy, aż w końcu nie był w stanie pracować. Zdesperowana Asako zaczęła sprzedawać tofu i wkrótce stało się to głównym źródłem ich utrzymania. Mała Miho rosła, ale rachunki od lekarzy były coraz wyższe, a stan Yojiego się nie poprawiał, więc Asako nie mogła poświęcić jej wystarczającej uwagi. Pracowała dniami i nocami, mieliła soję i przygotowywała tofu, które dostarczała rankiem. I cieszyła się, że Miho jest samodzielnym dzieckiem, niepotrzebującym zbyt wiele uwagi, ale jednocześnie czuła się winna, że cały czas zostawia dziewczynkę z niedomagającym mężem, który przez cały dzień leży w łóżku.

Linia życia Yojiego stawała się coraz cieńsza, a mężczyzna często wędrował w myślach do swojej zmarłej matki. Gdy tylko zasypiał, śniło mu się, że matka prosi go, by złapał ją za rękę i poszedł za nią. Budził się wtedy zlany zimnym potem, nie mogąc zapomnieć obrazu jego wychudzonej matki, która chciała go zabrać do siebie.

Pewnego zimnego wiosennego popołudnia Asako przyniosła dla Yojiego żywego żółwia z targu. Zobaczyła, że mąż razem z Miho ucinają sobie drzemkę, więc poszła do kuchni, włożyła młode zwierzę do drewnianego wiadra i nalała do niego wody. Żółw zdawał się cieszyć tym, że znów się zamoczył, a Asako wrzuciła mu do wiadra liście rzodkwi. Bardzo istotne było utrzymanie zwierzęcia przy życiu, by móc później wykorzystać jego krew. Asako automatycznie zaczęła ostrzyć nóż kuchenny, a potem podniosła żółwia i opłukała dokładnie czystą wodą. Zwierzę poruszało energicznie nóżkami, jakby płynęło pod prąd, zupełnie nieświadome tego, że jego ciepłe mięso i krew mają wzmocnić słabnące ki Yojiego.

Asako owinęła żółwia w bawełnianą szmatkę i położyła na desce do krojenia. Złożyła ręce na sercu i pomodliła się, żeby ki gada przeszło na Yojiego. Następnie podcięła zwierzęciu gardło i zebrała płynącą krew do porcelanowej miski, a wraz z nią jego życiową siłę. Następnie Asako weszła z miseczką do pokoju, gdzie Yoji i Miho wciąż głęboko spali, trzymając się czule za ręce. Scena ta wywołała szczery uśmiech na jej twarzy. Pomyślała, że to niezwykle piękne, gdy ojciec i córka są sobie tak bliscy. Sama nigdy się nie przekonała, jakie to uczucie. Mimo to musiała obudzić Yojiego, bo powinien jak najszybciej wypić ciepłą jeszcze krew młodego żółwia.

Dopiero gdy dotknęła męża, stało się dla niej jasne, że na próżno poświęciła życie tego małego stworzenia. Życie, które mogłoby trwać w morzu nawet ponad sto lat. Gdy Asako bowiem krzątała się w kuchni, Yoji znów śnił o swojej matce, która wciąż i wciąż wyciągała do niego rękę. I tego dnia nareszcie ją chwycił i pozwolił jej, żeby zabrała go z sobą.

14.

Asako potrzebowała dużo czasu, żeby otrząsnąć się po śmierci Yojiego. Było to dla niej wydarzenie prawie tak druzgocące jak śmierć matki. I podczas gdy ona trwała w niekończącej się żałobie, Miho rosła jak samotne dziecko. Asako zupełnie zaniedbała córkę, godzinami wpatrując się w urnę z prochami męża. Wreszcie po dwóch latach od pogrzebu Yojiego spakowała wszystkie rzeczy i wspomnienia i wyprowadziła się z domu. Jako czterdziestoletnia już wdowa wraz z sześcioletnią Miho zamieszkała w odległej dzielnicy Osaki, w starym drewnianym budynku znajdującym się na samym końcu ulicy, daleko od publicznej studni, więc codziennie musiały dźwigać wodę. W domu były dwa małe pokoje, oddzielone przesuwanymi drzwiami, i niewielka kuchnia z kamienną podłogą, z której wychodziło się na podwórze, gdzie rosło mnóstwo chwastów i koniczyn oraz kilka mizernych drzew wiśni. Podwórko było wystarczająco duże, żeby postawić na nim kurnik oraz rozciągnąć sznurek na pranie. Poza tym Miho miała plac zabaw dla siebie, a Asako – miejsce do pracy.

Dla większości Japończyków nie był to łatwy czas. Kraj od wielu lat znajdował się w stanie wojny, a nieoczekiwane zwycięstwo za granicą uczyniło życie jego obywateli jeszcze bardziej uciążliwym. Zabierano ludziom każdy kawałek metalu – czy była to złota obrączka, czy mosiężny gong – żeby przetopić go na broń potrzebną w kolejnych etapach wojny. Bywało i tak, że Asako nie mogła robić tofu, bo soja stawała się niedostępna. Wtedy pracowała nawet jako pomoc w fabryce albo na budowie i zarabiała tylko tyle, że wystarczało im jedynie na przeżycie.

W jednej z fabryk Asako miała ponadpięćdziesięcioletnią przełożoną o imieniu Mori. Była to głośna i władcza kobieta, która z lubością mieszała się we wszystko. Poza tym panią Mori zawładnął niezbyt dobrze przez nią rozumiany patriotyzm i szczerze wierzyła, że obywatele powinni poświęcić wszystko, co konieczne, żeby zapewnić Japonii wygraną w tej wojnie. Pewnego szczególnie ponurego dnia powiedziała więc Asako, że ona również powinna oddać swoją wąską złotą obrączkę ślubną oraz srebrny pierścień matki.

– Niech pani spojrzy na moje ręce, pani Tanaka – zagadnęła Asako i pokazała jej swoje palce, na których nie było żadnego pierścionka czy obrączki. – Wszystkie moje błyskotki oddałam dla kraju. To wstyd, że wszyscy Japończycy nie postępują w ten sposób.

Asako zakryła obrączki drugą dłonią.

– Przykro mi, pani Mori. Te pierścionki znaczą dla mnie tak wiele, że…

– Chce pani powiedzieć, że nasz kraj nic dla pani nie znaczy? – pani Mori podniosła głos, tak że wszyscy, którzy stali w pobliżu, odwrócili głowy w ich stronę.

Przez chwilę na hali zapanowała zupełna cisza, nie było słychać nawet brzęczenia metalu.

– Nie to miałam na myśli… – zaczęła Asako, gdy ludzie wrócili do pracy.

– A co pani miała na myśli? – Oczy pani Mori aż błyszczały ze złości. – Co mogłoby być ważniejsze niż nasz kraj? Niech pani pomyśli, czy mogłaby pani istnieć bez niego i naszego cesarza.

– Proszę wybaczyć, ale obrączki pochodzą od mojej zmarłej matki i zmarłego męża i są dla mnie bezcenne. Proszę, niech okaże mi pani trochę zrozumienia, pani Mori – Asako przepraszała ją z nisko pochyloną głową.

– A myśli pani, że jest jedyną, która straciła członków rodziny? Ja straciłam trzech synów! Wszyscy zginęli za chwałę naszej ojczyzny i cesarza. A pani żyje sobie bezpiecznie z daleka od pola bitwy i nie chce poświęcić nawet pierścionków? – Kilka łez spłynęło po policzkach pani Mori. Kobieta po chwili wytarła je rękawem. – Moi synowie nie zginęli na próżno! – krzyczała. – Umarli dla naszego kraju!

Gdy pani Mori zaczęła szlochać, podeszło do niej kilka kobiet, żeby ją pocieszyć. Inne obserwowały Asako i chowały własne obrączki w kieszeniach uniformów. Po chwili rozległ się sygnał oznaczający przerwę obiadową, ale nikt nie odważył się wyjść z pomieszczenia. Pani Mori natomiast z jeszcze większą zaciekłością rzuciła się na swoją ofiarę.

– Pani Tanaka, czy pani ma jakiekolwiek sumienie?

Asako wpadła w rozpacz. Nie mogła znieść myśli, że kolejny raz zostanie rozdzielona z matką i Yojim. Mimo to zdjęła obrączki i wręczyła je kierowniczce. Mocno przygryzła wargi.

– Wszystko dla naszego wspaniałego narodu i wielkiego cesarza! – Pani Mori odwróciła się z triumfującym uśmiechem do współpracownic. – Japonia musi wygrać! Niech żyje cesarz! Niech żyje cesarz!

Gdy tego wieczoru Asako wróciła do domu, czuła się chora. Ciągle wymiotowała i nie mogła utrzymać w żołądku nawet łyka wody. Dogłębnie zranił ją fakt, że musiała oddać swoje obrączki. Chociaż wiedziała, że kiedyś i tak by do tego doszło – jeśli nie tego dnia, to innego. Ale teraz nie pozostał jej już żaden ślad po bliskich. Jeszcze bardziej więc znienawidziła przedłużające się starcia wojenne, propagandę i niezdrowy patriotyczny zapał, po czym całkowicie odcięła się od świata. Wielu mężczyzn z całej Azji zostało zmuszonych do uczestniczenia w walkach i wielu z nich w imię uwielbienia ojczyzny dopuściło się strasznych zbrodni przeciwko ludzkości. Asako słyszała, że ci, którzy sprzeciwiali się podbojom Japonii – często ludzie wykształceni, a nawet intelektualiści – trafiali do więzienia za „zbrodnicze myślenie". Zamykała więc oczy i uszy, próbując żyć dalej. Z tym, co działo się wokół niej, nie chciała mieć nic wspólnego. Ucierała soję w kamiennym młynku w całkowitej ciemności obok śpiącej Miho, nie słuchała radia i z nikim nie rozmawiała. Im mniej wiedziała o wojnie, tym mniejszy był jej strach przed przyszłością. Czy ludzie walczyli, czy nie, czy padał deszcz, czy świeciło słońce, Asako każdego dnia robiła świeże tofu – aż do 1945 roku, gdy amerykańskie samoloty zaczęły bombardować Osakę. Nalot trwał całą noc. Zabił tysiące osób, a ładne miasto portowe zamienił w płonącą pustynię.

– Nie bój się, mamusia jest przy tobie – mówiła Asako do Miho, gdy trzęsły się ściany w ich zaciemnionym pokoju.

Tuliła do siebie córkę, żeby ochronić ją przed przerażającym łoskotem wybuchów.

– Lepiej jest umrzeć w ten sposób, a nie z rąk Amerykanów. Rozumiesz, Miho?

Dziewczynka przytaknęła i jeszcze mocniej wtuliła się w matkę.

– Gdy wszystko się skończy, znów będziemy razem z twoim tatą w niebie – powiedziała Asako, jakby zupełnie nie bała się śmierci, a nawet w pewien sposób do niej tęskniła.

Asako rozważała wcześniej samobójstwo, ale nie chciała zostawić córeczki samej. Dlatego uważała, że najlepiej byłoby dla nich obu, gdyby zginęły razem w trakcie tego amerykańskiego bombardowania.

Ale przeżyły ten nalot. Niedługo potem ponad trzysta boeingów B-29 z bombami zapalającymi zniszczyło większą część Kobe, a zanim mieszkańcy Osaki zdążyli odetchnąć, miasto ponownie zostało zbombardowane drugiego oraz szóstego czerwca – i tym razem niemalże do gruntu zniszczone. Ponad dziesięć tysięcy osób zginęło pod gruzami, a straty były niewyobrażalne. Kraj czekało jednak kolejne upokorzenie. 15 sierpnia 1945 roku cesarz Hirohito ogłosił w przemowie radiowej, że Japonia skapitulowała. Długa wojna skończyła się tak po prostu. Asako i Miho były prawdopodobnie jedynymi Japonkami, które nie słyszały mowy cesarza, bo tego dnia słuchali jej wszyscy – z rozpaczą i niedowierzaniem. Wydawało się wręcz niemożliwe, że Japonia przegrała wojnę i życie tak wielu ludzi poświęcono na darmo. Ten dzień był z pewnością jednym z najczarniejszych w historii ich kraju. Asako jednak siedziała w domu i naprawiała stare ubrania. Dla niej liczyła się wyłącznie jej mała córeczka. Za nią właśnie Asako była losowi wdzięczna.

Życie toczyło się dalej. Asako wciąż sprzedawała tofu, a Miho rosła bardzo szybko i stawała się tak samo nieśmiała w kontaktach z ludźmi jak jej ojciec. Gdy tylko kończyły się lekcje, zamiast bawić się z kolegami, biegła na targ, gdzie Asako sprzedawała tofu, i zostawała z matką dopóty, dopóki ta nie znalazła kupców na cały towar. Potem robiły zakupy i szły razem do domu. Były nierozłączne.

Pewnego dnia, gdy Miho przybiegła na targ, kucnęła obok Asako i zaczęła odrabiać pracę domową, przy ich niewielkim stanowisku pojawił się Shigeru Kobayashi, członek gangu, który zarabiał na życie wymuszaniem haraczów na właścicielach małych sklepów. Asako słyszała, że wiele lat temu pewien sprzedawca ryb odmówił zapłacenia mu i Kobayashi zadźgał go w biały dzień na oczach przerażonych sąsiadów jego własnym nożem do sashimi. Ten incydent ugruntował reputację Kobayashiego i wzmógł strach wśród handlarzy. I choć po niedługim czasie poszedł do więzienia za to morderstwo, to nie musiał odsiadywać wyroku. Zamiast tego wysłano go na wojnę do Chin. Ku przerażeniu handlarzy jednak szybko stamtąd wrócił. Od tego czasu nikt nie odważył się przeciwstawić jego żądaniom.

– Kto ci pozwolił sprzedawać tu bez płacenia cła ochronnego?! – krzyknął Kobayashi i kopnął pudełko z tofu tak, że wszystko się wysypało.

Miho odskoczyła z krzykiem. Asako szybko przytuliła ją do siebie, zasłaniając jej głowę rękami, jakby chciała ją ochronić przed bombardowaniem.

– Pewnie jesteście nowe na targu – powiedział Kobayashi, krążąc wokół Miho i Asako niczym wygłodniały sęp. – Ale są tu pewne reguły, których należy przestrzegać. – Wypluł z ust wykałaczkę i zapalił papierosa, nie spuszczając z oczu matki i córki. – Przyjdę znów jutro rano, żeby odebrać wasz dług. Lepiej miejcie z sobą pieniądze – odszedł, swobodnie pogwizdując, jakby właśnie zakończył błogą kąpiel.

Po tym spotkaniu Asako przestała sprzedawać tofu na targu. Omijała z daleka całą tę okolicę ze strachu, że wpadnie w ręce któremuś z yakuzów. Zamiast tego chodziła z tofu od domu do domu, a mała Miho jej towarzyszyła. Oznaczało to jednak codzienne pokonywanie długiej trasy i konieczność schodzenia z drogi sprzedawcom, którzy roznosili po domach ser produkowany maszynowo. Okazało się jednak, że większość ludzi wolała tofu Asako, i to pozostali handlarze musieli przenieść się do innej dzielnicy. Z czasem interes Asako zaczął przynosić dochód, pojawiły się też zamówienia z restauracji i sklepów.

Pewnego wiosennego dnia, gdy zostało jej do sprzedania tylko kilka kawałków tofu, zobaczyła, jak z jednego z domów wchodzą mężczyźni z ogolonymi głowami i zakrwawionymi kijami w rękach. Szybko chwyciła Miho za kurtkę i schowała się z nią za murem. Gdy mężczyźni zniknęli, Asako zajrzała na wąskie podwórko i wstrzymała oddech: jeden z yakuzów leżał na ziemi. Jego twarz była spuchnięta i zakrwawiona. Asako wzięła Miho za rękę i zaczęła uciekać, ale coś kazało jej przystanąć, zanim dotarły do końca ulicy. Nie mogła pozwolić na to, żeby ten człowiek się wykrwawił, nawet jeśli był bezwzględnym łotrem. Kazała Miho czekać z pudełkiem tofu przy drzwiach, a jeśli ktoś by przechodził, dziewczynka miała powiedzieć, że właściciel domu musiał jechać do szpitala, a sama weszła na podwórko i ze strachem zbliżyła się do rannego.

– Przepraszam, czy pan mnie słyszy? – spytała, pochylając się nad nim.

Kobayashi, bo to był on, westchnął i odwrócił twarz w jej stronę. Asako cofnęła się, gdy zobaczyła jego zakrwawione oczy.

– Niech pan tu poczeka. Sprowadzę pomoc – jej głos drżał, choć z całych sił próbowała wyglądać na spokojną. – Musi pan pójść do szpitala.

Kobayashi chwycił ją za kostkę, ale natychmiast rozluźnił uścisk, a jego ręka opadła na podłogę.

– Niech mi pani pomoże przejść... – wymamrotał – ...do domu...

Pojękując, starał się podnieść, ale po chwili znów opadł na ziemię. Asako objęła go ramieniem i pomogła mu wejść do domu. Położył głowę na jej ramieniu, a jego krew poplamiła Asako brązową kurtkę. Kiedy poczuła zapach krwi zmieszany z potem mężczyzny, zrobiło się jej niedobrze. W ciemnym pokoju śmierdziało tanią wódką shochu i papierosami. Wszędzie leżały puste butelki, a na obskurnym tatami stało kilka pełnych popielniczek.

Asako delikatnie położyła mężczyznę na podłodze. Leżał teraz na plecach, a głowa opadła mu na bok. Głębokie rany, które pokrywały jego twarz, wydawały się teraz ciemniejsze, a krótkie siwiejące włosy były mokre od potu i krwi. Asako pobiegła do kuchni i wróciła z mokrym ręcznikiem. Kobayashi leżał bez ruchu, jakby był martwy. Przeraziła się, uklękła przy nim i nasłuchiwała, czy oddycha. Oddychał. Poczuła ulgę i zaczęła obmywać jego twarz. Kobayashi uniósł powieki i popatrzył na Asako, ale unikał jej wzroku. Zamknął oczy i wykrzywił twarz z bólu, gdy mokrym ręcznikiem dotknęła piekących ran na czole.

– Powinnam sprowadzić kogoś ze szpitala.

– Nie... Nikomu nie wolno mówić... – powiedział z trudem. – Możesz już iść. – Mężczyzna odwrócił głowę.

Asako bez słowa wyszła z pokoju i zamknęła drzwi. Wciąż jeszcze roztrzęsiona przeszła przez zakrwawione podwórko i wyszła na ulicę, gdzie czekała na nią Miho.

– Mamo, krew! – krzyknęła córka, pokazując na kurtkę Asako.

– Nie bój się, Miho – uspokoiła ją, starając się zetrzeć z siebie ręcznikiem krew i pot Kobayashiego. – Czy ktoś tędy przechodził?

– Tylko jeden starszy pan – oznajmiła Miho – ale nie chciał pomóc. Powiedział, żebym lepiej trzymała się z daleka od tego domu – dodała dziecięcym głosikiem.

Asako nie potrafiła zostawić Kobayashiego bez pomocy, mimo że był przerażającym łotrem. Nie umiała pogodzić się z tym, że mógłby się wykrwawić na własnym podwórku i nikt by się tym nie zainteresował.

– Zostań tu przez chwilę, Miho, i z nikim nie rozmawiaj.

Wzięła kawałek tofu z pudełka i wróciła do domu.

– Mamo! – wołała za nią Miho.

– Zaraz będę z powrotem. Nie ruszaj się stąd na krok.

Asako spojrzała na nią surowym wzrokiem, zanim zniknęła w drzwiach.

Weszła prosto do kuchni Kobayashiego. Położyła tofu na talerzu i przykryła. Potem napełniła miskę wodą i bez zapowiedzi weszła do pokoju. Kobayashi wciąż leżał na podłodze, rozciągnięty jak upolowane zwierzę. Zamrugał, gdy weszła, ale nie spojrzał na nią. Obserwował ukradkiem, jak stawia w kącie miskę z wodą i talerz z tofu, zachowując się tak, jakby go nie było. A potem wyszła, nie spoglądając na niego, zamknęła za sobą drzwi, a potem także bramę, jakby chciała ukryć to miejsce krwawej walki.

– Nie wolno ci mówić komukolwiek o tym domu, rozumiesz? – powiedziała zdenerwowanym głosem do Miho. – Nic nie widziałaś, jasne?

Miho kiwnęła głową.

– Co tam się stało, mamusiu? Czyj to dom?

– Nie wiem – skłamała Asako.

– Czy ten pan nie żyje?

– Widziałaś go? – Asako odpowiedziała pytaniem na pytanie.

Miho pokręciła głową.

– Nie jest martwy – odpowiedziała szybko Asako i pociągnęła córkę za rękę, by jak najszybciej stąd odejść. – Chodź, idziemy do domu. On niedługo będzie zdrowy.

– A czemu tam było tyle krwi?

– Wkrótce poczuje się lepiej.

– A czy on jeszcze krwawi?

– Nie umiera się od tego, że straciło się trochę krwi. – Asako niecierpliwie ciągnęła Miho za rękę. – Nie jest z nim teraz zbyt dobrze, ale szybko dojdzie do siebie.

Kilka tygodni później Kobayashi złożył jej niespodziewaną wizytę. Wszedł bez pukania, bo drzwi wejściowe nie były zamknięte. Miho spojrzała na niego i natychmiast rozpoznała w nim mężczyznę, który groził im na targu. Podbiegła do Asako, która właśnie zamierzała myć soję, i złapała ją za rękaw. Asako spojrzała na Kobayashiego i serce jej zamarło. Mimo to starała się zachować spokój. Wytarła ręce w fartuch i podeszła do niego. Skłoniła się przed nim i wzięła Miho za rękę, żeby mała poczuła się bezpieczniej. Kobayashi miał na sobie starannie wyprasowaną białą bawełnianą koszulę i brązowe wełniane spodnie. Siwe, przerzedzone włosy zaczesał do tyłu pomadą. Zauważyła, że wciąż ma szramę pod lewym okiem, choć obrzęk już znikł.

– Dzień dobry – powiedział do Asako, a następnie odwrócił się do Miho. – Dzień dobry, malutka.

Dziewczynka schowała się za matką, nie odpowiadając na jego przywitanie.

– Jest nieśmiała, tak? – spytał. – Ile ma lat? Dziewięć, dziesięć?

Asako i Miho nie odpowiedziały. Bezradnie patrzyły na mężczyznę. Nie wiedziały, co powinny powiedzieć ani jak się zachować. Kobayashi co chwilę zaglądał w głąb domu, jakby chciał sprawdzić, co tu robią. Zanucił krótką piosenkę i głęboko zaczerpnął powietrza.

– Piękny dzisiaj dzień – powiedział sam do siebie.

Miho i Asako wciąż milczały. Stały nieruchomo obok siebie jak postaci namalowane na jedwabiu.

– Posłuchaj mała – wskazał palcem na Miho – nie przyniosłabyś mi paczki papierosów? – Wyciągnął banknot z kieszeni spodni. – I weź też słodycze dla siebie. Jakie tylko chcesz! Muszę coś omówić z twoją mamą.

Miho spojrzała na matkę, która przytaknęła z zaniepokojoną miną.

– Biegnij już – powiedział i wcisnął jej pieniądze do ręki.
– Za resztę kup sobie, co tylko chcesz – powtórzył.

Miho znów spojrzała na matkę i oddała jej banknot.

– Idź już, Miho, i przynieś mu jego papierosy. Tylko nie zgub pieniędzy i zaraz wracaj.

– Mała, nie słuchaj jej. Nie powinnaś się spieszyć. Muszę coś omówić z twoją mamą i może to trochę potrwać. To sprawy dorosłych.

Gdy Asako znów przytaknęła, Miho wybiegła z domu. Wejściowe drzwi zostawiła otwarte. Kobayashi zamknął je za nią ostrożnie. Jeszcze raz rozejrzał się po domu. Asako wstrzymała oddech ze strachu. Żałowała teraz głęboko swojej decyzji, nawet jeśli tylko mu pomagała.

– Piękny dzień mamy dzisiaj – powiedział raz jeszcze w ten sam dziwny sposób. – Więc przyszedłem, żeby... – zaczął mówić niskim głosem i zamilkł, gdy Asako spuściła wzrok. – Z powodu tego, co zdarzyło się w ostatnim czasie.

Skłoniła się uprzejmie, dając mu do zrozumienia, że nie trzeba tego roztrząsać. Kobayashi chyba dobrze rozszyfrował jej intencje, bo nie powiedział niczego więcej, tylko skierował wzrok na podłogę.

– To dla pani. – Wręczył jej butelkę sake zawiniętą w papier ryżowy.

– To nie jest konieczne – odpowiedziała. – Nie mogę tego przyjąć – pokręciła głową.

Odmowa Asako wystarczyła, żeby obrazić Kobayashiego. Jego swobodny uśmiech nagle zniknął.

– Nie sądzi pani, że nieuprzejmie jest odmawiać przyjęcia prezentu? Czy to oznacza, że nie chce pani wziąć niczego od kogoś takiego jak ja?

– Przepraszam pana, nie to chciałam... – Asako opuściła głowę, gdy zobaczyła groźnie zmarszczone czoło Kobayashiego.

– Ja po prostu nie piję sake i… – jej głos zaczął drżeć
– …nie jest konieczne, żeby…

– To nie ma znaczenia, czy pani ją pije, czy nie. To jest prezent! Jak pani mogła odmówić przyjęcia prezentu? – Prawie krzycząc, podszedł do Asako, która wciąż stała nieruchomo. – Nie chce mieć pani ze mną nic wspólnego. To właśnie dała mi pani do zrozumienia.

– Nie, absolutnie nie. Nie chciałam wydać się nieuprzejma. – Asako trzęsła się ze strachu. – Ja po prostu w ogóle nie piję alkoholu i naprawdę to nie jest konieczne – powtórzyła raz jeszcze i zrobiła krok do tyłu. Wiedziała jednak, że postąpiłaby źle, przyjmując sake, bo wówczas powstałyby między nimi nowe zobowiązania.

– Cholera! – krzyknął Kobayashi. – Wiem, co pani sobie myśli. Ale ja chciałem przecież tylko… – zamilkł na chwilę i popatrzył na Asako, która opuściła głowę natychmiast, gdy spotkały się ich spojrzenia.

Nie kończąc zdania, chwycił Asako za nadgarstek.

– Dlaczego pani tak drży? – spytał.

Powoli dotykał szyi Asako, a potem pogłaskał ją po jej rozpuszczonych włosach. Zadrżała jeszcze mocniej, gdy poczuła jego oddech przy swoim uchu. Zamknęła oczy i próbowała odwrócić głowę. On jednak chwycił ją za podbródek i siłą skierował jej twarz w swoją stronę. Zabolało ją to, więc cicho jęknęła. Jej ciało było sztywne ze strachu, a twarz niepokojąco blisko twarzy Kobayashiego. Oczy miała cały czas zamknięte, wstrzymała oddech.

– Niech pani na mnie spojrzy! – krzyczał. – Otwórz oczy!

Asako zmusiła się, żeby unieść powieki, lecz była śmiertelnie przerażona tym, co może jej teraz zrobić. Ale ku jej wielkiemu zdziwieniu zobaczyła tylko jego łagodne, smutne oczy, które nie wydawały się niebezpieczne. Natychmiast poczuła się lepiej.

– Nie jestem potworem – powiedział Kobayashi powoli.

– Pro-proszę… Wiem, że nie jest pan potworem.

Wzrok Kobayashiego znów stał się surowy. Wydawał się zdenerwowany tym, że Asako widziała jego chwilę słabości. Asako nie umknęła ta nagła zmiana.

– Proszę, niech mnie pan zostawi – błagała.

– Pani kompletnie nic nie rozumie. Pani po prostu się mnie boi! – krzyknął i zacisnął dłonie w pięści.

W jego oczach widać było gniew zabarwiony smutkiem, który po chwili ustąpił miejsca silnemu pożądaniu. Kobayashi nagle rozerwał Asako bluzkę. Odepchnęła go, zaczęła bić go rękami i wrzeszczała, ale mężczyzna przycisnął ją do ściany i spoconymi dłońmi dotykał jej piersi. Unieruchomił jej ręce i wcisnął twarz między jej piersi, wdychając zapach jej ciepłego ciała, a po chwili chciwie wziął w usta jej sutek. Krzyczała, lecz Kobayashi pieścił już językiem jej drugą pierś. Jego zimne wilgotne ręce prawie jej nie udusiły. Zdezorientowana i sparaliżowana, Asako była zupełnie przytłoczona ciepłem jego ust i języka. Drżącymi rękami Kobayashi zdjął jej bawełniane spodnie i włożył rękę między jej nogi. Jęknął i przycisnął twarz do jej szyi. Pospiesznie zdjął swoje ubrania, popchnął ją na ziemię i położył się na niej. Ku własnemu zdumieniu Asako nie przeciwstawiała się mu. W jego zachowaniu bowiem widziała raczej desperacki akt wynikający z samotności niż brutalny gwałt. Odwróciła głowę na bok, żeby mógł ją całować, i zadrżała, gdy poczuła, jak mocniej napierał na nią nagim torsem. Objęła go delikatnie rękoma, jakby chciała mu pokazać, że rozumie jego ból lepiej niż ktokolwiek. Wiedziała, że musiał posiąść jej ciało, żeby poczuć, że wciąż żyje, a może nawet że jest kochany. Ruchy Kobayashiego stały się łagodniejsze pod wpływem jej nieoczekiwanego gestu. Objęli się, pocierali skórą o skórę, a ich gorące wargi i języki się złączyły. Oboje pojękiwali i dyszeli z pożądania. Wstyd i strach znikały z każdym pełnym namiętności oddechem. W pokoju nie istniało nic innego poza tym dwojgiem ludzi, którzy wzajemnie leczyli swoje rany i zaspokajali uśpione pragnienia.

Po tym akcie wywołanym czystym pożądaniem Kobayashi wciąż leżał na niej, opierając głowę o jej piersi jak dziecko. Delikatnie pogłaskała go po włosach, co robiła zawsze po tym, gdy kochała się z Yojim. Niczym młodzi kochankowie leżeli na podłodze i wsłuchiwali się w bicie własnych serc oraz świergot wróbli na podwórzu. Nie odważyli się niczego powiedzieć ani nawet poruszyć, jakby się bali, że ta zdumiewająca błoga chwila nagle zniknie, odfrunie jak spłoszony ptak.

Gdy Miho zaczęła się dobijać do drzwi, Kobayashi podskoczył, błyskawicznie się ubrał i wyszedł z pokoju, nie spoglądając nawet na Asako. Kobieta również pospiesznie się ubrała i poprawiła włosy, zawstydzona swoim niewybaczalnym zachowaniem. Otworzyła okno na oścież, żeby wpuścić jak najwięcej świeżego powietrza. Przebiegła wzrokiem po pokoju. Miała nadzieję, że Miho nie zauważy niczego podejrzanego. Zaraz potem zobaczyła butelkę sake, którą Kobayashi postawił na podłodze. Nagle zrobiło się jej niedobrze i wybuchła płaczem. Uderzyła się dłonią w twarz. Przecież wciąż pachniała pomadą Kobayashiego. Zaczęła wycierać się koszulą, żeby zabić ten zapach. Po chwili zamknęła okno. Musiała się przebrać. Nie mogła pokazać się Miho w tych samych ubraniach, w których tak bardzo się zhańbiła.

Miho zamierzała właśnie jeszcze raz uderzyć w drzwi małą piąstką, gdy Kobayashi je otworzył. Miał w ustach świeżo zapalonego papierosa. Jego twarz promieniała. Starannie wyprasowaną chusteczką wytarł pot z czoła.

– Szybka jesteś! – Uśmiechnął się. – Mówiłem ci przecież, żebyś się nie spieszyła, bo twoja mama i ja musimy omówić ważne sprawy.

Miho weszła do domu z papierosami w ręce i nadgryzionym mochi z nadzieniem z czerwonej fasoli. Bez słowa podała mu paczkę. Zobaczył blady strach w jej oczach, więc uśmiechnął się jak najprzyjaźniej. Wziął papierosy i schował do kieszeni w spodniach. Miho zauważyła wówczas, że miał już jedną w kieszeni koszuli.

– Szłam jak najwolniej – odpowiedziała w końcu. – Gdzie jest mamusia?

– W pokoju. Sprząta. Właśnie skończyliśmy rozmawiać o naszych sprawach.

– Mamusiu! – krzyknęła Miho i wbiegła do środka.

Kobayashi w ostatniej chwili złapał ją za rękę i zatrzymał przed drzwiami.

– Zaraz wyjdzie, tylko postawi prezent ode mnie. Ale on nie jest dla ciebie... – Uszczypnął Miho w brzoskwiniowy policzek i uśmiechnął się do niej. – Jesteś jeszcze za mała na takie prezenty – powiedział żartobliwie, ale Miho się nie uśmiechnęła. – Kupiłaś dla siebie coś słodkiego? – spytał, żeby ją ośmielić.

Miho posłusznie pokazała mu mochi.

– Ach, mochi. – Zaciągnął się papierosem. – Najbardziej lubisz te z czerwoną fasolą, prawda? Smakują ci?

Miho przytaknęła ze wzrokiem wlepionym w ryżową kulkę. Przypomniała sobie, że ma resztę pieniędzy w kieszeni.

– Proszę, twoje pieniądze – powiedziała i podała mu monety.

– Nie, nie – pokręcił głową. – Możesz je zatrzymać, mała.

– Nie. – Miho uparcie trzymała monety na wciągniętej rączce.

– Obie jesteście takie uparte? Czemu nie możesz po prostu czegoś wziąć, jeśli ktoś ci to daje? – Kobayashi zwinął dłoń Miho i włożył ją do jej kieszeni. – Zatrzymaj to – rozkazał.

Miho mocno zaciskała pieniądze w dłoni, żeby nie wpadły jej do kieszeni. Chciała dać je matce albo przynajmniej spytać ją, czy może je wydać. Spojrzała w kierunku drzwi do pokoju, ale matka wciąż nie wychodziła.

– Lepiej już pójdę – powiedział Kobayashi i wyrzucił wypalonego papierosa na podłogę. – Ach, prawie zapomniałem... – Pochylił się i szepnął Miho do ucha: – Powiedz matce, że może sprzedawać tofu na targu i nie musi płacić cła ochronnego.

Gwiżdżąc, wyszedł na zewnątrz jak człowiek, który nie ma w życiu żadnych zmartwień.

Od tego dnia Kobayashi odwiedzał Asako coraz częściej i pokazywał się z zaskakująco przyjaznej i łagodnej strony. Przynosił nawet dla niej i Miho drobne prezenty. Za każdym razem, gdy wysyłał Miho po papierosy, Asako wiedziała, co będzie się działo. Dosyć szybko jednak jej ogromny strach, który rodził się w jego obecności, zmienił się w sympatię, a nawet współczucie. Tak że pewnego razu, gdy czekała na Kobayashiego, sama wysłała Miho na zewnątrz i poleciła pobawić się z innymi dziećmi. Asako nigdy nie wierzyła, że to miłość. Ich relacja opierała się na fizycznych i emocjonalnych zależnościach, które powstały w momencie, gdy do głosu doszły ich skrywane pragnienia i żądze. Stopniowo też czuła się coraz bardziej uzależniona od tych spotkań i seksualnego spełnienia, jakie jej dawały. I choć wiedziała, że życie z kimś takim jak Kobayashi nie było rozsądne, odnajdywała w jego beznadziejnie zagubionej duszy łagodność, o której nie wiedział nikt inny.

Dlatego zapewne nie odmówiła mu, gdy złożył jej propozycję małżeństwa. Nie chciała, by Miho tak jak ona sama wychowywała się bez ojca. Ale ona również potrzebowała męża. Poza tym bardzo chciała wierzyć, że uda się jej oswoić demona tkwiącego w Kobayashim.

Kobayashi wprowadził się, jeszcze zanim zarejestrowano ich małżeństwo. Powstało mnóstwo plotek na temat tej osobliwej pary. Każdy się zastanawiał, co też Asako przyszło do głowy, żeby przyjąć oświadczyny tak godnego pogardy osobnika. Ludzie drżeli nawet na samą myśl o tym, że mógłby być ich sąsiadem. Właściciel domu, który przez wszystkie lata był bardzo życzliwy wobec Asako, natychmiast nakazał jej się wyprowadzić. Nie odpowiadało mu, żeby Kobayashi był dodatkowym lokatorem w jego domu. Asako błagała go o zrozumienie, zaproponowała nawet, że będą płacić większy czynsz, ale właścicielowi nie chodziło o pieniądze. W żadnym razie nie zgadzał się na to, żeby przestępca, yakuza, mieszkał na jego terenie. Gdy Kobayashi się o tym dowiedział, złożył mu wizytę. Nie wiadomo więc, czy z litości wobec Asako, czy ze strachu przed Kobayashim właściciel jednak się zgodził, żeby wciąż mieszkali w jego domu.

Nieustanne kłótnie i konflikty związane z Kobayashim sprawiały jednak, że Asako coraz wyraźniej czuła ciemne chmury wiszące nad jej głową. Ten niecodzienny związek sprawił, że znalazła się w wyjątkowo trudnym położeniu. Nie minęło wiele czasu, nim odkryła, że jej największym błędem była wiara w odmianę Kobayashiego, której ona może dokonać albo do której może się przynajmniej przyczynić. Sądziła, że jeśli będzie o niego dbać, on znów odkryje w sobie człowieczeństwo, zapomniane przez niego na skutek wielu złych decyzji, jakie podjął w życiu. Jej nadzieje jednak okazały się płonne: nie potrafiła go zmienić, a seksualne zainteresowanie nią szybko minęło. Asako stała się więc jego gospodynią, a Kobayashi za swoje nielegalnie zarobione pieniądze kupował inne kobiety.

Z czasem wyszło na jaw, jak niebezpieczna bestia w nim drzemie. Tyle że tym razem w jednej klatce z nim – bez możliwości ucieczki – zamknięte były Asako i Miho. Nawet jeśli Asako nie musiała uiszczać Kobayashiemu cła ochronnego, cena, jaką płaciła za bycie jego żoną, i tak okazała się wysoka. Nie mogła niczego oszczędzić na edukację Miho, bo stale pokrywała długi męża, które zaciągał przez swoje uzależnienie od alkoholu i hazardu. Jeśli jego żądania nie były spełnione, zamieniał się w dzikie zwierzę, a w Asako i Miho wzbudzał tak wielki strach, że w końcu i tak zawsze dostawał to, czego chciał. Trudno było się więc dziwić, że Miho dorastała w ogromnym lęku.

Asako wiele razy się zastanawiała, czy nie powinna po prostu uciec razem z córką. Wiedziała jednak, że Kobayashi pójdzie za nimi nawet na koniec świata, żeby ukarać ją za to, że go opuściła. Każdego dnia żałowała, że zaprosiła go do swojego życia, ale na zmianę zdania było już za późno. Nie miała innego wyjścia, niż pogodzić się z własnym losem i pokornie znosić cierpienie. Jedyną ulgę odczuwała wtedy, gdy Kobayashi trafiał na jakiś czas do więzienia za mniejsze lub większe przestępstwa, których się dopuszczał. Przez te kilka miesięcy Miho i Asako mogły wreszcie swobodnie oddychać.

Gdy Asako się dowiedziała, że właściciel domu, w którym mieszkali, wpadł pod jadący pociąg i zginął na miejscu, zaczęła się bać, czy nie stoi za tym Kobayashi. Ku jej przerażeniu okazało się, że miała rację.

– O zapłatę czynszu nie musisz się już martwić – powiedział uśmiechnięty, jakby opowiadał dobry dowcip. – Pociąg rozczłonkował tego starego wyzyskiwacza – ogłosił triumfalnie jak żołnierz, któremu udało się pokonać wroga. – Wygląda to na wypadek, prawda?

Asako nie potrafiła uwierzyć w to, co się stało.

– Rozwiązałem nasz problem raz na zawsze. Nie było to trudne. Wcześniej czy później wszyscy starzy ludzie trafią przecież do ziemi.

– Dlaczego?! – krzyknęła Asako. – Jak mogłeś zrobić coś tak strasznego?! Przecież on nie zrobił nam nic złego!

– Złożył na mnie donos na policji! – krzyknął Kobayashi. – Drań – uśmiechnął się przebiegle. – Ale stary oszust nie miał pojęcia, z kim ma do czynienia. Nikt nie ma prawa podnosić na mnie ręki. Zabiję każdego, kto się na to odważy. Każdego!

Nic więc dziwnego, że Asako nie poszła na policję. Mogła tylko modlić się za zabitego mężczyznę. W końcu ona też była w pewnym stopniu winna jego śmierci. Przyjęła przecież do siebie tego bezlitosnego człowieka.

Mijały lata, w czasie których Asako mocno się postarzała, a Miho rosła szybko jak kiełki fasoli. Wydawało się, że nie ma już dla nich nadziei. Wciąż były uwięzione w jednym domu z Kobayashim, który z wiekiem miał coraz większe żądania, coraz częstsze humory i coraz mocniejszy pociąg do kobiet i hazardu.

24 grudnia 1948 roku, dzień po powieszeniu w Tokio japońskich zbrodniarzy wojennych, Miho poszła do sklepu pana Shimizu, żeby kupić sos sojowy. Stary kupiec był właśnie w trakcie absorbującej rozmowy z klientem w średnim wieku. Ich dyskusja dotyczyła egzekucji czterdziestego japońskiego premiera Hidekiego Tojo, który zlecił atak na Pearl Harbor.

– Przepraszam – Miho przerwała mężczyznom.

– Chciałabym kupić trochę sosu sojowego – powiedziała grzecznie, ale kupiec i klient nawet nie zwrócili na nią uwagi, jakby w ogóle nie było jej w sklepie. – Przepraszam, potrzebuję trochę sosu sojowego – powtórzyła już trochę głośniej.

Właściciel sklepu skierował wzrok w jej stronę i dał jej do zrozumienia, żeby podała mu butelkę, którą miała z sobą.

– Co za hańba! Powinien odebrać sobie życie przed procesem! – rzucił pan Shimizu, napełniając butelkę brązowym płynem.

Miho nie rozumiała, co miał na myśli, dopóki nie odezwał się drugi mężczyzna.

– Ależ on próbował! Słyszałem, że premier Tojo cztery razy strzelił sobie w piersi, ale nie udało mu się pozbawić się życia.

– Co trudnego może być w zabiciu samego siebie, jeśli się tego chce? – powiedział pan Shimizu, wciąż napełniając butelkę Miho.

– Wie pan, to wszystko wola niebios – stwierdził drugi mężczyzna.

– Tak. I ci, którzy zasługują na to, żeby umrzeć, nie umierają – odpowiedział właściciel sklepu, wręczając Miho butelkę.

Miho od razu się domyśliła, że mówił o Kobayashim – najgorszym koszmarze jej i jej matki. Cała dzielnica marzyła o tym, żeby wreszcie się go pozbyć. Był jak guz nowotworowy, który należy wyciąć. Ale nikt nie odważył się tego zrobić.

– Świat stanął na głowie – westchnął pan Shimizu. – Najgorsze łotry żyją, pasożytując na ciężko pracujących ludziach, a ci, którzy honorowo walczyli za nasz kraj, kończą na szubienicy.

Miho zapłaciła i pospiesznie opuściła sklep. Uszy płonęły jej ze wstydu i złości na Kobayashiego. Gdy wróciła, Asako była w kuchni i myła soję. Dziewczynka postawiła butelkę na stole i usiadła obok matki.

– Powiesili premiera – powiedziała, gdy Asako wylewała wodę z wiadra.

– Co powiedziałaś, Miho?

– Powiedziałam, że stracono premiera jako zbrodniarza wojennego – powtórzyła. – Został powieszony.

– Aha. – Asako, niezainteresowana tematem, kontynuowała swoją pracę.

– Usłyszałam o tym u pana Shimizu.

– Aha.

Miho patrzyła, jak matka płucze teraz soję w czystej wodzie.

– Myślisz, że przyjedzie dziś na noc do domu? – spytała.

Asako wstała i wytarła ręce. Westchnęła głęboko, niemal odruchowo.

– Nie wiem – odpowiedziała, nie patrząc na córkę.

– Znów przepije i przegra całe nasze pieniądze – rzuciła Miho, spoglądając ze złością na drzwi kuchenne. – A potem przyjdzie tutaj, żeby nas dręczyć. Nie możesz na to pozwalać. Dłużej tego nie zniosę.

– Tak mi przykro, Miho – powiedziała Asako. – Ale może dziś nie wróci na noc... Chodźmy do pokoju. Tutaj jest zimno.

Chciała wziąć Miho za rękę, ale ta się jej wyrwała.

– Chciałabym, żeby go powiesili tak samo jak tego zbrodniarza wojennego. Zasługuje na okropny koniec bardziej niż ktokolwiek inny.

– Miho – zaczęła powoli Asako. – Nie mów takich rzeczy.

– Czemu wciąż go bronisz? Nie rozumiem tego! – krzyknęła Miho. – Dlaczego niby wciąż powinien żyć? Możesz mi to wytłumaczyć?

– Zachowuje się wprawdzie okropnie, ale jeszcze straszniejsze jest życzyć komuś śmierci.

– Sądzisz, że nie zasługuje na nią po tym wszystkim, co zrobił tobie? Co zrobił nam? – Miho była czerwona ze złości. – Pracujesz dniami i nocami, ale niczego nie mamy. Boisz się go tak bardzo, że dasz mu wszystko.

– Miho.

Asako ponownie próbowała złapać córkę za rękę, ale dziewczyna się wyrwała i ocierała łzy rękawem. Jej strach przed Kobayashim nagle zamienił się w złość na Asako, choć dobrze wiedziała, że ona również była jego ofiarą.

– Co złego jest w tym, że chcę, by dostał to, na co zasłużył? Wiesz, co ludzie o nim mówią? Wszystkie dziewczyny w szkole wiedzą, że jest moim ojczymem. Nie chcę już dłużej tam chodzić! – krzyczała Miho, a łzy spływały jej teraz po twarzy. – Nie chcę tu mieszkać. Nie zniosę dłużej tego, że muszę z nim żyć pod jednym dachem, jeść przy jednym stole! Robi się od tego niedobrze. Mamo, dlaczego my po prostu stąd nie odejdziemy?

– Tak mi przykro, moja mała. To wszystko moja wina.

– Mamo, nie chcę, żebyśmy dłużej żyły w ten sposób. Chcę, żeby poszedł do więzienia za wszystkie te krzywdy, jakie nam wyrządził. A ty co robisz? Wciąż przepraszasz i wzdychasz. A to niczego nie zmieni.

– Miho, posłuchaj mnie. – Asako nigdy jeszcze nie widziała córki tak zagniewanej. – Musisz wiedzieć, że robię to wszystko tylko ze względu na nasze bezpieczeństwo. Wierz mi, że byłoby bardzo źle, gdybyśmy go rozdrażniły. Miałybyśmy wtedy tylko jeszcze więcej problemów. Ale któregoś dnia to wszystko się skończy.

– Nie możemy tylko tak siedzieć i czekać. Wiesz, jak często myślałam o tym, żeby pójść na policję i donieść o tym, że zamordował właściciela naszego domu?

– Ach, Miho. – Asako popatrzyła na córkę i westchnęła ponownie.

– Ale nie odważyłam się tego zrobić, bo jeśli nie zamknęliby go od razu, to on… – Miho zbladła. – Właśnie, z pewnością zabiłby nas obie… Mamo, to mnie przeraża.

– Nie płacz już, moja mała. W końcu wszystko się ułoży. Pewnego dnia to wszystko się skończy – powtarzała Asako, jakby nauczyła się tego od swej matki. – Wszystko się skończy, tak czy inaczej.

Gdy Asako przed północą kładła się do łóżka, miała nadzieję, że Kobayashi już nigdy nie wróci do domu. Wiedziała, że jak zawsze grał w karty i pił. Modliła się, żeby zasnął przy karcianym stole. Będzie mniej problemów, jeśli wróci do domu jutro rano, gdy wytrzeźwieje.

Kobayashi jednak wrócił już o trzeciej nad ranem, bez grosza przy duszy i aż dysząc z wściekłości. Przegrał wszystkie pieniądze, które zabrał z sobą. Poza tym jego ulubiona dziwka wyjechała na święta do Hakone z innym klientem. Gdy dowlókł się do domu Asako, przeklinał swojego pecha. Gdyby tylko miał przy sobie więcej pieniędzy! Był przekonany, że odzyskałby wszystko.

Zamknął bramę i opróżnił pęcherz pod wiśniowym drzewem rosnącym na podwórku. Spojrzał na księżyc, który tej nocy wyglądał jak rogalik, ale był tak odurzony alkoholem, że widział go podwójnie. Podszedł pod dom i usłyszał regularne chrapanie Asako. Spała tak mocno, że nie obudził jej nawet hałas wywołany przez jego niezdarne ruchy. Kobayashi skierował wzrok na drzwi Miho, za którymi chowała się zawsze, gdy był w domu. Wiedział, że Miho go nienawidzi i schodzi mu z drogi. Poza tym zauważył niedawno, że nie jest już dzieckiem, tylko młodą kobietą, coraz bardziej podobną do swojej matki. Wyobrażał sobie, jak śpi sama w pokoju, a jej mlecznobiałe ciało i pączkujące dopiero piersi okrywa gruby koc. Tej nocy podjął decyzję.

Miho poruszyła się we śnie, kiedy wślizgnął się do jej pokoju. Gdy tylko zobaczył zarys jej ciała pod kocem, oświetlony słabym księżycowym blaskiem, poczuł zwierzęcą żądzę. Ciężko oddychając, pochylił się nad jej łóżkiem i wsunął pod ciepły koc lodowate dłonie. Miho zupełnie zdezorientowana poczuła jego zimne ręce na swoich ustach. Ogarnął ją blady strach. Chciała krzyczeć, ale zakrywał jej usta tak mocno, że nie mogła wydać z siebie dźwięku.

– Zamknij się! – powiedział jej do ucha, a ona poczuła jego oddech – nierówny i śmierdzący alkoholem.

Sapiąc jak wygłodniałe zwierzę, rzucił się na Miho, lecz dziewczyna rozpaczliwie walczyła. Im bardziej jednak starała się oswobodzić, tym on zachowywał się gwałtowniej. Czuła się tak, jakby krew nagle uderzyła jej do głowy. Była przerażona. Szarpała się, żeby mu uciec, ale nie starczyło jej siły. Gdy Kobayashi zdjął rękę z jej ust i zaczął zdzierać z niej koszulę nocną, ugryzła go w ramię i podrapała twarz paznokciami. Na próżno. Kobayashiego tylko bardziej to rozwścieczyło i pięścią uderzył ją w twarz. Potem dusił tak mocno, że nie mogła się poruszyć. Broniła się ze wszystkich sił, ale nie udało się jej od niego uwolnić. Brutalny atak dobiegł końca dopiero wtedy, gdy zaspokoił swoje pożądanie.

Asako obudziła się z głębokiego snu dopiero, gdy Kobayashi rozsunął drzwi dzielące jej pokój od pokoju Miho. Włączył światło i jak szaleniec zaczął szukać pieniędzy. Jego koszula była ubrudzona krwią i mokra od potu. W mocno zaczerwienionych oczach widać było szaleństwo. Rzucał dookoła wszystkim, co miał pod ręką, przeklinał i wrzeszczał. Asako wstała z łóżka i starała się go powstrzymać, ale odepchnął ją brutalnie na ścianę. Gdy jeszcze raz próbowała go uspokoić, wyciągnął nóż, który zawsze nosił przy sobie.

– Wiem, że ukryłaś gdzieś pieniądze! – krzyknął. – Gdzie one są?

– Dlaczego mi to robisz? – płakała Asako.

– Gdzie są pieniądze?! – wrzeszczał.

Wyciągnął szuflady z drewnianej komody i wyrzucił na podłogę wszystko, co w nich było.

– Przestań, proszę!

Asako widziała w jego oczach, że zupełnie stracił nad sobą kontrolę.

Gdy Kobayashi zrzucił na podłogę jej koszyk z nićmi i wreszcie znalazł kilka zwiniętych banknotów, wyszedł z domu, zatrzaskując za sobą drzwi. Dopiero teraz Asako usłyszała krzyk Miho. Serce jej stanęło. Bała się poruszyć, by nie dopuścić do siebie myśli, że mogło się stać najgorsze. Wbiegła jednak do pokoju Miho i upadła na kolana, zrozpaczona tym, co właśnie zobaczyła. Koszula Miho była podarta, a ona naga, cała w ranach, leżała na futonie i szarpała swój koc. Krew spływała jej po twarzy. Patrzyła na matkę pustym wzrokiem. Drżała i krzyczała, zdezorientowana jak ranne zwierzę, aż w końcu straciła przytomność.

Asako siedziała całą noc przy córce, szlochając cicho. Miho płakała przez sen. Jeszcze przed świtem obudziła się, krzycząc, tylko po to, by dowiedzieć się, że jej koszmar naprawdę się zdarzył. Ze złamanym sercem Asako wzięła córkę w ramiona, ale ona się jej wyrwała.

– Muszę się wykąpać – powiedziała. Z jej martwych oczu ciągle wyzierała pustka.

Asako natychmiast wstała, żeby przygotować kąpiel.

– Weź zimną – zarządziła Miho. – Nie musisz jej dla mnie podgrzewać.

– Miho, nie możesz brać zimnej kąpieli. Będziesz chora.

– Obojętne mi to – odpowiedziała córka. – I tak już jestem chora.

Podniosła się obolała. Gdy Asako chciała ją objąć, Miho ją odepchnęła.

– Nie dotykaj mnie – wycedziła przez zęby, a swój wzrok skierowała na zakrwawiony futon.

– Miho, proszę, nie odpychaj mnie – błagała Asako, chwytając córkę za rękę.

– Nie chcę, żebyś mnie dotykała – odpowiedziała Miho i zabrała rękę. – Jesteś tak samo brudna. Brzydzę się tobą.

Asako poczuła się tak, jakby ktoś wbił jej drewniany kołek w serce. Przygryzła mocno wargi.

– Zostaw mnie w spokoju. – Głos Miho wydawał się spokojniejszy. – Muszę się wykąpać.

Asako upadła na podłogę, gdy Miho wyszła. Po raz pierwszy w życiu poczuła, że mogłaby zabić człowieka. Mogłaby teraz zabić Kobayashiego bez mrugnięcia okiem. Tego była pewna.

Jej uszy płonęły z morderczej nienawiści. Skręcało ją w żołądku. Wiedziała jednak, że Kobayashi jednym uderzeniem w twarz może odebrać jej całą odwagę. Nienawidziła się za to, że nie potrafiła obronić przed nim Miho. Zatopiła się w poczuciu winy. Nagle usłyszała silne, głuche uderzenie dobiegające z kuchni. Gdy z przerażeniem otworzyła drzwi, zobaczyła nagą Miho leżącą na zimnej podłodze z krwawiącymi nadgarstkami.

Asako nie wiedziała, jak udało się jej przetrwać kolejne godziny, dopóki Miho nie doszła do siebie. Modliła się nieprzerwanie, siedząc przy niej w szpitalu. Jedyne, co z tego dnia zostało jej w pamięci, to chwila, gdy córka wreszcie odzyskała przytomność. Powoli otworzyła oczy, ale gdy zobaczyła zrozpaczoną matkę, znowu je zamknęła, a łzy zaczęły płynąć jej po policzkach.

Asako dzień i noc opiekowała się córką. Minęło wiele dni, zanim jej rany zaczęły się goić. Ale Miho nie była już tą samą dziewczyną. Stała się obca i wycofana niezależnie od tego, jak bardzo Asako starała się ją odzyskać. Gdy tylko kobieta zamykała oczy, przypominała się jej tamta straszna noc i nie potrafiła już zasnąć. Pracowała więc niemal bez przerwy, mieląc soję, i nawet na chwilę nie spuszczała wzroku z córki w obawie, że znów spróbuje się zabić.

Miho nie wróciła już do szkoły i z nikim od tej pory nie zamieniła więcej niż kilka słów. Większą część zimy spędziła na wpatrywaniu się w ośnieżone drzewo wiśni, rosnące na podwórku.

– Gdy tylko pojawią się twoje różowe kwiaty, ucieknę stąd – powiedziała do niego. – Zachowam cię w pamięci w twojej najpiękniejszej postaci. Nie takie, z nagimi gałęziami.

Miho wstała i pogładziła dłonią lekko chropowaty pień, po czym złamała gałązkę.

– Odejdę daleko, gdzie nikt mnie nie znajdzie. Zapomnij o mnie. Nigdy nie zakwitnę tak pięknie jak ty.

Kobayashi ciągle się nie pokazywał. Ukrywał się, bo usłyszał o próbie samobójczej Miho oraz o tym, że Asako złożyła na niego donos na policji. Mimo to pewnego słonecznego dnia pod koniec marca, gdy Asako poszła sprzedać tofu, Miho spakowała do torby swoje rzeczy i zabrała pieniądze z szuflady matki. Wpatrywała się dłuższą chwilę w drzewo wiśni, teraz oblepione różowymi kwiatami, a potem otworzyła bramę i odeszła.

Wiśniowe kwiaty tańczyły w powietrzu, zanim opadły na ziemię niczym wiosenny śnieg.

CZĘŚĆ
TRZECIA

15.

Zanim Asako zaprowadziła Yuki do szkoły, poszła na targ i spacerowała tam przez dłuższą chwilę. Mimo porannego mrozu sprzedawcy warzyw i ryb oraz rzeźnicy rozkładali swój świeży towar. Rolety były już podciągnięte, a właściciele sklepów zeskrobywali lód z okien. Asako kupiła kilka świeżo wypatroszonych makreli, kilka korzeni lotosu, które chciała ugotować w dashi – sosie rybnym z soją, wzięła też jeszcze pół tuzina jajek na tamagoyaki. Pamiętała, że gdy Miho była w wieku Yuki, uwielbiała jeść te zawijane słodkie omlety.

Minęło dużo czasu, odkąd gotowała dla dwóch osób. Czuła się więc prawie jak świeżo upieczona młoda żona, przygotowująca posiłki w swoim nowym domu. Poza tym kupiła też grubą kolorowankę i najpiękniejsze kredki, jakie znalazła na stoisku papierniczym. Gdy wyobraziła sobie uśmiech na twarzy Yuki, poczuła się szczęśliwa.

Wreszcie poszła też do sklepu z odzieżą i od razu skierowała się do działu, w którym widziała niedawno czerwony płaszczyk w marynarskim stylu. Właścicielka,

311

pani Suzuki, przywitała ją serdecznie, nieco zaskoczona jej wizytą.

– Pani Tanaka! Jak się pani miewa? – Skłoniła się życzliwie i wyszła do niej zza lady, na której leżały starannie poskładane kolorowe ubrania dziecięce. – Długo już pani u nas nie było. Na zewnątrz jest strasznie zimno, prawda?

– Tak, zdecydowanie zbyt zimno, żeby siedzieć przy straganach – zgodziła się Asako. – Żeby tego uniknąć, roznoszę wszystko z samego rana.

– Ma pani rację – powiedziała pani Suzuki i podrapała się po głowie. – Ja siedzę tu przez cały dzień. A jak pani idzie interes? Ludzie zawsze kupują tofu, i w zimie, i w lecie. Mam rację?

Asako milczała przez chwilę, rozglądając się po małym sklepie. Pachniało w nim nowymi ubraniami i barwnikami.

– Nie robię tak dużo tofu jak inni – oznajmiła wreszcie. – Dlatego zawsze sprzedaję wszystko.

– A mnie interes idzie ostatnio bardzo ospale. Wie pani, wszystko zależy od pogody. – Pani Suzuki zmarszczyła czoło i westchnęła. Była w średnim wieku, a jej cienkie malowane brwi opadały jej już tak samo jak policzki. – Wielu ludzi zostaje w domach, bo mają tak mało pracy. Nie mają też więc pieniędzy, które mogliby wydać. W radiu mówili o tym, że japońska gospodarka rozkwita, ale ja naprawdę nie wiem, gdzie idą te wszystkie pieniądze. Tutaj w każdym razie nikt o tym nic nie wie. Ale mój sklep jest otwarty przez cały dzień, nawet gdy nie ma żadnych klientów.

– Ludzie nie kupują więcej ubrań, gdy jest zimno? – spytała Asako.

– Chciałabym, żeby tak było, pani Tanaka. – Sprzedawczyni uśmiechnęła się gorzko. – Ale niestety to tak nie działa. Nie rozumiem też, dlaczego ktoś jeszcze otworzył w tej okolicy drugi sklep z odzieżą. Widziała go już pani? – Wskazała ręką kierunek. – W dodatku mają tam bardzo wymyślne rzeczy. Nikt tutaj się tak nie ubiera.

– Ma pani na myśli to miejsce, gdzie kiedyś był sklep z zegarami? – spytała Asako.

– Tak, właśnie tam. Stary zegarmistrz musiał go zamknąć, bo nie miał kto po nim go odziedziczyć. Nowy działa dopiero od kilku miesięcy. Na razie wiele osób tam kupuje, bo to dla nich nowość, ale nie potrwa to długo. Jest tam po prostu za drogo jak na mieszkańców naszej dzielnicy. – Pani Suzuki pokręciła głową i mówiła dalej: – Pochodzę z tej okolicy i wiem, co lubią tutejsi.

– Cóż, jestem tylko starą kobietą i nie znam się na tych rzeczach – powiedziała Asako z przepraszającym uśmiechem.

– Niech mi pani wierzy, pani Tanaka. Ja znam tę dzielnicę jak własną kieszeń. Gdy tylko ludzie się zorientują, że styl, który proponuje ten sklep, do nich nie pasuje, znów wrócą do mnie.

Asako uśmiechnęła się, przytakując.

– A myśli pani, że ten czerwony płaszczyk będzie pasował sześcioletniej dziewczynce? – Asako wskazała na płaszczyk wiszący w witrynie.

– Ależ oczywiście! – Na wąskich ustach pani Suzuki pojawił się uśmiech. – Czy to ma być prezent?

Asako przytaknęła.

– Mam go we wszystkich rozmiarach. – Natychmiast ściągnęła płaszcz z wystawy, żeby pokazać go pierwszej w tym dniu klientce. – Niech pani spojrzy, podszewka jest pikowana. Materiał to stuprocentowy nylon, jest niezniszczalny. Płaszczyk jest bardzo ciepły i ma odpinany kaptur.

– Właścicielka z dumą prezentowała działanie suwaka.

– Ma być dla mojej wnuczki. – Asako unikała wzroku sprzedawczyni.

– Ma pani na myśli córkę Miho... – pani Suzuki urwała w połowie zdania, a na jej twarzy natychmiast pojawił się sztuczny uśmiech. – Przepiękny płaszczyk, prawda? Najładniejszy, jaki mam w tym sezonie. A przy tym nie jest drogi. W tym drugim sklepie musiałaby pani zapłacić za podobny dwa razy tyle.

– Wezmę go. Ach tak – przypomniała sobie Asako – ona potrzebuje jeszcze nowej bielizny i skarpetek.

– Mówi pani, że ma sześć lat... Oczywiście mam dla niej coś ciepłego i ładnego.

Właścicielka wyciągnęła zestaw różowej zimowej bielizny dla dziewczynki i pokazała Asako.

– W tym z pewnością będzie jej ciepło. A do tego dam pani trzy pary skarpet za cenę dwóch. To będzie mój mały prezent dla pani wnuczki.

– To bardzo miłe z pani strony, pani Suzuki, ale naprawdę nie trzeba.

– Wiem, że pani zawsze jest taka uprzejma, pani Tanaka, ale ten prezent przyniesie mi szczęście.

Pani Suzuki pokazała Asako trzy pary skarpetek, zanim zawinęła je w papier ryżowy.

– Bardzo pani dziękuję. – Asako skłoniła się uprzejmie. Właścicielka zapakowała wszystkie rzeczy i podała Asako.

– W płaszczyku będzie jej ciepło całą zimę. Gdyby nie pasował, niech pani przyjdzie z nią do mnie. Wymienię go na inny rozmiar w każdej chwili.

Kobiety pokłoniły się sobie na pożegnanie i właścicielka odprowadziła Asako do drzwi.

– Mam nadzieję, że wkrótce znów mnie pani odwiedzi, pani Tanaka. – Uśmiechnęła się z wdzięcznością. – W przyszłym miesiącu będę mieć nowe fasony. I najlepiej, gdyby pani przyszła do mnie ze swoją wnuczką, dobrze?

Zamiast odpowiedzieć, Asako skłoniła się raz jeszcze i wyszła ze sklepu. Zimny powiew wiatru dostał się do środka, zanim pani Suzuki zamknęła drzwi. Gdy raz jeszcze liczyła pieniądze, które dała jej Asako, myślała o tej małej dziewczynce, która będzie nosić czerwony płaszczyk.

Jak zawsze Asako przez cały dzień mieliła soję. Dzisiaj była podekscytowana, bo nie mogła się już doczekać, aż odbierze Yuki ze szkoły i pomoże jej przymierzyć nowy płaszczyk. Co chwilę spoglądała na torby z zakupami, w których były nowe ubrania i przybory szkolne dla małej. Samo wyobrażenie tego, jak Yuki będzie się cieszyć, gdy rozpakuje prezenty, wprawiało ją w niezwykle dobry nastrój.

Gdy tylko Asako przyprowadziła Yuki ze szkoły, pozwoliła jej przymierzyć i obejrzeć nowe rzeczy.

– Jest ciepły? – spytała, gdy wnuczka włożyła kaptur na głowę.

– Jest cudownie ciepły! – Yuki wtuliła się w nowy płaszczyk. – W takim płaszczyku mogłabym żyć nawet w igloo!

Asako uśmiechnęła się z zadowoleniem.

– Wiedziałaś, babciu, że niektórzy ludzie mieszkają w domach z lodu? Wycinają wielkie lodowe kostki i robią z nich domy. I nawet śpią na podłodze z lodu. Razem z Makiko widziałyśmy to w telewizji.

– Ale dlaczego nie używają drewna? – spytała Asako naiwnie jak dziecko.

– Bo oni tam nie mają drzew, babciu – powiedziała Yuki. – Żyją w kraju, w którym jest tylko lód.

– Tylko lód i nic poza tym? – Asako otworzyła szeroko oczy ze zdziwienia.

– Tak, tylko lód. Nie ma tam nic innego – przytaknęła Yuki. Górną część jej twarzy zakrywał czerwony kaptur. – I jest tak zimno, że nie mogą tam rosnąć drzewa. Nic nie może tam rosnąć.

– To co ludzie tam jedzą?

– Robią dziury w lodzie i łowią ryby. I jedzą je nawet bez sosu sojowego.

– Bez sosu sojowego? – spytała Asako szczerze zdziwiona. – A jedzą ryż?

– Nie, jest zbyt zimno, żeby go uprawiać. A nawet gdyby go mieli, nie mogliby go gotować, bo ich domy by się stopiły.

– Yuki, to brzmi po prostu strasznie. Gdzie na świecie żyją tacy biedni ludzie?

– Na północy, bardzo daleko stąd. I nie mogą stamtąd odejść, bo nie potrafią latać.

Yuki ściągnęła kaptur i Asako znów mogła patrzeć na jej brzoskwiniową buzię.

– Widzisz? I dlatego właśnie muszę nauczyć się latać – Yuki zaczerpnęła głęboko powietrza jak kobieta z telewizji przygotowująca się do lotu. – Ona po prostu otwierała parasol i już się unosiła. Gdzie tylko chciała. Gdyby ci biedni lodowi ludzie mogli latać, to polecieliby do jakiegoś ciepłego kraju i jedliby tam wszystko, co tylko by chcieli.

Asako się uśmiechnęła i przyniosła tacę z mochi z nadzieniem z czerwonej fasoli.

– A ty jedz już teraz, Yuki – powiedziała.

– Ojej, mochi z czerwoną fasolą! – Yuki z zadowoleniem klasnęła w rączki i sięgnęła po ryżową kulkę.

– Wieczorem będzie grillowana makrela z sosem sojowym – dodała Asako.

– Babciu, potrafisz sobie wyobrazić, jak to jest mieszkać w domu z lodu i jeść ryby bez sosu sojowego? – spytała dziewczynka, cicho mlaskając. – I nigdy nie jeść mochi?

Asako, uśmiechając się, pokręciła głową. Yuki rozejrzała się po pustym pokoju, w którym zaczynała się czuć jak w domu.

– A co jest w środku, babciu? – Pokazała na brązową torbę stojącą w kącie.

– A to też jest dla ciebie – powiedziała Asako. – Sama zobacz.

Yuki promieniała z radości, gdy zobaczyła kolorowankę i kredki. Trzymała pudełko z kredkami w obu rączkach przez kilka chwil, zanim je otworzyła, jakby była to skrzynia ze skarbem.

– Tak dużo kolorów! – powiedziała podekscytowana.

– Babciu, mogę od razu coś narysować?

– Oczywiście, Yuki. Ja muszę teraz pójść pozbierać pudełka na tofu. Zaraz wrócę, a ty w tym czasie rysuj, co tylko zechcesz.

Asako wstała i wzięła swój gruby szary płaszcz, który od wielu lat chronił ją podczas zimy. Yuki w tym czasie zdjęła swój czerwony płaszczyk i położyła go w rogu pokoju. Spoglądając jeszcze na wnuczkę, Asako zamknęła za sobą drzwi. Yuki zaczęła rysować, leżąc na brzuchu i swobodnie machając nóżkami.

Asako postawiła pusty wózek przed małym lokalem gastronomicznym, na którego szyldzie było napisane nazwisko Satagaya. Gdy weszła przez rozsuwane drzwi, we wciąż pustej restauracji zadźwięczały dzwoneczki. Jak kot, który czatuje na pieczoną rybę, właścicielka Kyoko Sasaki weszła do sali z kilkoma drewnianymi stołami. Nawet nie starała się ukryć swojego rozczarowania, gdy zobaczyła, że to jedynie stara sprzedawczyni tofu. Pani Sasaki miała na sobie brązowe zimowe kimono z namalowanymi płatkami śniegu w kolorze pomarańczowym i musztardowym. Włosy spięła wysoko, eksponując długą szyję. Jej twarz jak zawsze pokrywała gruba warstwa białego pudru, a usta – jasnopomarańczowa szminka, która niekorzystnie podkreślała żółć zębów.

– Pani Tanaka, słyszałam, że mieszka teraz z panią wnuczka – zaświergotała wysokim głosem, który był jej znakiem rozpoznawczym.

– Gdzie się pani o tym dowiedziała? – Asako nie potrafiła ukryć zdumienia.

– Ach, wie pani przecież, jak to jest w tej dzielnicy – powiedziała pani Sasaki, poprawiając fryzurę, która i tak wyglądała nienagannie. – Żadna nowina długo się tu nie uchowa przed ludźmi.

– Trudno uwierzyć, jak szybko rozchodzą się tu plotki – stwierdziła Asako.

– Wiem! – zapiszczała gospodyni wyjątkowo wysokim tonem, nawet jak na nią. – Zawsze sądziłam, że ludzie powinni się bardziej skupić na własnych sprawach – dodała stanowczo, jakby sama nigdy nie plotkowała.

– Pani Sasaki, czy mogłaby pani zapłacić mi za ostatni miesiąc? – Asako szybko zmieniła temat. – Dziewięć tysięcy jenów.

– Och, tak dużo? – pani Sasaki znów pisnęła, ale jej policzki pozostały kredowobiałe. – Byłam przekonana, że w ostatnim miesiącu zamawiałam u pani mniej tofu. Czy ten rachunek na pewno się zgadza?

Asako wyciągnęła z kieszeni płaszcza kartkę papieru, na której były narysowane monety, i zaczęła je liczyć.

– Niech pani spojrzy, pani Sasaki.

– Tak, tak, dobrze już, pani Tanaka, wiem, że pani zawsze jest bardzo dokładna. Mówi pani, że dziewięć tysięcy jenów?

319

Pani Sasaki wyjęła sakiewkę z kimona, a Asako włożyła rachunek do kieszeni płaszcza. Gospodyni dwa razy przeliczyła złote monety, zanim wręczyła je Asako.

– Przy takiej pogodzie mamy mniej gości. – Westchnęła z teatralnym gestem, który pasował do jej makijażu. – I nie wygląda na to, żeby wkrótce zrobiło się cieplej. I jak ja biedna mam to przetrwać? – powiedziała, dramatyzując jeszcze bardziej.

– Następnym razem mam przynieść dla pani mniej? – spytała Asako.

– Nie, nie! – żachnęła się pani Sasaki. – Pogoda prędzej czy później się poprawi, a ludzie muszą jeść, nawet gdy jest zimno, prawda? Proszę, niech mi pani przyniesie tyle, co zawsze – uśmiechnęła się szeroko, w ułamku sekundy zmieniając zatroskany wyraz twarzy.

– Przyniosę – powiedziała Asako beztrosko.

Miała już pewne doświadczenie z udawanym zatroskaniem pani Sasaki i dobrze wiedziała, jak sobie z nim radzić. Skłoniła się uprzejmie i podchodząc do drzwi, naciągnęła chustę na głowę.

– Pani Tanaka, niech pani poczeka jeszcze chwilę! – krzyknęła pani Sasaki, gdy Asako chciała otworzyć drzwi.

Asako się odwróciła.

– Cóż… – gospodyni się zawahała. – Właściwie nie powinnam pani o tym mówić, ale…

– O co chodzi?

Pani Sasaki znów dotknęła koka, zanim podjęła.

– Prędzej czy później i tak się pani o tym dowie, więc równie dobrze ja pani mogę o tym powiedzieć.

Asako zastanawiała się, co kryje się za tym dziwnym zachowaniem pani Sasaki, i podeszła bliżej.

– Miho była tu wczoraj w nocy – powiedziała wreszcie właścicielka, nie spuszczając wzroku z Asako.

– Co... co proszę?

– Powiedziałam, że Miho była tu wczoraj w nocy – powtórzyła pani Sasaki, tym razem głośniej.

Gdy Asako usłyszała imię swojej córki, poczuła, że jej serce skamieniało.

– Mi-Miho była tu wczoraj?

– Czy wszystko z panią dobrze, pani Tanaka?

Asako przytaknęła, choć widać było, że jest mocno podenerwowana.

– Co powiedziała? – Spojrzała na panią Sasaki, która była od niej wyższa przynajmniej o trzydzieści centymetrów, zwłaszcza w swoim ulubionym koku.

– Obudziła mnie w środku nocy, gdy już mocno spałam. Sądziłam, że to włamywacz, tak mocno mnie wystraszyła.

– Pani Sasaki, co Miho mówiła? – Asako powtórzyła pytanie, tym razem mocno zniecierpliwiona.

– Więc... – kobieta wzruszyła ramionami, zanim zaczęła mówić dalej – powiedziała, żebym przysłała do pani ludzi z agencji adopcyjnej, gdy znów tu przyjedzie.

– Ona chce oddać Yuki do adopcji? Naprawdę tak powiedziała?

– Tak, ale mówiła, że może to trochę potrwać. Do wiosny lub lata. – Gdy pani Sasaki zobaczyła, że Asako zrozpaczona kręci głową, szybko dodała: – Słyszałam, że pani wnuczka ma trafić do bogatej rodziny w Ameryce. Może będzie to dla niej lepsze, niż wychowywać się w Japonii bez ojca.

– Co za bzdura! – krzyknęła Asako. – Nie wyślę mojej wnuczki do obcego kraju. Sama będę się nią zajmować.

Pani Sasaki zaniemówiła. Nie spodziewała się po Asako takiego wybuchu gniewu.

– Pani Tanaka, niech się pani na mnie nie gniewa. Powtarzam tylko pani, co mówiła Miho. Ale proszę się zastanowić: może to naprawdę będzie lepsze dla małej? Niech pani pomyśli o jej przyszłości. Jak długo będzie mogła się pani nią zajmować? Jak słyszałam, dziewczynka ma dopiero sześć lat...

Asako nie odpowiedziała. Wiedziała, że było w tym sporo prawdy, ale Ameryka? Zrobiło się jej niedobrze. Czuła się tak, jakby właśnie połknęła garść piasku.

– Czy Miho zostawiła swój adres? – spytała Asako, nie patrząc na panią Sasaki. – Powiedziała, kiedy wróci?

– Powiedziała, że wyjeżdża za granicę, ale nie mówiła dokąd. Nie uważa pani, że mogła pojechać właśnie do Ameryki?

Asako przypomniała sobie wówczas rozmowę z Yuki o dalekim kraju, gdzie w ogromnym domu mieszka bogata mysz razem ze swoim fajtłapowatym psem.

– Zabrzmiało to tak, jakby uciekała. Z pewnością ma jakieś kłopoty – dodała pani Sasaki. – Oczywiście nie zdradziła mi żadnych szczegółów. Wie pani przecież, jaka jest Miho.

Asako milczała, myśląc o córce.

– Nikt nie może uciec przed swoją karmą – dodała kobieta i mlasnęła językiem. Wydawało się, że jest to myśl, którą chciała zatrzymać dla siebie, ale całkowitym przypadkiem wypadła jej z ust.

– Nie rozumiem – fuknęła Asako wyraźnie poirytowana.

– Cóż, niech pani pomyśli o jej życiu. To takie straszne. Była taką słodką dziewczyną, aż…

– Muszę już iść – powiedziała Asako, zanim pani Sasaki zdążyła dokończyć zdanie.

Nie miała ochoty stać tu i słuchać, co ta głupia kobieta sądzi o jej córce.

– Pani Tanaka, mam do pani przysłać tych ludzi z agencji, gdy Miho wróci? Nie chcę pani zdenerwować, gdy nagle pojawię się u pani razem z nimi! – krzyknęła jeszcze pani Sasaki do Asako.

Staruszka zatrzymała się przed drzwiami, ale się nie odwróciła. Stała nieruchomo, jakby zamieniła się w lodową figurę.

– Miho powiedziała, że to potrwa przynajmniej kilka miesięcy. Przyjedzie dopiero wiosną lub latem – dodała pani Sasaki. – Do tego czasu może pani pobyć razem z wnuczką. Musi pani zobaczyć pozytywne strony tej sytuacji.

– Dobrze, niech pani przyśle do mnie tych ludzi, jak tylko Miho wróci – zgodziła się Asako. – Przepraszam panią za wszystkie trudności z tym związane. – Zamilkła na chwilę, po czym dodała: – I proszę, niech pani z nikim nie rozmawia o Miho. Bardzo panią proszę.

Zanim pani Sasaki zdążyła cokolwiek odpowiedzieć, Asako wyszła z pustej restauracji. W tym samym momencie do lokalu wszedł mężczyzna w średnim wieku. Pani Sasaki uśmiechnęła się szeroko i przywitała gościa wyjątkowo uprzejmie. Wydawało się, że zupełnie zapomniała o rozmowie z Asako.

– Serdecznie witamy, panie Inoue. Zamknął pan już dzisiaj swój sklep? Zupa z udon i tempurą jak zawsze? – spytała, pomagając mu zdjąć płaszcz.

Mężczyzna usiadł przy stoliku najbliżej pieca i patrzył, jak pani Sasaki wiesza jego rzeczy. Pan Inoue miał mały zakład krawiecki na rogu ulicy i był najlepiej ubranym mężczyzną w dzielnicy. Nie, żeby był szczególnie elegancki, ale nikt inny nie nosił na co dzień garniturów szytych na miarę i filcowych kapeluszy.

– Ayuki! Raz tempura udon! – krzyknęła pani Sasaki w stronę kuchni i z tajemniczym uśmiechem starej gejszy usiadła naprzeciwko pana Inoue.

– Czy to była pani Tanaka? Nie wygląda zbyt dobrze. Czy wszystko u niej w porządku? – spytał pan Inoue, patrząc, jak pani Sasaki nalewa mu do kubka gorącego płynu.

Pani Sasaki postawiła na stoliku dzbanek z zieloną herbatą, zrobiła pełną dramaturgii minę i westchnęła teatralnie, jak to miała w zwyczaju.

– Biedna stara kobieta… – Zacisnęła pomarańczowe usta. – Musiała uczynić coś naprawdę złego we wcześniejszym życiu.

– Czemu pani tak sądzi? – zapytał pan Inoue i wyciągnął papierosa.

– Zna pan przecież historię jej drugiego męża, tego szalonego łotra, który wciąż jeszcze siedzi w więzieniu – powiedziała pani Sasaki.

– Ten yakuza? Nigdy go nie widziałem. Gdy otwierałem sklep, jego już na szczęście tu nie było, ale sporo słyszałem o tym człowieku. Zdaje się, że poszedł do więzienia, bo zamordował właściciela swojego domu?

– Tak, zgadza się, ale to niejedyna zbrodnia, za którą go wsadzili. – Kobieta przybliżyła do pana Inoue swoją białą twarz. – On zgwałcił Miho, gdy była jeszcze młodą dziewczyną – wyszeptała jak najciszej.

– Faktycznie tak było? Wydaje mi się, że gdzieś już o tym słyszałem.

– Oczywiście! Dlatego Miho uciekła z domu.

– Ta dziewczyna podobno próbowała się potem zabić.

– Zgadza się! – krzyknęła pani Sasaki. – Dlatego pani Tanaka musiała złożyć zeznanie na policji. Powiedziała też, że przed laty jej mąż zabił właściciela domu, w którym mieszkali. Już wcześniej powinna była to zrobić.

Podczas gdy pani Sasaki mówiła raz ciszej, raz głośniej, jakby ćwiczyła teatralną modulację głosu, pan Inoue siedział spokojnie i palił papierosa.

– To dlaczego tego nie zrobiła? – spytał.

– Za bardzo się go bała. Wszystkich zresztą przerażał, a najbardziej jej córkę. Miho nie chciała nawet wracać do domu. Często pozwalałam temu biednemu dziecku spędzać czas w mojej restauracji. – Spojrzała przed siebie, jakby Miho właśnie siedziała samotnie przy stoliku. – Gdy był pijany, często groził pani Tanace i Miho, że je zabije. To było lata temu, ale ja wciąż pamiętam, że pani Tanaka ciągle miała na ciele siniaki i zadrapania, gdy mieszkała z tym zwierzęciem.

– Więzienie to dla takich za mało. Takie szumowiny zasługują na karę śmierci – powiedział pan Inoue.

Podczas całej rozmowy żadne z nich nie wypowiedziało imienia Shigeru Kobayashiego, jakby się bali, że wywołają go nie w porę.

– Całkowicie się z panem zgadzam – wyznała pani Sasaki, a jej ciemne oczy błyszczały z ekscytacji. – Zasłużył na to, żeby umrzeć tak jak ludzie, których zabił. Dlaczego ma żyć, skoro zabił tak wiele osób?

Pan Inoue, który wciąż palił papierosa, przytaknął w milczeniu.

– Jestem wdową – ciągnęła pani Sasaki – i też mam córkę. Dlatego gdy pomyślę o pani Tanace, boję się powtórnie wyjść za mąż. Jak ona mogła poślubić takiego łotra, taką kreaturę? – Pani Sasaki złożyła wargi w taki sposób, że wyglądała jak smutny klaun. – Co ona sobie, u licha, myślała?

– Nie znamy przecież całej historii – odpowiedział krawiec.

– To taka nieszczęśliwa kobieta. Jej życie było jedną wielką udręką. A teraz jej biedna córka odziedziczyła po niej tę złą karmę. Cóż można tu jeszcze dodać?

– Ale przecież to nie jest wina pani Tanaki, prawda? – powiedział pan Inoue z takim współczuciem, jakby chodziło o jego siostrę. – Ta biedna kobieta w jej wieku wciąż pracuje dniami i nocami.

– Wiem, dlatego jestem przekonana, że wszystkie te nieszczęścia, które ją spotkały, muszą mieć coś wspólnego z jej poprzednim życiem.

Pani Sasaki zamilkła na chwilę, czekając, aż jej gość zgasi papierosa w porcelanowej popielniczce.

– Zła karma przechodzi na następne życie – powiedziała, podczas gdy pan Inoue wypuszczał jeszcze nosem papierosowy dym.

– Możliwe, że ma pani rację – zgodził się z nią.

– Nic dziwnego, że tak szybko się zestarzała. Ale przecież mogła nie wychodzić za mąż za tego wykolejeńca, który zgwałcił Miho. – Pani Sasaki pokręciła głową i z dekoltu swojego kimona wyciągnęła metalową papierośnicę. – Jak on mógł zgwałcić własną pasierbicę? Miho była przecież jeszcze dzieckiem. Miała tylko czternaście lat. Nie dziwię się jej, że uciekła z domu. Ja bym oszalała na jej miejscu. Biedna dziewczyna.

– Ale pani Tanaka też jest ofiarą. Kto wie, może to właśnie ona najbardziej ucierpiała. – Krawiec obserwował, jak pani Sasaki wyciąga papierosa i wkłada go między wargi.

– Wiem, mimo to Miho ją obwinia za to, że poślubiła takiego łotra. – Pani Sasaki opuściła lekko głowę, żeby pan Inoue zapalił jej papierosa. – Miho była taką uroczą dziewczyną. Przywiązała się do mnie, jakbym była jej starszą siostrą. Bardzo często przesiadywała u mnie w lokalu i opiekowała się Ayumi, gdy jeszcze była dzieckiem.

– To wszystko jest niesłychanie tragiczne – zauważył pan Inoue, kręcąc głową.

– Nie powinnam panu tego mówić, ale... – pani Sasaki rzuciła okiem na drzwi, żeby się upewnić, czy Asako przypadkiem nie wróciła – Miho była tu wczoraj w nocy.

– Naprawdę?

Pani Sasaki znów zaczęła szeptać.

– Prawie jej nie poznałam. Jak na tak młodą kobietę wyglądała staro. Ja nigdy tak nie wyglądałam, będąc w jej wieku. Ale wie pan, ludzie zawsze mi mówią, że ja się w ogóle nie starzeję – powiedziała, przesuwając delikatnie rękami po twarzy. – W każdym razie Miho szukała mnie w środku nocy.

– I co powiedziała? – Pan Inoue wyglądał na zniecierpliwionego.

– Powiedziała, że na jakiś czas zostawiła swoją sześcioletnią córkę pod opieką pani Tanaki, ale później ma ją ponoć adoptować jakaś amerykańska rodzina.

– Rodzina z Ameryki?

– Pssst! – Pani Sasaki położyła palec na ustach. – Ode mnie pan tego nie wie.

– Dlaczego tak daleko? Dlaczego wysyła ją aż do Ameryki? – mężczyzna zniżył głos. – Dlaczego pani Tanaka nie może się troszczyć o własną wnuczkę?

– A kto będzie się opiekował dziewczynką, gdy pani Tanaka będzie zbyt stara, żeby to robić?

– To prawda. – Krawiec się zamyślił.

– Musi być jakiś szczególny powód, że Miho postanowiła wysłać ją do Ameryki – zauważyła pani Sasaki. – Zdawała się bardzo spieszyć, jakby ktoś ją gonił. To z pewnością znacznie bardziej skomplikowana historia, ale Miho powiedziała mi, że jest w kontakcie z kimś z Ameryki czy jakoś tak. Niezależnie od tego, o co tu chodzi, uważam, że najlepiej będzie dla dziewczynki, jeśli wyjedzie i rozpocznie nowe życie.

Pan Inoue pokręcił głową.

– To wszystko brzmi bardzo dziwnie. Tak po prostu zostawiła dziecko u swojej starej matki i nie powiedziała dlaczego? To przecież nie ma sensu!

Pani Sasaki zmarszczyła brwi.

– Wiem, że Miho od lat nie rozmawiała z matką. To bardzo smutna historia i nie wiem właściwie, po czyjej stronie stanąć. Czemu to ja muszę być posłańcem takich wiadomości?

– Przecież to ona powinna powiedzieć matce o adopcji wnuczki – zauważył pan Inoue. – Czemu zdradziła to pani, a matce kazała żyć w nieświadomości?

– Zna pan już teraz tę skomplikowaną historię. Pani Tanaka i jej córka nie mają dobrych relacji, przynajmniej w tym życiu.

– Niezależnie od tego, co zdarzyło się w przeszłości, to nie jest dobry pomysł, żeby wysyłać dziewczynkę do Ameryki – powiedział stanowczo pan Inoue.

– A dlaczego nie? Najwyraźniej dziecko nie ma ojca, a kto wie, jak Miho zarabia. Co tę małą czeka tutaj, w Japonii? – Pani Sasaki przestała mówić dokładnie w chwili, gdy jej córka wyszła z kuchni z bambusową tacką, na której stała zamówiona przez pana Inoue zupa. – Możliwe, że dziewczynka będzie tam miała znacznie lepiej – dodała jeszcze. – A dzięki tak dużej odległości nie podąży za nią zła karma jej rodziny.

Podczas gdy nastoletnia córka pani Sasaki stawiała na stole gorącą wazę z zupą, pan Inoue patrzył na nią z sympatią.

– Bardzo dziękuję, Ayumi. Zupa wygląda przepysznie. Niedługo będziesz robić jeszcze lepszy udon niż twoja matka – zauważył i uśmiechnął się tak, że było widać jego lekko wystające zęby.

Podążył wzrokiem za wracającą do kuchni Ayumi, a pani Sasaki bacznie obserwowała jego zachowanie. Po chwili pan Inoue spoważniał i zaczął jeść. Pani Sasaki wdychała gorące opary unoszące się znad wazy.

Po tym jak Asako i jej wnuczka zjadły swoją pierwszą wspólną kolację i odpoczęły, Yuki wróciła do rysowania, a Asako w milczeniu zaczęła mielić soję. Co jakiś czas spoglądała na wnuczkę i rozmaite myśli krzyżowały się w jej głowie jak smugi farby na płótnach abstrakcjonistów. Rozmowa z panią Sasaki była dla niej druzgocąca, a samo wyobrażenie sobie tego, że będzie musiała oddać Yuki jakiejś amerykańskiej rodzinie, napawało ją przerażeniem. Nie mogła uwierzyć w to, co chciała zrobić Miho. Jak mogła oddać do adopcji własną córkę? I w dodatku tak daleko, do Ameryki? Jak mogła tak bardzo okłamać Yuki, mówiąc jej, że wróci i ją zabierze, podczas gdy obiecała ją już jakiejś bogatej amerykańskiej rodzinie? Jak to biedne dziecko będzie mogło wieść normalne życie, gdy zorientuje się, że zostało porzucone przez własną matkę? Asako wiedziała, dlaczego Miho nie potrafiła normalnie żyć. Czy ten zalążek cierpienia Yuki po niej odziedziczy? Asako wspomniała własną matkę. Kiedy to wszystko wreszcie się skończy?

Niezauważenie dla staruszki Yuki położyła głowę na kolorowance i zasnęła. Asako podniosła ją i położyła na futonie. Pocałowała ją w czoło i odgarnęła włosy z twarzy. Patrzyła, jak z każdym oddechem sen Yuki staje się coraz głębszy. Jej rączki były ubrudzone czarną i czerwoną kredką. Asako spojrzała na niedokończony rysunek. Przedstawiał dziewczynkę w czerwonym płaszczyku, która latała po niebie z dużym czarnym parasolem. Była uśmiechnięta od ucha do ucha, a nogi trzymała blisko siebie, jakby ktoś związał je niewidzialnym sznurem. Zaraz pod latającą dziewczynką, na środku ponurego pustkowia stał samotnie dom w kształcie półksiężyca.

16.

Pani Nakamura szła przez pusty korytarz do panny Murakami.

– Dziś wieczorem też ma pani spotkanie? – drażniła się z młodą nauczycielką, która właśnie malowała usta przed lustrem.

Panna Murakami natychmiast schowała szminkę do kieszeni i odwróciła się do przełożonej, która stała przed nią rozbawiona. Nauczycielka również nieśmiało się uśmiechnęła.

– Niech pani nie będzie taka wstydliwa. Ja także miałam wiele miłosnych przygód, gdy byłam w pani wieku, choć dzisiaj pewnie trudno to sobie wyobrazić.

Dyrektorka zachichotała i spojrzała w lustro. Obok ślicznej młodej dziewczyny stała kobieta z wyraźnymi już oznakami zaawansowanego wieku.

– A może będzie wesele, panno Murakami? – spytała.

– O nie. – Zawstydzona nauczycielka pokręciła głową. – Jest jeszcze za wcześnie.

– Dlaczego pani tak mówi? Spotykacie się przecież już prawie od roku. Powinna się pani zdecydować, zanim będzie za późno.

Panna Murakami wzruszyła ramionami i wyraźnie zakłopotana spuściła wzrok.

– Widujemy się tylko przelotnie. Nie myślimy jeszcze o małżeństwie – powiedziała.

– Tylko niech pani nie wierzy w to, że zawsze będzie młoda. Ani się pani obejrzy, a może być jedyną wolną kobietą wśród pani rówieśniczek i ludzie zaczną panią nazywać „starą panną" zamiast „panienką". – Dyrektorka zaśmiała się ze swojego żartu.

Panna Murakami przytaknęła.

– Ale muszę przecież poczekać, aż mnie o to poprosi.

– Tak, oczywiście – zgodziła się pani Nakamura. – Ale może jest zbyt nieśmiały? Może to pani musi zacząć rozmawiać z nim o przyszłości. Tak jak mówię, nie będzie pani coraz młodsza.

W rzeczywistości panna Murakami potrafiła sobie siebie wyobrazić jako żonę i matkę. To jej przyjaciel Koichi Watanabe mówił ciągle o potrzebie wolności i niezależności oraz o tym, że nie wie, czy chce wejść w rolę, której oczekuje od niego społeczeństwo. Wiedziała, że Koichi przeciąga w nieskończoność swoje studia, żeby uchylić się od konieczności pracy w jakiejś firmie, co robili inni. Powtarzał jej ciągle, że nie może znieść myśli, że mógłby być taki jak każdy. Połykał książki Camusa, Sartre'a, Nietzschego, Schopenhauera, Kierkegaarda, Kafki i Dostojewskiego. A do tego gardził „grupową mentalnością" japońskiego społeczeństwa. I choć to właśnie postępowe poglądy Ko-ichiego i jego bystry umysł zwróciły jej uwagę, to teraz uświadamiała sobie, że być może w jego świecie nie ma dla niej miejsca.

– Myślę, że w tym momencie ma w głowie inne rzeczy niż małżeństwo – wyznała. – Zdaje w tym roku egzamin magisterski i jeszcze nie zdecydował, co chce robić dalej. Mówi, że być może będzie kontynuował studia i robił doktorat gdzieś za granicą.

– Za granicą? – Pani Nakamura otworzyła szeroko swoje wąskie oczy. – Mam nadzieję, że nie oznacza to także pani wyjazdu?

– Nic jeszcze nie zostało postanowione. Najpierw musi zrobić dyplom magistra i zgromadzić fundusze, jeśli chce studiować za granicą. Ja też muszę się zastanowić nad własnym życiem.

– Cóż, jeśli chciałby jeszcze studiować za granicą, to co innego. W przeciwnym razie powinien szukać pracy, żeby móc założyć z panią rodzinę. Pani już ma zawód, który pani lubi. A może jest wam obojgu nie po drodze…

Panna Murakami uśmiechnęła się zakłopotana.

– Nie uważam, żeby małżeństwo było najważniejszą rzeczą w życiu każdej młodej kobiety – powiedziała i zorientowała się, że powtarza stwierdzenia swojego przyjaciela.

– Z pewnością nie jest to jedyny sens życia, ale założenie rodziny jest przecież ważne, nie sądzi pani? – Dyrektorka dostrzegła bezradność w oczach młodej nauczycielki. – Panno Murakami, nie chcę oczywiście wtrącać się do pani osobistego życia, ale jako ta starsza z nas dwóch czuję się w obowiązku jakoś pani doradzić, jak starsza siostra albo matka. Mam nadzieję, że nie uważa mnie pani za wścibską – powiedziała przepraszająco pani Nakamura.

– Ani trochę. Rozumiem i doceniam pani troskę.

– Cieszę się, że pani tak myśli. – Dyrektorka naprawdę wyglądała na zadowoloną. – Weźmy na przykład panią Tanakę. Biedna stara kobieta nie ma nikogo. Teraz dopiero zjawiła się u niej wnuczka, która nie ma prawdziwej rodziny. Ale co się z nią stanie, gdy pani Tanaka umrze?

– Yuki powiedziała, że wkrótce wyjeżdża do Ameryki i będzie tam mieszkać ze swoją matką – zauważyła panna Murakami, która z ulgą przyjęła zmianę tematu.

– Naprawdę? Nic o tym nie wiedziałam. Pani Tanaka zachowywała się tak, jakby mała miała u niej zostać na stałe. – Pani Nakamura przypomniała sobie ich spotkanie. – Dziewczynka wydawała się nieśmiała. Jak szło jej dzisiaj na lekcjach?

– Zupełnie dobrze. I Yuki wcale nie jest taka nieśmiała. W zasadzie można nawet powiedzieć, że lubi dużo mówić. Wydaje mi się też, że powinna dobrze dogadywać się z innymi. Nie zauważyłam więc nic szczególnego. – Po chwili jednak przypomniała sobie coś, co sprawiło, że zmieniła ton głosu. – Może poza jednym... Wierzyła, że idzie do szkoły po to, by pewnego dnia nauczyć się latać.

– Ach, to... – Dyrektorka zaśmiała się, przytakując. – To była taka mała sztuczka, żeby namówić ją do nauki.

– Sztuczka? – Panna Murakami wyglądała na zaskoczoną.

– Przecież nie ma niczego złego w odwoływaniu się do wyobraźni dzieci, by zrobić coś wyłącznie dla ich dobra.

Jeśli tylko każdego ranka Yuki będzie przychodzić tutaj zadowolona i pilnie się uczyć, może sądzić, że uczy się latać, a nie pisać. Niedługo będzie mieć ten etap za sobą. Niech się pani włączy do zabawy, panno Murakami.

– Ale to jest kłamstwo! – Panna Murakami natychmiast pożałowała, że tak dosadnie wyraziła swoje zdanie.

– Jedynie kłamstwo konieczne, panno Murakami. To jej nie zaszkodzi. – Zaskoczona tak gwałtowną reakcją swojej podwładnej dyrektorka spuściła wzrok.

Panna Murakami nie dodała niczego więcej. Bała się, że zdenerwowała dyrektorkę, zarzucając jej szerzenie kłamstwa. Ale przełożona nie wydawała się urażona.

– Panno Murakami, czy wszyscy nie dorastaliśmy w przekonaniu o istnieniu potwora, który zjada nieposłuszne dzieci? – Uśmiechnęła się wesoło. – Na szczęście oczywiście taki potwór nie istnieje, ale za sprawą strachu przed nim nauczyliśmy się porządnie zachowywać. Niech pani zwróci uwagę, czego uczą w zachodnich kościołach. Kto nie wierzy w Boga i nie czyni tak, jak zapisano w Biblii, przez całą wieczność będzie się smażył w ogniu piekielnym.

Młoda nauczycielka uśmiechnęła się, widząc zapał przełożonej.

– Panno Murakami, myśli pani, że ludzie z Zachodu naprawdę w to wierzą? Bardzo by mnie to zaskoczyło. Nie mogą być przecież tak głupi! Widzi pani, takie groźby to kłamstwo konieczne, że tak powiem. Pomaga ludziom być dobrymi, jeśli sami z siebie tego nie potrafią. Właściwie to zupełnie zrozumiałe, że nie można nikogo zabić ani okraść. Ale niektórym jest łatwiej trzymać się tego, jeśli boją się kary. Musi być jednak też oczywiście obietnica nagrody – za dobre czyny. Jest nią wieczne szczęście w niebie – kontynuowała pani Nakamura, podczas gdy młoda nauczycielka jedynie jej przytakiwała. – Także my chodzimy do shintoistycznych świątyń, składamy ofiary i o coś prosimy. Ale czy naprawdę wierzymy, że dzięki temu dostaniemy szczęście i zdrowie, o które błagamy? Nie, po prostu sami siebie chcemy przechytrzyć, żeby osiągnąć wewnętrzny spokój. Tak więc widzi pani, panno Murakami, że kilka kłamstw dających nadzieję nikomu nie zaszkodzi. To tylko dla naszego dobra – dyrektorka zakończyła przemowę, przyjaźnie klepiąc po ramieniu podwładną.

– Rozumiem to, pani Nakamura, ale przypadek Yuki wygląda trochę inaczej.

– Nie ma żadnej różnicy, panno Murakami. Sądzę, że świadomość istnienia kary i nagrody pomoże Yuki być lepszą uczennicą. Jeśli uwierzy, że pewnego dnia nauczy się latać, będzie się pilnie uczyć. A strach przed tym, co się stanie, jeśli będzie postępować inaczej, sprawi, że uniknie wielu kłopotów. Nie uważa pani?

Z przechyloną głową dyrektorka podziwiała koralową czerwień ust młodej nauczycielki.

– A co, jeśli Yuki pomyśli, że skoro jest tak grzeczna i tak dobrze się uczy, to umie już latać i spróbuje? To przecież może być niebezpieczne – zauważyła panna Murakami po chwili namysłu.

Pani Nakamura znów się uśmiechnęła.

– Panno Murakami, uczę już od wielu lat. Yuki nie jest pierwszym ani ostatnim dzieckiem, które chce latać. Niech mi pani wierzy, z tego się wyrasta. Nie trzeba mówić dzieciom, że nie będą latać tak jak ptaki. Same w końcu to zrozumieją.

– Myślę tylko, że w przypadku Yuki może być inaczej.

– Niech się pani nie martwi, panno Murakami. Gwarantuję, że Yuki szybko pozna prawdę. Poza tym dzisiejsze dzieci są znacznie mądrzejsze niż my w ich wieku.

Panna Murakami spojrzała na zegarek, żeby zakończyć tę rozmowę.

– Proszę mi wybaczyć, pani Nakamura, ale muszę już iść. Mój przyjaciel się denerwuje, że zawsze się spóźniam.

– Ależ oczywiście. Nie może pani kazać mu czekać.

Dyrektorka uśmiechnęła się znacząco, a nauczycielka ukłoniła się szybko i podbiegła do drzwi, przez które wkrótce do korytarza wpadł zimny podmuch wiatru i zapach śniegu.

– Niech pani z nim porozmawia o waszej przyszłości. Nigdy nie jest za wcześnie, żeby zacząć ją planować! – krzyknęła jeszcze dyrektorka w stronę panny Murakami.

Młoda kobieta skłoniła się z uśmiechem i energicznie zamknęła drzwi.

Harumi Murakami w pośpiechu weszła do Café Europa. Kawiarnia znajdowała się w centrum Osaki i była najbardziej znanym miejscem spotkań młodych ludzi, którzy lubili zachodnią muzykę rockową. Od razu poczuła dym papierosowy i usłyszała bluesowe dźwięki gitary. W lokalu siedziało jakieś dwanaście osób. Niektóre paliły i poruszały głową w rytm muzyki. Na ścianach były poprzyklejane plakaty z wizerunkami Jimmy'ego Hendriksa, Boba Dylana, Rolling Stonesów, Beatlesów, grupy The Who oraz zdjęcia Paryża, Rzymu, Barcelony, Berlina, Düsseldorfu i Londynu. Większość gości przychodziła tu raczej, żeby posłuchać muzyki i zapalić papierosa, niż wypić kawę czy herbatę. W rogu leżały równo poukładane setki płyt, które puszczał didżej w średnim wieku, z długimi włosami, ubrany w brązową skórzaną kurtkę.

Harumi podeszła do swojego przyjaciela, który siedział w samym środku sali przy filiżance kawy.

– Sądziłem, że znów przyjdziesz później. A jesteś nawet trochę za wcześnie. Co się stało? – Koichi uśmiechnął się i poprawił okulary. – Cieszyłem się nieco, że przez chwilę siedzę tu sam i w spokoju posłucham muzyki.

– A co leciało, zanim przyszłam? – spytała, siadając obok niego.

– To co zwykle. The Who, Pink Floyd... To jest płyta „Red House" Jimmy'ego Hendriksa.

Koichi wziął łyk wystudzonej kawy i spojrzał na śliczną młodą dziewczynę, która siedziała w kącie. Harumi podążyła wzrokiem w tamtą stronę. Dziewczyna, ubrana w różowy sweter z angory i obcisłe niebieskie dżinsy, właśnie zapalała papierosa.

– Może pójdziemy coś zjeść? Cały dzień nie miałem nic w ustach i jestem naprawdę głodny – zaproponował Koichi i odstawił filiżankę, gdy didżej puścił *Yesterday* Beatlesów.

– Uwielbiam tę piosenkę – powiedziała Harumi.

Od koncertu w Tokio w 1966 roku popularność Beatlesów w Japonii gwałtownie wzrosła. *Yesterday* była jedną z niewielu zachodnich piosenek, które znała Harumi, tylko dlatego, że była wielkim hitem.

– Czy możemy jeszcze jej posłuchać? – spytała.

Koichi potarł nieogolony podbródek.

– Ta piosenka sprawia, że chcę natychmiast iść do domu. Najgorsze jest to, że nie można mu zabronić jej puszczać – mruknął, a Harumi poczuła się, jakby ktoś oblał ją zimną wodą. Jej radość się skończyła.

– Nie podoba ci się ta piosenka? Jest przecież bardzo ładna – powiedziała niemalże zawstydzona swoim podziwem.

– Piosenka nie jest zła, ale zdecydowanie zbyt przeceniana przez tych wszystkich ignorantów.

– Ignorantów? Co masz na myśli? – spytała Harumi, ukrywając zakłopotanie.

– Mam na myśli to, że w porównaniu z innymi utworami Beatlesów ta piosenka jest zupełnie nieznacząca, ale ludziom podoba się bardziej niż inne, ambitniejsze, które nagrali. Puści amatorzy. Nie mają o niczym pojęcia. – Koichi pokręcił głową rozczarowany.

Harumi się zawstydziła. Koichi często mówił z rozgoryczeniem o guście mas, jak nazywał innych ludzi, a ona nigdy mu się nie sprzeciwiała i nigdy nie wyrażała własnego zdania, bojąc się, że jego niezadowolenie rozszerzy się również na nią.

– Pewnie tej licealistce też podoba się ten nonsensowny kawałek. Takie małolaty sądzą, że są stylowe, gdy słuchają Beatlesów. Dzieci jak ona nie powinny tu w ogóle przychodzić – powiedział i spojrzał na dziewczynę w różowym swetrze, a w spojrzeniu, które jej rzucił, był widoczny podziw dla jej krągłych kształtów widocznych pod swetrem.

– Skąd wiesz, że to licealistka? Nie ma na sobie mundurka i pali papierosy.

Harumi spojrzała na różowe usta dziewczyny, które poruszały się zgodnie ze słowami piosenki.

– Znam ją przecież. Po szkole wraca do domu i robi wszystko, żeby wyglądać jak studentka. Pali, pije i chce się stać kolejną Yoko Ono. Wierz mi, pojedzie do Indii, bo byli tam Beatlesi, będzie rozmawiać o oświeceniu i duchowych doświadczeniach, jakby była wyjątkowa, a nawet nieprzeciętnie inteligentna, choć tak naprawdę jest pozerką, niepotrafiącą myśleć analitycznie.

Dziewczyna spojrzała w stronę ich stolika, jakby słyszała, co mówił Koichi. Nie umknęło uwagi Harumi, że przyjaciel nie mógł oderwać wzroku od obcisłych dżinsów dziewczyny, gdy ta zakładała nogę na nogę.

– Chodź, idziemy. Nie mogę znieść tych kurczaków, a do tego jeszcze ten wyciskacz łez. Mam dość – powiedział Koichi.

Wziął swoją książkę – angielskie wydanie *Mojego życia* Lwa Trockiego – i gwałtownie podniósł się z miejsca. Harumi poszła za nim. Zanim opuścili kawiarnię, Koichi jeszcze raz rzucił spojrzenie w stronę dziewczyny w różowym swetrze, która zapalała właśnie kolejnego papierosa. Gdy wyszli na ciemną oblodzoną ulicę, Paul

McCartney wciąż śpiewał: *Love was such an easy game to play. Now I need a place to hide away. Oh, I believe in yesterday.*

Koichiemu znacząco poprawił się nastrój, gdy wypełnił żołądek miską ryżu z grillowanym węgorzem i kilkoma piwami. Miał w zwyczaju opowiadać Harumi wszystko, co zobaczył lub zaobserwował, niezależnie od tego, czy ją to interesowało. Tego wieczora głównym tematem był rosyjski rewolucjonista Trocki, którego książki czytał od wielu tygodni.

– Myślę o tym, co by się stało, gdyby Trocki przejął władzę od Stalina. Jak dziś wyglądałby świat. Czy nie byłoby to niesamowite, gdyby się nad tym głębiej zastanowić? – powiedział Koichi i napił się piwa.

– Ale czy to pytanie nie mogłoby dotyczyć całej historii? – spytała Harumi. – Jak wyglądałby świat, gdyby Japonia nie przegrała wojny? Albo gdyby nie urodził się Hitler?

Koichi przytaknął, ale po chwili znów wrócił do Trockiego.

– To, co mnie w nim najbardziej zaskoczyło, to jego zdolności pisarskie. Jego tekst ma ogromne walory literackie – powiedział jak doświadczony krytyk. – Gdyby urodził się w innym miejscu i w innym czasie, z pewnością byłby znakomitym dramaturgiem albo przynajmniej pisałby dobre powieści.

– Myślisz? – Harumi starała się okazywać zainteresowanie.

– Oczywiście! Sądzę też, że mógłby być kimś takim jak Freud czy Jung. W tym, co napisał, można dostrzec bardzo wyraźnie, że miał analityczny umysł, potrafił logicznie myśleć. Muszę przyznać, że Trocki zrobił na mnie ogromne wrażenie. Dostarczył mi też powodów do tego, żebym odwiedził Stambuł.

– Stambuł?

– Tak, tam został deportowany. Spędził wiele lat na wyspie u wybrzeży Stambułu. – Koichi zamilkł na chwilę, żeby napić się piwa. – Wiesz, od zawsze czułem tę dziwną tęsknotę za Stambułem.

– Tak, wspominałeś już o tym – powiedziała Harumi. – Zastanawiałam się czasami dlaczego.

– Czy to rzeczywiście nie dziwne? Jak to możliwe, że tęsknię za miejscem, w którym nigdy nie byłem? Pewnego dnia muszę tam pojechać. Jestem niemalże opętany tą myślą. Gdybym miał pieniądze, byłoby to pierwsze miejsce, które bym odwiedził.

Jak zwykle Koichi, planując podróż, nie uwzględnił Harumi. Zawsze chodziło jedynie o zaspokojenie jego intelektualnych potrzeb, a Harumi miałaby jedynie stać obok i patrzeć jak bezmyślny widz, który nie ma nic do powiedzenia. Gdy Koichi zamówił trzecie piwo, zanim wypił drugie, Harumi spytała go, czy któregoś dnia nie chciałby założyć rodziny.

– To spory skok myślowy od naszego poprzedniego tematu – uśmiechnął się. – Dlaczego pytasz?

– Nie wiem – Harumi wzruszyła ramionami. – Pewnie z ciekawości.

– Więc... – Koichi wahał się przez chwilę – ...sądzę, że jest to piękna fantazja. Nie uważasz? – Zaśmiał się, jakby właśnie powiedział dobry żart.

– Fantazja? Co masz na myśli? Prawie wszyscy ludzie mają rodzinę.

– Ludzie marzą o tym, że rodzina uczyni ich szczęśliwymi – mówił Koichi, jakby opisywał egzotyczne plemię, z którym on nie ma nic wspólnego. – Dla mnie rodzina to piękna ułuda, w którą ludzie chcą wierzyć, ale która tak naprawdę nie istnieje.

– Wciąż nie rozumiem, co masz na myśli. – Harumi czuła, jak sztywnieją jej mięśnie twarzy. – Chcesz przez to powiedzieć, że wszyscy ludzie, którzy zakładają rodziny, żyją w świecie fantazji?

– Nie, nie uważam tak. Mówię o normach społecznych, które bierzemy za pewnik. Ale, gdy się im lepiej przyjrzeć, okazuje się, że jest to jakiś niezbyt logiczny system.

– System? – Harumi zmarszczyła czoło, słysząc to zimne słowo.

– Za sprawą prania mózgu jesteśmy wychowywani tak, żeby robić to, co wszyscy, i wierzyć, że jest to jedyna droga prowadząca do normalności. Jest to system, który nas zniewala, i mało kto podaje go w wątpliwość. Wszyscy chodzimy do szkoły, uczymy się tych samych rzeczy, a gdy jesteśmy dostatecznie dorośli, oczekuje się od nas, że będziemy wykonywać pracę, która nas w końcu zabije. – Nie zauważając zakłopotania Harumi, mówił dalej: – Bierzemy śluby, mamy dzieci, które robią te same rzeczy, które robiliśmy my, i...

344

– Chcesz powiedzieć, że zrezygnujesz z posiadania rodziny, żeby nie musieć żyć jak wszyscy inni? – spytała Harumi, nie potrafiąc ukryć niesmaku.

Koichi poprawił okulary.

– Mówię tylko o tej wpojonej ludziom idei, że powinni mieć rodzinę, bo dzięki niej będą szczęśliwi. Większość nawet się nie zastanawia, czy życie rodzinne jest dla nich dobre. Przeciętny człowiek jest zbyt ograniczony, żeby dostrzec inną możliwość. Przyjmuje posłusznie wszystko, co mu się da. Nie ma powodu, żeby być nieszczęśliwym tylko dlatego, że nie ma się rodziny. Czy teraz rozumiesz, o czym myślę? – spytał, dopijając drugie piwo.

– Ale gdy się kogoś kocha, to chce się tego niejako automatycznie, prawda? Poślubić kochaną osobę i mieć z nią dzieci? Przekazywać dalej swoją krew?

– A więc wciąż nie rozumiesz, Harumi. Takie myślenie jest częścią idei szczęśliwej rodziny. – Chciał się napić, ale zauważył, że w szklance już niczego nie ma. – To nie jest takie romantyczne, jak sądzisz. – Unikał wzroku Harumi, patrząc w pustą szklankę. – Uważam, że nie ma nic romantycznego w tym, że dwoje ludzi, którzy się kochają, zakłada rodzinę i wychowuje dzieci. Jak w ogóle można tak sądzić? – Koichi westchnął i kontynuował: – Sądzę, że Nietzsche trafił w tym względzie w dziesiątkę. Napisał mianowicie, że kobiety są zagadką i że na wszystkie swoje problemy mają jedno rozwiązanie: ciążę!

Jego szeroki uśmiech bardzo zirytował Harumi.

– Ja tylko parafrazuję, ale Nietzsche powiedział jeszcze, że dla kobiet mężczyźni są wyłącznie narzędziami, które umożliwiają im posiadanie dzieci. Rozumiesz? Kobiety chcą wychodzić za mąż, żeby mieć dzieci. To wszystko, czego kobiety w ogóle chcą – dzieci! Tak są biologicznie zaprogramowane. Ma to więcej wspólnego z hormonami i instynktem, niż mogłabyś uwierzyć. W życiu rodzinnym zaś nie ma miejsca na romantyzm. Wszystko kręci się wokół rozmnażania.

– Ale ja zupełnie nie o tym mówię! – rozgniewana Harumi podniosła głos, choć nie zamierzała tego robić.

– Harumi... – Koichi sięgnął przez stół po jej dłoń. – Właśnie powiedziałaś, że chcesz dalej przekazać swoją krew. Dla mnie zabrzmiało to jak kobiecy instynkt – powiedział spokojnie, starając się przekonać ją do swojego zdania.

Harumi cofnęła rękę.

– Nie do końca. To ty nie zrozumiałeś najważniejszego. Ja mówię o miłości. Nigdy nie sądziłam, że kocha się kogoś, żeby mieć z tym kimś dziecko. Jest odwrotnie. Myślę, że twój Nietzsche pięknie trafił dokładnie obok tego, co ważne. Nie wziął bowiem pod uwagę jednego istotnego czynnika – uczuć. Wiedział coś w ogóle o tym? Przekonał się, jak to jest mieć rodzinę, zanim tak mocno ją skrytykował? Kobiety chcą dzieci, bo kochają swoich mężów, nie dlatego że dzieci są ich ostatecznym celem albo rozwiązaniem wszystkich problemów.

– Oczywiście można to też widzieć w ten sposób – zgodził się Koichi. – Ale jeśli jest tak, jak mówisz, i miłość jest najważniejszym czynnikiem, to przecież można kogoś kochać i nie zakładać z nim rodziny oraz nie mieć z nim dzieci, prawda? Czemu w takim razie sama miłość miałaby nie wystarczyć?

– Na przykład ty kochasz mnie, ale nie chcesz założyć ze mną rodziny? – spytała Harumi drżącym głosem.

Koichi nie odpowiedział od razu. Spojrzał na kelnera i przypomniał, że miał mu przynieść jeszcze jedno piwo.

– Powiedz mi. – Harumi czuła, jak ściska ją w żołądku. – Mówisz, że nie chcesz mieć rodziny, bo to nie ma nic wspólnego z miłością.

– Cóż, myślę, że to zupełnie możliwe, że się kogoś kocha, mimo że nie chce się go poślubić ani mieć z nim dzieci. – Koichi pomyślał przez chwilę, zanim zaczął mówić dalej. – Poza tym ten świat to istny chaos. Zobacz, co się dzieje w Wietnamie. Jak mógłbym wyjaśnić to moim dzieciom? Jak można by im było wytłumaczyć te wszystkie niesprawiedliwości, to okrucieństwo? Nie chcę mieć dzieci w takim świecie – pokręcił głową. – To wszystko jest przecież jednym wielkim chaosem – powtórzył.

Kelner postawił na stole butelkę zimnego piwa. Koichi wpatrywał się w szklankę, podczas gdy mężczyzna nalewał do niej bursztynową ciecz. Milczeli, dopóki kelner nie odszedł.

– Nie chcesz więc mieć rodziny, bo gdzieś daleko stąd toczą się walki? – W głosie Harumi słychać było wzburzenie. – Koichi, bądź mężczyzną i powiedz wprost, że nie chcesz założyć ze mną rodziny.

– To nie jest takie łatwe, Harumi. Dla mnie istotnym pytaniem nie jest „z kim", ale „dlaczego" – wyjaśnił, zanim znów się napił.

Harumi spojrzała na swoją szklankę z herbatą, nie wiedząc, co ma powiedzieć.

– Harumi... – Koichi przerwał krótkie milczenie. – Chciałabyś wziąć ślub i założyć rodzinę? O to chodzi? – Jego głos był bardzo łagodny, spojrzenie również.

Harumi popatrzyła na niego, a po chwili znów utkwiła wzrok w szklance z herbatą.

– Tak, pewnego dnia chciałabym wyjść za mąż i mieć rodzinę. Może powoli powinniśmy zacząć to planować. To znaczy, nie chcę brać ślubu natychmiast, ale... – przerwała, mając nadzieję, że to, co powiedziała, nie zabrzmiało zbyt desperacko.

Koichi spojrzał na szklankę z piwem i spytał:

– Czy to uczyni cię szczęśliwą?

– Myślę, że tak. Pewnego dnia.

Przytaknął ze zrozumieniem i wziął kolejny łyk piwa. Westchnął głęboko, zanim odpowiedział:

– W takim razie nie jestem właściwym mężczyzną dla ciebie. Nie sądzę, żebym potrafił cię uszczęśliwić – unikał wzroku Harumi.

– Co chcesz przez to powiedzieć? – Harumi poczuła suchość w ustach. Napiła się herbaty i zaczęła drżeć jeszcze mocniej.

– Chcę powiedzieć... – przerwał, żeby zebrać myśli. – Nie jest tak, że cię nie lubię, ale nie sądzę, żebym był szczęśliwy, idąc tą drogą co wszyscy. Ja po prostu taki nie jestem. Przynajmniej nie w tej chwili – dodał pospiesznie.

Serce Harumi zaczęło bić jak szalone.

– Jak mógłbym uczynić cię szczęśliwą, Harumi, gdybym sam nie był szczęśliwy? – wymamrotał, patrząc w jej bladą twarz.

Harumi podniosła wzrok i spojrzała mu w oczy.

– Dlaczego sądzisz, że byłabym nieszczęśliwa, wychodząc za ciebie? – spytała Harumi, walcząc z napływającymi łzami.

– Tak jak powiedziałem, nie sądzę, żebym potrafił żyć według społecznych reguł i mieć rodzinę. To nie ma nic wspólnego z tobą – powtórzył. – Przynajmniej nie teraz – dodał. – Nie potrafisz tego zrozumieć?

– Powinnam była to wiedzieć – powiedziała Harumi cicho, spąsowiała ze złości. – Powinnam była widzieć, że liczy się dla ciebie tylko własne szczęście. Ja jestem ci zupełnie obojętna.

Ludzie siedzący przy stoliku obok przerwali rozmowę i patrzyli na Harumi, która była wyraźnie wyprowadzona z równowagi. Koichi spokojnie pił piwo i czekał, aż ich rozmowa znów zejdzie na spokojniejsze tory.

– Harumi, nie chodzi o to, że nic dla mnie nie znaczysz – zaoponował. – Ale nikt nie uczyni cię szczęśliwą, jeśli ty sama tego nie zrobisz, rozumiesz?

– Typowa egoistyczna postawa – oświadczyła Harumi.

W przeciwieństwie do niej Koichi nie dał się wyprowadzić z równowagi.

– Proszę, nie bądź na mnie zła. Ja po prostu próbuję odnaleźć drogę, która sprawi, że będę szczęśliwy, tak żebym potem mógł dawać szczęście ludziom wokół mnie. Czy naprawdę wydaje ci się to samolubne?

– Myślisz zawsze tylko o tym, czego ty chcesz. To zdecydowany przejaw egoizmu! – Harumi spojrzała na niego z oburzeniem. – Jestem zmęczona graniem dziewczyny, która musi rozumieć, co ty myślisz, czego ty potrzebujesz i kiedy ty musisz być sam.

W jej oczach pojawiły się łzy, ale robiła wszystko, żeby nie zamieniły się w płacz. Koichi bez słowa wpatrywał się w swoją szklankę z piwem.

– Lepiej już pójdę. – Harumi wstała i zebrała swoje rzeczy. – Masz rację. Nie sądzę, żebym była z tobą szczęśliwa. – Otarła szybko łzy, zanim znów odwróciła się w jego stronę. – Albo, jak ty byś to sformułował, nie jestem w stanie uczynić cię szczęśliwym, bo sama nie jestem szczęśliwa.

Koichi patrzył, jak Harumi wychodzi, ale nawet się nie poruszył. Obserwował tylko bezmyślnie, jak w szklance z piwem rozpuszcza się pianka. Dopiero gdy jeden z kelnerów, niczego nieświadomy, zawołał do Harumi głośno do widzenia, Koichi podniósł wzrok i wziął kolejny łyk piwa.

Harumi natychmiast pożałowała tego, co zrobiła. Było jej wstyd za to dramatyczne wystąpienie. Miała nadzieję, że Koichi się zgodzi, żeby jeszcze raz o wszystkim porozmawiali. Celowo nie wsiadła do autobusu jadącego do jej domu w nadziei, że Koichi jeszcze nie wyszedł, ale gdy wróciła do kawiarni, nigdzie go nie widziała. Miała irracjonalne przeczucie, że ukrył się gdzieś, żeby uniknąć konfrontacji z nią. Wsiadła dopiero do trzeciego autobusu, ciągle się wahając, czy dłużej nie zostać. Dopóki mogła, nie spuszczała z oczu wejścia do restauracji, ale przyjaciel się nie pojawił.

Po wielu bolesnych tygodniach bez żadnej wiadomości od Koichiego, Harumi dostała od niego krótki list i *Braci Karamazow* Dostojewskiego. Napisał, że zdecydował się opuścić Japonię i wyjechać do Anglii. Chce tam kontynuować swoje studia filozoficzne i niebawem z pewnością odwiedzi Stambuł. Pisał, że na pewno minie sporo czasu, zanim wróci do Japonii, jeżeli w ogóle kiedykolwiek zdecyduje się na to. Dodał, że jest mu przykro z powodu tego, co się między nimi wydarzyło, i ma nadzieję, że znajdzie sobie dobrego męża, z którym założy rodzinę. Wyraził też przekonanie, że z pewnością będzie wspaniałą żoną i matką.

Harumi przez jakiś czas się zastanawiała, czy do niego nie zadzwonić, żeby się z nim pożegnać i podziękować za książkę, ale tego nie zrobiła. Nie chciała wdawać się z nim w dyskusje. Wciąż miała przed oczami tę scenę, jak Koichi w milczeniu wpatruje się w szklankę z piwem. Wspomnienie to sprawiało, że bolało ją serce.

Tej nocy Harumi zaczęła czytać *Braci Karamazow*.

17.

Koniec stycznia i cały luty były wyjątkowo zimne. Ulice pokrywał zamarznięty śnieg, który w ciągu dnia pod wpływem słońca zamieniał się w uciążliwą breję. Harumi zaś wciąż miała ponury nastrój. Dzieci były zdziwione tym, że panna Murakami tak szybko się irytowała, gdy były niegrzeczne, ale zmianę w zachowaniu młodej nauczycielki zauważyła również dyrektorka, dlatego późnym wieczorem, gdy wszyscy podopieczni opuścili już szkołę, zawołała ją do siebie.

Pani Nakamura zaparzyła zieloną herbatę i podała pikantne ryżowe krakersy, którymi częstowała tylko wybranych gości. Czekając, aż herbata będzie gotowa, zastanawiała się, jak najlepiej powinna zacząć rozmowę z panną Murakami, bo nie chciała stracić swojej najlepszej nauczycielki.

– Czy u pani wszystko w porządku, panno Murakami? – zapytała, siadając przy stole naprzeciw młodej kobiety. – Nie chciałabym być wścibska, ale od kilku tygodni wydaje się pani bardzo smutna. Mylę się?

Nie odpowiadając, panna Murakami skierowała wzrok na czajniczek z herbatą, który stał obok talerza z krakersami.

– Wie pani, że mnie może powiedzieć wszystko... – Dyrektorka nalała herbaty do filiżanek. – Poprosiłam panią do swojego biura, żeby spytać, czy mogę coś dla pani zrobić.

– Bardzo dziękuję. Doceniam pani troskę. – Harumi skłoniła głowę, a następnie wzięła filiżankę w obie dłonie.

Dyrektorka napiła się gorącej herbaty i ostrożnie zadała kolejne pytanie:

– Czy uraziłam panią w jakikolwiek sposób?

Panna Murakami z uśmiechem pokręciła głową.

– Cieszę się wobec tego, że to nie przeze mnie. – Pani Nakamura odwzajemniła uśmiech. – Czasami mówię za dużo i bałam się, że może powiedziałam coś, co panią uraziło.

– Oczywiście, że nie. Jest pani najlepszą dyrektorką, jaką sobie można wyobrazić.

– Czy więc chodzi o coś innego? Ma pani problemy zdrowotne? Albo rodzinne? Naprawdę może mi się pani zwierzyć ze wszystkiego. Będę szczęśliwa, jeśli będę mogła jakoś pani pomóc.

– Przykro mi, że dostarczyłam pani powodów do zmartwień, pani Nakamura. Chodzi po prostu o to, że... – Harumi przygryzła wargi.

– Co się dzieje?

Młoda kobieta starała się unikać zatroskanego wzroku pani Nakamury.

– Rozstaliśmy się z moim przyjacielem – wyznała w końcu cicho. – On wyjeżdża za granicę, żeby kontynuować studia.

– Ach... – powiedziała pani Nakamura z przejęciem.

– Więc jednak.

– Niedługo będzie w Anglii.

– Tak szybko? To musiała być nagła decyzja. Wróci?

Panna Murakami pokręciła głową.

– Nie sądzę. Nie był szczęśliwy w Japonii. Nie pasował tu – dodała w zamyśleniu. – Właściwie mogłam się tego domyślić.

– Rozumiem – przytaknęła dyrektorka, biorąc kolejny łyk herbaty. – Możliwe, że złamał tym pani serce, ale powinna pani potraktować to zdarzenie jako prezent od losu. Przeciwności zmuszają nas, byśmy jeszcze raz przemyśleli sytuację i skupili się na tym, co dla nas ważne. Gdy spojrzy na to pani z perspektywy lat, będzie pani wiedziała, dlaczego tak musiało się stać.

Panna Murakami piła herbatę i patrzyła bezmyślnie na brązową filiżankę, którą trzymała w ręce.

– Powinnam była to wiedzieć – powtórzyła z gorzkim uśmiechem. – Byłam głupia.

– Niech pani nie będzie dla siebie taka surowa. A gdyby pani wiedziała? Co innego mogłaby pani zrobić? Przecież była pani w nim zakochana, prawda?

– Tak myślę – młoda kobieta przytaknęła i westchnęła smutno. – Widziałam wszystko takim, jakim chciałam widzieć. I moje oczy nie dostrzegły prawdy.

Dyrektorka rozumiała, że panna Murakami próbuje ukryć swój smutek. Przerwała więc chwilowe milczenie:

– Najwidoczniej nie pozwoliły pani odkryć prawdy, bo była pani zakochana – powiedziała powoli. – Ludzie mają tendencję do tego, żeby oszukiwać siebie dopóty, dopóki nie są zmuszeni spojrzeć prawdzie w oczy.

– Ma pani całkowitą rację. To był mój błąd – Harumi przytaknęła.

– Nie, nie to chciałam powiedzieć. To nie była ani pani wina, ani wina pani przyjaciela. Tak już po prostu jest. Nie wiem dokładnie, co spowodowało rozstanie, ale najwyraźniej prędzej czy później musiało do niego dojść. Niech pani nie oskarża o to ani siebie, ani pani przyjaciela. Nikt nie jest temu winien.

Panna Murakami nie powiedziała dyrektorce, że ich związek zakończył się kilka godzin po tym, jak ponad miesiąc temu rozmawiały na korytarzu. W gruncie rzeczy bowiem ich rozstanie nie miało nic wspólnego z tym, co powiedziała pani Nakamura. Nie chodziło przecież wyłącznie o małżeństwo. Rozmowa na ten temat ujawniła po prostu słabe strony ich relacji. Mogli co prawda wciąż unikać tej kwestii i skupiać się na błahostkach, jak filmy, książki, muzyka czy jedzenie, ale w pewnym momencie i tak musieliby spojrzeć prawdzie w oczy. To była tylko kwestia czasu, żeby dowiedzieli się, że nie ma dla nich przyszłości jako dla pary. Harumi zdała sobie sprawę, że Koichi nie kochał jej tak jak ona jego. Właściwie to była jej wina, że nie zauważyła tej różnicy. Stworzyła sobie wizerunek człowieka, którego kochała, i dla własnego komfortu postanowiła tkwić w tej ułudzie. Ale jak długo można okłamywać siebie?

Później dowiedziała się, że Koichi od samego początku nie miał zamiaru uczynić jej częścią swojego życia. Prawdopodobnie cieszył się nawet, że odegrała tę dramatyczną scenę i na zawsze zniknęła z jego świata. Te myśli jednocześnie zasmucały ją i wywoływały w niej gniew.

– To nie był dla was odpowiedni moment... – pocieszała ją dyrektorka. – Ale, panno Murakami, nie mam żadnych wątpliwości co do tego, że pewnego dnia spotka pani właściwego mężczyznę. – Uśmiechnęła się z żalem.

Harumi przytaknęła uprzejmie swojej przełożonej, ale nie zgadzała się z nią. Moment nie odegrał tu żadnej roli. To Koichi po prostu nie był odpowiednią osobą. Gdy się taką spotka, czas zawsze sprzyja relacji – niezależnie od tego, jak wielkie przeszkody stają zakochanym na drodze. To nie czas był winien, pomyślała raz jeszcze. To Koichi nie był po prostu tą osobą, na którą czeka, a ona nie była tą jedyną dla niego.

Znów ogarnął ją smutek. W milczeniu piła herbatę.

– Panno Murakami, raz jeszcze przemyślałam to, co przed kilkoma tygodniami powiedziałam pani o małżeństwie – dyrektorka spuściła wzrok, gdy Harumi na nią spojrzała. – Nie chcę być natrętna, ale sądzę, że zbyt mocno przekonywałam panią do szybkiego zamążpójścia.

– Niech się pani nie martwi, pani Nakamura. Cała moja rodzina i przyjaciele czekają na to, aż wreszcie wezmę ślub. Po prostu nie zgodziłyśmy się w tej kwestii i to wszystko – starała się uśmiechnąć, ale nie potrafiła. Zamiast tego wzięła kolejny łyk herbaty.

Dyrektorka dolała zielonej cieczy do obu filiżanek.

– Muszę coś pani wyznać. Niezależnie od tego, czy weźmiemy ślub, czy nie, czy mamy dzieci, czy nie, ostatecznie i tak wszyscy jesteśmy zupełnie sami.

Harumi podniosła wzrok na panią Nakamurę, która spokojnie wpatrywała się w swoją filiżankę z herbatą. Jej starzejąca się twarz nie wyglądała na zadowoloną czy wesołą, ale widać na niej było wewnętrzny spokój, który pojawia się zazwyczaj wówczas, gdy ktoś uwalnia się od wielkiego ciężaru.

– Nie ma znaczenia, jak dużą mamy rodzinę, ilu mamy przyjaciół, czy mamy mało, czy dużo pieniędzy – wszyscy od czasu do czasu czujemy się samotni. Nie sądzi pani?

– pani Nakamura uśmiechnęła się ostrożnie.

Gdy ich oczy się spotkały, dyrektorka znów spuściła wzrok. Harumi przytaknęła i czekała, aż przełożona będzie mówić dalej, ale ona tylko piła w milczeniu herbatę.

– Czy wszystko w porządku, pani Nakamura? – przerwała krótkie milczenie Harumi. Melancholijny nastrój dyrektorki, tak dla niej nietypowy, wydał się młodej nauczycielce niepokojący.

– Jak najbardziej – odpowiedziała szybko pani Nakamura. – Firma mojego męża prosperuje doskonale, moje dzieci dobrze się uczą... Tak, wszystko jest w idealnym porządku...

– Przepraszam panią, ale brzmi pani tak smutno...

– Widocznie w średnim wieku kobiety stają się trochę melancholijne – pani Nakamura uśmiechnęła się gorzko. – Zrozumie to pani, gdy będzie mieć moje lata, panno Murakami.

Dyrektorka poczęstowała Harumi ryżowymi krakersami i sama też wzięła jednego. Patrzyły na siebie. Zabawny dźwięk nagryzanych krakersów wypełnił ciszę, a zielona herbata powoli stygła i nabierała brązowego koloru.

Zima 1969 roku okazała się momentem przełomowym w życiu Asako. Wyraźnie się zmieniła, odkąd Yuki u niej zamieszkała. Nie minęło dużo czasu, a przestała unikać rozmów z młodymi matkami, które spotykała w szkole. Chwaliła się nawet tak jak każda babcia zdolnościami wnuczki. Yuki stała się sensem jej życia i Asako nie potrafiła sobie wyobrazić, jak mogłaby istnieć bez niej. Wydawało się jej, że Yuki jest u niej od zawsze, chociaż dziewczynka ciągle wspominała Miho. Asako czasami czuła smutek z tego powodu i choć paraliżował ją strach, że pewnego dnia zjawią się u nich ludzie z agencji adopcyjnej, z całą pewnością wnuczka uczyniła jej życie weselszym.

Yuki tęskniła za matką, ale przez większość czasu czuła się dobrze w swoim nowym domu i z nowymi przyjaciółmi w szkole. Asako bała się na początku, że na psychikę dziewczynki mógł wpłynąć fakt, że wychowywała się w tak niekorzystnym środowisku, jakim była dzielnica domów publicznych w Tokio, ale Yuki szybko się podniosła, jak stokrotka po gwałtownej ulewie.

Którejś nocy, gdy dzielnicę nawiedziła burza śnieżna, Yuki krzyczała przez sen, zlana zimnym potem. Później opowiedziała Asako, że utonęła we śnie w ogromnym ciemnym morzu, gdyż olbrzymia fala, wielka jak góra, zabrała ją w głębiny. A następnego dnia dostała lekkiej gorączki i Asako nie wysłała jej do szkoły. Cały dzień spędziły razem w domu. Asako mieliła soję, a Yuki rysowała swoimi ulubionymi kredkami, ale co jakiś czas przyglądała się babci przy pracy.

– Babciu? – Yuki wyrwała Asako z głębokiego zamyślenia. – Panna Murakami powiedziała, że nigdy nie nauczę się latać.

– Tak powiedziała? – Asako przerwała mielenie soi.

– Tak. – Yuki zmarszczyła czoło. – Powiedziała, że nieważne, co zrobię i jak dobrą będę uczennicą, to i tak nie nauczę się latać, bo to niemożliwe, żeby ludzie latali. Nigdy, przenigdy.

– A opowiedziałaś jej o pani z parasolką? – spytała Asako.

– Tak, oczywiście. Powiedziała, że to tylko tak wygląda w telewizji, ale że ona naprawdę nie lata. Powiedziała, że to tylko sztuczka, bo nikt nie umie latać z parasolem. Nikt.

– Sądzę, że panna Murakami nie ma racji. – Asako się uśmiechnęła i wróciła do pracy.

– A co, jeśli ma? – Yuki się wyprostowała.

– Naprawdę powiedziała, że nigdy nie będziesz mogła nauczyć się latać, nigdy, przenigdy? – Asako powtórzyła słowa Yuki.

– „Nigdy, przenigdy". Tak powiedziała – Yuki dała wyraz swojemu dziecinnemu rozczarowaniu, uderzając małą piąstką w podłogę.

– Posłuchaj mnie, Yuki – Asako znów przerwała pracę. – Obiecuję ci, że pewnego dnia będziesz latać. Ale musisz o tym po prostu zapomnieć. Dopiero wtedy się to wydarzy, jak za dotknięciem czarodziejskiej różdżki.

– Ale dlaczego tak? – Dziewczynka spojrzała na babcię nadąsana.

– Bo najwspanialsze rzeczy zdarzają się wtedy, gdy się ich nie oczekuje. Jeśli będziesz ciągle czekać i rozglądać się za nimi z niecierpliwością, być może nigdy nie nastąpią. Najlepsze są niespodzianki.

– Jak Nana, kotka Makiko?

– O, Makiko miała kotkę?

– Tak, opowiadałam ci przecież, babciu. Nana zawsze uciekała, gdy chciałam się z nią bawić, ale gdy nie próbowałam jej łapać i w ogóle o niej nie myślałam, sama przychodziła i zaczynała się łasić.

– Tak właśnie jest. Marzenia spełniają się wtedy, gdy najmniej się tego spodziewamy. – Asako uśmiechnęła się ostrożnie i podrapała się po uchu. – Musisz więc teraz zapomnieć o lataniu, a pewnego dnia będziesz latać.

– Na pewno?

– Oczywiście.

– Czy to oznacza, że nie mogę już rysować parasoli?

– Tak, właśnie tak.

– Ale, babciu, jak mogę całkiem zapomnieć, jeśli muszę włożyć w to tyle trudu? Muszę o tym myśleć, żeby zapomnieć, a wtedy to znowu do mnie wróci.

Asako się uśmiechnęła, zadowolona, że ma tak bystrą wnuczkę.

– Zapomnisz, Yuki. Poczekaj tylko cierpliwie. Zajmij się po prostu czymś innym, a wtedy bez problemu zapomnisz o lataniu – powiedziała i znów zaczęła mielić soję.

Yuki milczała przez chwilę, a potem spytała:

– A ty, babciu, dlatego cały czas mielisz soję? Chcesz o czymś zapomnieć?

Asako przez chwilę nie mogła się poruszyć. Brakowało jej słów. To dziecko czasami naprawdę widziało więcej niż inni. To prawda, ta monotonna praca od lat była jej schronieniem. Nie podejrzewała jednak, że dziewczynka to dostrzeże.

– Ależ nie! Mielę soję, żeby robić najlepsze tofu. – Asako zmusiła się do uśmiechu, nie przerywając pracy.

– Babciu? – Yuki zawahała się na chwilę, zanim zaczęła mówić dalej. – Myślisz, że będziesz mogła przeprowadzić się z nami do Ameryki?

Asako upuściła dużą mosiężną łyżkę, którą wkładała soję do młynka. W jednej chwili przypomniało się jej wszystko, co mówiła pani Sasaki.

– Babciu! Słyszałaś, o co pytałam? – Yuki podeszła do babci i spojrzała jej w twarz.

– Tak, Yuki – odpowiedziała Asako. – Bardzo bym chciała, żebyśmy wszystkie były razem.

– W takim razie musisz o tym zapomnieć! – stwierdziła Yuki stanowczo, naśladując Asako.

Kobieta zamarła. Yuki znów nie mówiła jak sześciolatka.

– Jeśli chcesz przeprowadzić się z nami do Ameryki, musisz zupełnie o tym zapomnieć, bo w przeciwnym razie tak się nie stanie.

361

– Ach tak, rozumiem – przytaknęła Asako, ale na samą myśl o tym, że musiałaby oddać Yuki do adopcji, pękało jej serce.

– Babciu, nie zapomnij, żeby zapomnieć! – Yuki zaczęła się śmiać ze zdania, które powiedziała, i powtórzyła je kilka razy. – Nie zapomnij, żeby zapomnieć! – zanosiła się od śmiechu i turlała po podłodze. – Nie zapomnij, żeby zapomnieć!

Asako starała się wyrzucić z głowy myśli o ludziach z agencji adopcyjnej, ale wiedziała, że pewnego dnia pojawią się przed jej drzwiami, żeby odebrać jej Yuki na zawsze. Zaczęła mielić soję szybciej i szybciej, podczas gdy Yuki ją obserwowała. Po chwili dziewczynka położyła się na plecach i zaczęła się przeciągać jak kot.

– Brakuje mi Nany – powiedziała smutno. – Od dawna już o niej nie myślałam, ale ona chyba już nigdy nie przyjdzie się do mnie połasić. Jestem już za daleko.

18.

W tym roku zima nie chciała się skończyć, żeby ustąpić miejsca wiośnie. Mróz za nic miał zmieniające się dni w kalendarzu. Zbliżał się marzec, lecz ciągle było nieznośnie zimno. Dopiero pierwszy deszczowy dzień spowodował zmianę. Nie lało, deszcz padał cicho i niemalże niezauważalnie, ale kolejny dzień przyniósł pierwsze oznaki wiosny.

Po nocy wszystko wyglądało i pachniało inaczej. Coraz mocniej rozgaszczała się wiosna. I choć nikt nie oczekiwał, że zmiana będzie tak nagła, surowa zima szybko została zapomniana. Gospodynie poświęcały się wiosennym porządkom, chowały zimowe ubrania, myły okna, zamiatały podwórza i wystawiały na słońce bambusowe kosze. Mężczyźni wracali do pracy: w portach, na placach budów, na polach i morzu. Dzieci, które całą zimę chowały się w domach, teraz bawiły się na ulicach. Wiosna otoczyła kraj magią kolorów i pięknem, które nigdy nie traciło uroku, niezależnie od tego, jak często się pojawiało. I szła dalej, pokazując coraz to nowsze fantastyczne sztuczki. Sprawiła, że na drzewach pojawiły się kwiaty i cudnie pomalowała ich delikatne płatki. Najpiękniejsze jednak były kwiaty wiśni. Yuki – która nie mówiła już więcej o lataniu, nie rysowała też kobiety z parasolem, choć raz powiedziała, że śniło się jej, jak spadała z wysokiego budynku w Tokio i bardzo chciała wtedy móc polecieć – uwielbiała patrzeć na niewielkie drzewo, które stało skromnie na ich podwórzu, tuż obok bramy. Na początku wcale jej się nie podobało. Z czasem jednak zaczęła je podziwiać, tak jak robiła to Miho, i rysować na wszelkie sposoby. Zbierała nawet płatki z ziemi i wkładała je do zeszytu, w którym rysowała. Były prawie na każdej stronie. Gdy zaczynały gnić i tracić kolor, bardzo się denerwowała.

Po raz pierwszy również Asako dostrzegła piękno kwiatów wiśni. Widziała je każdej wiosny, ale nie poświęcała im zbytniej uwagi. Tym razem jednak zobaczyła wszystko z innej perspektywy. Zaczęła patrzeć na świat oczami dziecka. Nigdy wcześniej nie dostrzegała piękna wody, w której myła soję, gdy padały na nią promienie wschodzącego słońca. Nie czuła, jak zniewalająco pachnie pranie, które do późnego wieczora suszy się na słońcu. Jak cudownie było myć i wycierać małe ciałko Yuki pachnące mydłem. Jak dobrze jej było, gdy sama myła się w małej wannie w kuchni, a jej napięte mięśnie odprężały się pod wpływem ciepłej wody. Zachwycało ją cykanie świerszczy.

Pełna obaw myślała czasami o adopcji Yuki, ale postanowiła, że zrobi wszystko, żeby ją u siebie zatrzymać. Nikt jednak się nie pojawiał, a minęła już ponad połowa okresu kwitnienia wiśni, a więc czasu, na który Miho zapowiedziała swój powrót. Asako pragnęła, żeby córka wróciła, zobaczyła, jak Yuki jest szczęśliwa, i została z nimi. O to się modliła. To było jej największe marzenie, żeby we trzy zamieszkały razem pod jednym dachem. Wiedziała jednak, że nigdy się nie ziści, tak jak marzenie Yuki o lataniu. „Nie życzę ci niczego, na co byś nie zasługiwała" – mawiała zazwyczaj matka Asako. „Twoje szczęście w tym życiu jest ograniczone. Pogódź się z tym więc i żyj skromnie. Nie ma sensu walczyć o zmiany. Jeśli rzucisz wyzwanie swojemu losowi, możesz stracić nawet to, co masz". Asako więc przez całe życie nie ośmieliła się walczyć o szczęście ani pragnąć więcej, niż miała, aż odkryła, że to, czego naprawdę chciała, nie było niczym więcej niż tym, co posiadają inni ludzie – rodziną. Jej życzenie nie wydawało się przesadzone, nawet gdy wzięło się pod uwagę fakt, że było to pragnienie kobiety, której szczęście rzadko sprzyjało. Mimo to jakiś wewnętrzny głos ciągle mówił jej, że powinna pokornie cieszyć się z tego, co ma, i znosić cierpliwie wszystkie trudy i przeciwności, jakie z pewnością napotka jeszcze na swojej drodze.

Gdy tylko Yuki kończyła rysować małe drzewo wiśni, pokazywała je Asako, która za każdym razem chwaliła obrazek. Niewielkie drzewo wyglądało na nim zawsze na duże i silne. Gałązki z błyszczącymi różowymi kwiatami zakrywały cały dach małego domku, choć w rzeczywistości drzewo nawet nie dosięgało do stropu.

– Przepiękne! To najpiękniejsze drzewo wiśni w całej dzielnicy! – stwierdzała, a potem przez drzwi rzucała okiem na zewnątrz.

– Czy mamusia też tak lubiła to drzewo? – spytała Yuki.

– Tak, tak samo jak ty. – Asako uśmiechnęła się melancholijnie.

– Ale ono musiało być wtedy jeszcze dzieckiem. Było dzieckiem, gdy mamusia tu mieszkała?

– Być może. – Asako starała się sobie przypomnieć, jak duże było drzewko, gdy Miho jeszcze z nią mieszkała, ale nie wiedziała. – Sądzę, że niewiele urosło od tego czasu. Może nie ma tam wystarczającej ilości słońca.

– Aha – przytaknęła Yuki. – Czy mamusia też je rysowała jak ja?

Asako potwierdziła. Przypomniała sobie, jak jej córka też kiedyś była szczęśliwa. Gdzie podziewała się teraz?

– Babciu, co się dzieje?

Asako odwróciła się do Yuki.

– Wyglądasz na smutną, babciu – powiedziała wnuczka.

– Nie, moja mała. Jestem bardzo szczęśliwa. – Asako się uśmiechnęła. – Myślę sobie tylko, jak piękne jest to drzewo wiśni i jak wspaniały narysowałaś obrazek.

Yuki spojrzała z zadowoleniem na zeszyt, w którym drzewo pojawiło się nieskończenie wiele razy.

– Babciu, myślisz, że mama naprawdę po mnie przyjedzie i zabierze mnie z sobą do Ameryki? – wymruczała, jakby kierowała to pytanie do samej siebie.

Zaskoczyła Asako. Od kilku miesięcy nawet nie wspomniała o Miho. Ale dziewczynka mówiła dalej, nie czekając na odpowiedź babci:

– Kenji powiedział, że mama zostawiła mnie u ciebie na zawsze. Mówił, że nie jest tak łatwo jechać do Ameryki, że podróż jest bardzo ciężka.

Zamiast odpowiedzieć, Asako westchnęła smutno.

– Mamusia nigdy nie wróci – wyszeptała Yuki, wciąż wpatrując się w kwitnące drzewo. – Kenji tak powiedział.

– To nieprawda, Yuki. Nie słuchaj go. Co za głupi nicpoń! – zdenerwowała się Asako.

Yuki spojrzała na nią.

– Mama Kenjiego mu tak powiedziała. Ona jest bardzo ładna i nosi piękne ubrania. Myślisz, że też jest głupia?

– Tak, ona też. Ona nawet nie zna twojej mamy – powiedziała Asako stanowczo. – Twoja mama wróci i będziemy wszystkie trzy razem. Nie słuchaj głupot, które mówią ludzie.

– Naprawdę? – spytała Yuki, a jej oczy rozpromieniały nadzieją.

– Naprawdę.

– A więc mamusia wróci i zamieszka z nami, babciu?

Asako spojrzała na drzewo wiśni, nie wiedząc, co ma odpowiedzieć.

– Babciu, słyszałaś? Kiedy mama wróci, żeby z nami zamieszkać? – spytała Yuki głośniej.

Domagała się odpowiedzi, ale Asako nie była w stanie ukryć smutku w swoim wzroku.

– Wkrótce, Yuki, wkrótce wróci.

– Kłamiesz! – krzyknęła Yuki. – Nie masz pojęcia, kiedy mama wróci! Przestań kłamać!

Asako zaniemówiła na ten nagły wybuch wnuczki. Oczy Yuki były pełne gniewu i złości.

– Kłamiesz, babciu! Mama nie wróci! – wrzasnęła dziewczynka i rzuciła w kąt swój zeszyt do rysowania. – Mama nienawidzi tego domu, ciebie, mnie i wszystkich. – Yuki tupała i podskakiwała ze złości.

Asako podniosła zeszyt i położyła na stole.

– Nie mów takich rzeczy, Yuki, to nieprawda – mówiła Asako, walcząc z napływającymi łzami.

– Ale to prawda. Mama tak powiedziała. Mówiła, że wszystkiego nienawidzi: tego domu, ciebie, mnie i wszystkich innych. Tak powiedziała.

Yuki nie płakała, ale gdy wykrzyczała to zdanie, w jej oczach było widać ogromny żal. Asako objęła ją, lecz mała się jej wyrwała. Wybiegła na werandę i zaczęła obserwować podwórko. Asako chciała powiedzieć coś pocieszającego, ale nie potrafiła. Lekki wiatr zakołysał wiśniowym drzewem, które stało w milczeniu. Yuki patrzyła na spadające płatki kwiatów.

– Babciu, wiesz, co mama lubi? – Yuki zwróciła się do Asako, a jej głos był już spokojny. – Ona lubi śnieg. Wiedziałaś o tym?

Asako pokręciła głową.

– Mama lubi śnieg. Wiem to – powtórzyła smutno dziewczynka. – Babciu, chciałabyś zobaczyć śnieg?

Nie czekając na odpowiedź Asako, Yuki pobiegła na podwórko i stanęła pod wiśnią. Odwróciła się do swojej babci, żeby się upewnić, że patrzy na nią. Następnie złapała małą gałąź i zaczęła nią delikatnie trząść. Różowe płatki spadały na jej głowę i ramiona. Wtedy zaczęła poruszać gałęzią mocniej, aż w końcu trzęsło się całe drzewo – niczym różowy żagiel na wzburzonym oceanie. Blade płatki opadały na ziemię lekko jak konfetti.

– Widziałaś, babciu? Pada śnieg! Pada śnieg! – krzyczała Yuki i z całej siły trzęsła drzewem. – Mamusia lubi, gdy pada śnieg, dlatego musimy zrobić tak, żeby padał. Wtedy może wróci.

Asako nie powstrzymywała wnuczki. Patrzyła tylko, jak potrząsa gałęziami niczym więzień klamką od szczelnie zamkniętych drzwi swojej celi, wiedząc, że nigdy się nie otworzą. To rozpaczliwe wołanie Yuki za matką rozdzierało jej serce. Nagle dziewczynka przestała trząść drzewem i rzuciła się na tę kołdrę z kwiatów. Spoglądała na nagie zielone gałązki, które wyglądały teraz bardzo smutno.

– Mamusia lubi śnieg. Wiem o tym – mruczała, ledwie łapiąc oddech.

Wzięła w rączki tyle płatków, ile potrafiła, i zamknęła oczy. Wiedziała, że nie powinna dłużej czekać na Miho. Czas kwitnienia wiśni prawie się skończył.

19.

Front, który obudził wspaniałe morze kwitnących wiśni, niczym błyskawica przeniósł się na północ, zostawiając po sobie bujną zieloną roślinność. Wiosna była jeszcze przez jakiś czas niepodzielną królową przyrody, ale już po kilku tygodniach władzę przejęło lato, zarządzając nieustające upały.

Całymi dniami było gorąco i wilgotno. Nie pojawił się nawet najmniejszy podmuch powietrza, który przyniósłby choćby minimalne ochłodzenie. Wydawało się, że sam wiatr ukrył się przed nieznośnym gorącem. Bezpańskie koty i psy z okolicy desperacko szukały schronienia przed słońcem, chowając się w cieniu. Tylko zwinne jaskółki rzucały się w powietrze, łapiąc owady.

Późnym popołudniem, w czasie kolacji, zaczął wreszcie wiać wiatr. Przyjęto go z ulgą. A potem nagle spadł gwałtowny deszcz. Ludzie z zadowoleniem wyglądali przez okna, mając nadzieję, że oberwanie chmury zakończy na jakiś czas falę upałów. Koło północy jednak deszcz zamienił się w burzę i po raz pierwszy tego lata pojawiła się niepogoda

– jak złodziej w środku nocy. Pioruny rozcinały niebo jak samurajskie miecze, a następnie jeszcze dobitniej zaznaczały swoją obecność ogłuszającymi grzmotami. Wiele osób obudził ten dźwięk, ale słodki letni zapach wilgoci sprawiał, że natychmiast zasypiały.

Na długo przed świtem Asako miała gotową świeżą porcję tofu. Wyciągnęła swój płaszcz przeciwdeszczowy i delikatnie zamknęła drzwi, żeby nie obudzić Yuki. Piorun, który uderzył kilka sekund później, zniweczył jednak jej starania. Dziewczynka przebudziła się i zobaczyła, że jej babcia ma zamiar wyjść.

– Babciu! Gdzie idziesz? – spytała z niepokojem w oczach.

– Yuki, śpij dalej. Zaraz wrócę.

Asako usiadła obok wnuczki i głaskała ją po spoconych włosach.

– Babciu, pada tak strasznie, nie idź! – mamrotała Yuki, mocno trzymając Asako za rękę.

– To nic. To tylko burza. Dobrze jest, gdy pada latem. Nie boję się. – Kobieta okryła kocem małe ciałko Yuki. – Śpij dalej, przyniosę ci mochi z czerwoną fasolą.

Dziewczynka przytaknęła i położyła się z powrotem.

– Babciu, proszę, zostaw światło. Boję się.

– Zostawię, Yuki. Ale nie bój się, to tylko burza. Zamknij oczy i spróbuj zasnąć. Wkrótce wrócę.

Asako zapięła ciemnoniebieski płaszcz i włożyła kaptur na głowę.

– Poczekam na ciebie – powiedziała Yuki, spoglądając na nią spod koca. – A nie zapomnisz o mochi?

Asako przytaknęła i uśmiechnęła się spod kaptura.

– Spróbuj zasnąć, bo będziesz zmęczona w szkole.

Yuki położyła się na plecach i zamknęła oczy, ale sen gdzieś odpłynął. Postanowiła, że będzie rysować dopóty, dopóki jej babcia nie wróci. Wzięła kredki i zeszyt. Myślała przez chwilę o tym, co chciałaby narysować, i zdecydowała, że będzie to Asako z kartonami pełnymi tofu. Asako stała w granatowym płaszczu, uśmiechnięta od ucha do ucha. Nad jej głową wisiało wielkie czerwone słońce, którego ciepłe promienie rozchodziły się we wszystkich kierunkach. Yuki nie zdążyła jeszcze narysować ostatniego, gdy błyskawica oświetliła pokój i rozległ się ogromny huk. Po chwili wysiadł prąd i w pokoju zrobiło się zupełnie ciemno.

– Baaaabciu! – krzyczała Yuki. – Baaaabciu!

Z czerwoną kredką w ręce, Yuki zaczęła płakać. Przeczołgała się przez czarny jak smoła pokój do łóżka, nakryła kocem i w przerażeniu patrzyła, jak kolejne pioruny oświetlają niebo. Deszcz zaczął gwałtownie uderzać w okna. Yuki naciągnęła w końcu koc na głowę i modliła się, żeby jej babcia jak najszybciej wróciła ze słodkim mochi.

Ulewny deszcz przemoczył Asako do suchej nitki, gdy prowadziła swój wózek przez ciemne ulice. Studzienki kanalizacyjne zaczynały się przepełniać i wylewać na ulice brudną wodę, a światło ulicznych latarni odbijało się w błotnistych kałużach. Asako wypatrywała handlarza mochi, gdy nagle uświadomiła sobie, że od dawna go nie widziała. Nieraz mówił jej, że lato to nie jest dobry czas dla niego, bo słodycze szybko się psują w upale. Mimo to się zmartwiła. Prawie nigdy nie rezygnował z dostaw i tak dobrze było go spotykać każdego ranka.

Niedaleko niej piorun nagle uderzył w drzewo, przepołowił je i spowodował, że jego oderwana część przechyliła się z dużą siłą na linię elektryczną. W jednej chwili zgasły wszystkie latarnie. Asako mrużyła oczy, żeby przyzwyczaić wzrok do ciemności. Nagle wydało się jej, że słyszy krzyki Yuki. Starała się skupić, ale wszystko tłumiły uderzenia ciężkich kropli deszczu o jej plastikowy płaszcz. Otarła wodę z twarzy i zawróciła wózek. Uderzył kolejny piorun, oświetlając ulicę. Wyciągnęła latarkę i niemalże biegła w kierunku domu, aż kartony pełne jeszcze tofu podskakiwały na wózku.

Ledwie łapiąc oddech, Asako wpadła do środka. Woda skapywała z jej ubrań na podłogę, a mokre skarpetki zostawiły ślady na całej drodze do pokoju. Wołając Yuki, przesunęła drzwi i zaczęła świecić latarką. Dziewczynka wyskoczyła spod koca, podbiegła do babci i schowała twarz w jej mokre kimono, pachnące potem i surową soją.

– Babciu, zgasło światło – zaszlochała z ulgą. – Nic nie widziałam!

– Ale, ale... teraz już jest wszystko dobrze. – Asako głaskała delikatnie głowę wnuczki, wtuloną w jej brzuch. – Jestem tu. Babcia jest tutaj.

Yuki uspokoiła się w ramionach Asako, ale wczepiła się w nią jeszcze mocniej, jakby już nigdy nie chciała jej puścić. Asako miała zamiar przynieść świeczki, lecz dziewczynka nie zgodziła się zostawić jej nawet na chwilę. Trzymając więc swoją małą wnuczkę za rękę, Asako przeszukiwała szafki. Znalazła wreszcie na wpół wypaloną świecę i paczkę zapałek. Gdy tylko knot się zapalił, ciepłe światło wypełniło pokój.

– Babciu, jesteś cała mokra! – zawołała Yuki, jakby dopiero teraz to zauważyła, choć przez cały czas tuliła się do ociekających wodą ubrań Asako.

– Ty też jesteś teraz mokra – powiedziała Asako, wycierając krople z twarzy Yuki. – Szybko się wysuszę i przebiorę. Zaraz będę z powrotem.

– Nie, babciu, nie zostawiaj mnie znów samej! – krzyknęła Yuki, tupiąc.

– Wtedy przeziębię się i ty też. Zrobię to szybko. Obiecuję.

Yuki posłusznie pozwoliła się przebrać w suchą koszulkę. Potem Asako przykryła ją znów ciepłym kocem.

– Ale zaraz przyjdziesz, babciu? Obiecałaś mi to!

– Tak, zaraz będę znów przy tobie.

Asako zapaliła drugą świecę, zanim poszła do kuchni.

Gdy postawiła świecę w kącie, zdjęła szybko z siebie mokre ubrania. Przyćmione światło uwidoczniło liczne blizny na jej starym ciele. Jedne były długimi nacięciami od ostrych przedmiotów, drugie okrągłe i małe jak dołeczki. Każda zaś opowiadała inną historię i przypominała przeżyte przez nią nieszczęścia. Gdy tylko je odsłaniała, przykre zdarzenia stawały jej przed oczami jak żywe.

Asako wylała na siebie kubeł zimnej wody i zaczęła energicznie pocierać ciało, jakby chciała sprawić, żeby te obrazy zniknęły. Gdy się umyła, owinęła się ręcznikiem i szybko wróciła do pokoju.

Yuki spała. Asako usiadła koło niej i obserwowała wnuczkę. Dziewczynka zadrżała przy uderzeniu pioruna, ale się nie obudziła. Po chwili znów jej oddech stał się głęboki i regularny. Asako podniosła z podłogi kredki i zeszyt. Zbliżyła świecę do najnowszego rysunku Yuki. Przedstawiał starą uśmiechniętą kobietę w jasnoniebieskiej koszuli i trzymającą wózek. Padały na nią promienie czerwonego słońca.

Grzmoty i błyskawice zniknęły tak szybko, jak się pojawiły, a deszcz powoli ustawał. Świat przygotowywał się na wzejście porannego słońca.

20.

Gdy Asako przechodziła obok sklepu pani Suzuki, wpadła jej w oko żółta sukienka wisząca na wystawie. Była bez rękawów, a z przodu miała naszyte dwie kieszonki w kształcie słoneczników. Żywe kolory skojarzyły się jej z rysunkami Yuki. Weszła do środka, gdzie mimo elektrycznego wentylatora było tak samo upalnie jak na zewnątrz. Gorące powietrze unosiło się między letnimi ubraniami, którymi był wypełniony sklep.

– A więc też uważam, że ta będzie idealna dla Yuki – powiedziała, ocierając pot z czoła, pani Suzuki, gdy Asako poprosiła o radę. – Przyszła dopiero wczoraj. Czyż nie jest wyjątkowo piękna?

Trzymała sukieneczkę wysoko, tak żeby Asako mogła ją lepiej obejrzeć.

– Tak, bardzo ładna. Wezmę ją, jeśli będzie pani mieć taką w rozmiarze Yuki.

Pani Suzuki podeszła do regału i szukała mniejszej sukienki. Gdy ją znalazła, zaczęła się jej badawczo przyglądać. Zanim ją zapakowała, odcięła kilka odstających nitek.

– To mieszanka bawełny i lnu. Najlepsza na lato. Len chłodzi skórę, a bawełna zapobiega zbytniemu gnieceniu. Konkurencja z końca ulicy sprzedaje rzeczy z poliestru i nylonu – dodała – ale u mnie to nie wchodzi w grę. To jest bardzo złe dla skóry, zwłaszcza gdy jest tak gorąco jak teraz.

Na przekór proroctwom pani Suzuki nowy sklep w dzielnicy prosperował bardzo dobrze. Ubrania, które tam sprzedawano, były modniejsze, a do tego proponowano większy wybór krojów i kolorów. Poza tym wcale nie były droższe. Większość sprzedawców w dzielnicy handlowej zawdzięczała przetrwanie swoich interesów stałym, od wielu lat tym samym klientom. Pani Suzuki również. Nowe sklepy zaś były przeznaczone dla młodszego pokolenia, o innych wymaganiach.

Ale Asako zgodziła się z opinią pani Suzuki o syntetycznych materiałach. Nagle przypomniała sobie o sprzedawcy mochi. Nie widziała go już od dłuższego czasu.

– Widziała gdzieś pani ostatnio mężczyznę handlującego mochi? Mam na myśli tego utykającego – dodała, podczas gdy pani Suzuki bardzo starannie zawijała sukienkę w półprzezroczyste bibułki.

Sprzedawczyni bez wątpienia miała stały dostęp do plotek.

– Och, nie słyszała pani? – Spojrzała na Asako. – Potrącił go samochód i zmarł w zeszłym tygodniu – wyjaśniła, mlasnąwszy językiem.

Asako była zdumiona. Nie wiedziała, co ma powiedzieć. Głęboki smutek ścisnął jej serce. Nie sądziła, że będzie tak mocno współczuć mężczyźnie, którego prawie nie znała.

– Sprawca wypadku natychmiast uciekł – mówiła dalej pani Suzuki. – Gdyby natychmiast zabrał go do szpitala, mężczyzna pewnie by przeżył. Zdarzyło się to wcześnie rano, gdy nikogo nie było w okolicy, więc kierowca po prostu zbiegł i pozwolił temu biednemu człowiekowi umrzeć na środku ulicy. Straszne, prawda?

Asako zamknęła oczy, jakby modliła się za zmarłego.

– Czy miał rodzinę? – spytała.

– Policja odkryła, że mieszkał sam, dość daleko stąd. Nie wiem, jak ten kaleka mógł pokonywać taki kawał drogi każdego dnia – zauważyła pani Suzuki.

– Wie pani, czy był Koreańczykiem?

– Koreańczykiem? Nie, nie mam pojęcia. Nikt tego nie wiedział. Pewnie nie chciał, żeby ktokolwiek to odkrył. Może dlatego zawsze kazał się nazywać „utykającym sprzedawcą mochi" – stwierdziła właścicielka sklepu. – Był chyba trochę szalony. Podśpiewywał sobie i gadał sam do siebie, prawda?

– Był bardzo miłym człowiekiem.

– Ludzie uznawali go za wesołego, ale nie wiem, jak mógł być tak radosny, skoro żył zupełnie sam i nie miał rodziny. Biedny samotny człowiek. – Pani Suzuki szczerze się zasmuciła.

Asako poczuła się nieswojo. Zdawała sobie sprawę, że jej życie niewiele różniło się od życia handlarza mochi. Pani Suzuki prawdopodobnie to wyczuła, bo natychmiast zmieniła ton:

– Policja znalazła setki książek w jego małym mieszkaniu. Nie do uwierzenia. Kto by pomyślał, że ten prosty człowiek tak lubił czytać.

Asako była zaskoczona, ale nie wydawało się jej to aż tak dziwne. Sprzedawca mochi sprawiał co prawda niepozorne wrażenie, ale miał zaskakująco mądre oczy, charakterystyczne dla ludzi oświeconych.

– Po co mu było tyle książek? Pewnie jakoś dzięki nim znosił samotne godziny. Biedny człowiek. – Pani Suzuki znów mlasnęła językiem.

– Mam nadzieję, że jest teraz w lepszym świecie – powiedziała Asako po długim westchnieniu. – Będzie mi go brakowało.

Pani Suzuki spojrzała zaskoczona na Asako.

– Dobrze go pani znała, pani Tanaka?

– Nie – Asako pokręciła głową, wyczuwając zdumienie pani Suzuki. – Spotykaliśmy się tylko mniej więcej co drugi poranek, gdy robiliśmy dostawy. Nie rozmawialiśmy jednak prawie wcale. Chciałabym go lepiej znać. Był miłym człowiekiem i na pewno nie zasłużył na to, żeby umrzeć w ten sposób.

– Całkowicie się z panią zgadzam. W żadnym razie nie zasłużył na taką śmierć. Mam nadzieję, że kierowca w końcu zostanie ukarany.

Pani Suzuki wyciągnęła papierowy wachlarz, bo wewnętrzne wzburzenie sprawiło, że było jej jeszcze goręcej.

– Też mam taką nadzieję – powiedziała Asako przygnębiona. – Ale i tak będzie cierpiał. Będzie musiał żyć z tą winą do końca swoich dni. A to już samo w sobie jest dużą karą.

Pani Suzuki przerwała wachlowanie i pokręciła głową.

– Nie sądzę, by ten człowiek w ogóle miał sumienie. Wie pani, niektórzy zupełnie nie potrafią odróżnić tego, co złe, od tego, co dobre. Jak yakuzi, którzy... – pani Suzuki urwała w połowie zdania.

Napięcie na twarzy Asako dało jej do zrozumienia, że ich rozmowa oddaliła się od bezpiecznego gruntu. Prawie każdy w dzielnicy wiedział przecież o osobliwym związku między biedną wdową i niebezpiecznym bandytą, który prawie od dwudziestu lat siedział w więzieniu. Właścicielka sklepu zaczęła więc od razu narzekać na upały, żeby ominąć niezręczny temat.

– Mam nadzieję, że policja złapie tego kierowcę – powiedziała na koniec. – Takie wypadki nie powinny się zdarzać. Niech pani też na siebie uważa, pani Tanaka. Nigdy nie wiadomo, co człowieka spotka.

Asako zapłaciła, nie mówiąc ani słowa. Sprzedawczyni podała jej z głębokim ukłonem brązową torbę i dorzuciła dopasowaną do sukienki żółtą kokardę do włosów. Wyjaśniła, że to prezent dla Yuki. Poleciła też Asako zaglądać do swojego sklepu, bo w przyszłym miesiącu ma mieć nową dostawę.

Gdy Asako wyszła na palące słońce, usłyszała nagle przenikliwy głos pani Sasaki.

– Pani Tanaka!

Jej lniane letnie kimono w kolorowe wzory na ciemno-
niebieskim tle kontrastowało z ustami pomalowanymi
na czerwono.

– Strasznie dzisiaj gorąco, prawda? – powitała ją pisk-
liwym głosem.

Na grubej warstwie szminki widać było kropelki potu.
Asako przytaknęła i białą bawełnianą chusteczką starła
pot z czoła. Pani Sasaki zajrzała do jej papierowej torby.

– O, kupiła pani jakieś ubranie. Dla wnuczki?

– Yuki potrzebuje nowej sukienki na naszą wycieczkę.
Jutro rano jedziemy do świątyń w Ise.

– To wspaniale! – zaświergotała pani Sasaki, najcieniej
jak potrafiła.

Złożyła wachlarz i zaczęła wycierać twarz chusteczką
w kolorze lawendy, która cała była ubrudzona szminką.

– Pani Tanaka, bardzo się cieszę, że spędza pani czas
z wnuczką. Wygląda pani ostatnio na znacznie szczęśliwszą
– uśmiechnęła się szeroko.

Asako przytaknęła, nie odwzajemniając uśmiechu.

– To prawda. Yuki wniosła wiele radości do mojego życia.

– To wspaniale, po prostu wspaniale – powtórzyła pani
Sasaki. – Mała jest pewnie zachwycona, że zobaczy świątynie z Ise. A pani już tam kiedyś była?

– Nie, ale zawsze chciałam odwiedzić to miejsce.

– O, spodoba się pani. Wyczuwa się świętą siłę, zwłaszcza
w tej największej świątyni. – Pani Sasaki rozwodziła się
jeszcze przez kilka chwil nad wspaniałością tego miejsca,
a Asako słuchała jej w skupieniu. – W każdym razie – dodała zmienionym tonem głosu, przybliżając się do Asako,

jakby chciała jej wyjawić tajemnicę – nie sądzę, żeby ci ludzie z agencji adopcyjnej przyjechali. – Minęło już siedem miesięcy, a ja nie mam od nich żadnej wiadomości. Może ci Amerykanie zmienili zdanie?

Asako milczała, nie okazując żadnych emocji. To zdenerwowało panią Sasaki.

– Tak czy inaczej… – wypełniła niewygodną ciszę wachlowaniem. – Mój Boże, ależ jest gorąco! – powiedziała.

– Bardzo pani dziękuję za informację – powiedziała Asako. – Ale nawet jeśli przyjadą, nie oddam im Yuki.

– Teraz, gdy widzę, jak jesteście szczęśliwe, chciałabym, byście już na zawsze były razem. Mam nadzieję, że nigdy się nie pojawią. – Pani Sasaki uśmiechnęła się szczerze.

– Pójdę już lepiej odebrać Yuki – powiedziała nagle Asako, kończąc rozmowę.

– Jedźcie tam jak najwcześniej. W Ise jest wiele do zobaczenia. Życzę pani wspaniałej wycieczki, pani Tanaka.

– Dziękuję – odrzekła Asako.

Stało się też dla niej jasne, że nie musi już unikać pani Sasaki, bo ta wcale nie chciała rozdzielić jej z Yuki.

– Według prognoz po tej fali upałów będziemy mieć załamanie pogody – powiedziała jeszcze pani Sasaki na koniec. – Ale to chyba dla mnie lepsze niż to nieznośne gorąco.

Skłoniła się lekko i poszła, osłaniając twarz rozłożonym wachlarzem. Asako spojrzała w górę. Na słonecznym niebie nie było widać ani jednej chmurki.

– Yuki! – zawołała panna Murakami, gdy dziewczynka chciała wyjść z klasy. – Chodź do mnie na chwilę.

Zaskoczona Yuki podeszła do nauczycielki.

– Twój rysunek bardzo mi się podoba. Ładnie to namalowałaś. – Panna Murakami uśmiechnęła się i poklepała ją delikatnie po ramieniu.

– Dziękuję – odpowiedziała Yuki niemalże automatycznie, jak zawsze gdy ktoś ją chwalił.

– Wiesz, dlaczego dałam ci aż pięć gwiazdek za niego?

Yuki spojrzała na nauczycielkę, kręcąc głową.

– Nie tylko dlatego, że jest ładny, ale także dlatego, że nie myślisz już o lataniu. Tak jak obiecałaś.

Yuki spojrzała na swoje stopy i nieśmiało poruszyła palcami.

– Pamiętasz, co opowiedziałam ci dzisiaj rano? O małym chłopcu w twoim wieku, który wyskoczył z balkonu, bo myślał, że może latać jak postać z kreskówki, jaką widział w telewizji?

Yuki przytaknęła.

– I co się z nim stało?

– Złamał sobie nogę – odpowiedziała dziewczynka.

– Mówiłam ci też, że i tak miał dużo szczęścia. Mógł się zabić. Chciałabyś złamać sobie nogę jak ten chłopiec? – spytała panna Murakami.

Yuki pokręciła głową.

– Wiesz, czemu przypomniałam ci tę historię?

Yuki przytaknęła.

– Nie zapomnij o swojej obietnicy – powiedziała panna Murakami z naciskiem. – To głupie, gdy próbuje się robić rzeczy, które nie są prawdziwe. To niemożliwe, żeby człowiek nauczył się latać jak ptak albo postacie z telewizji. Rozumiesz?

– Tak – stwierdziła Yuki z lekkim wahaniem.

– Wiem, że jesteś bardzo mądrą dziewczynką – dodała panna Murakami. – Możesz już iść. Życzę ci szczęśliwego weekendu.

Yuki skłoniła się i gdy Asako, wycierając pot z czoła, prawie już weszła do szkoły, wybiegła przez drzwi. Wymachując zeszytem, prawie rzuciła się na swoją babcię.

– Babciu! Panna Murakami dała mi pięć gwiazdek za mój rysunek. – Otworzyła zeszyt. – Zobacz, babciu! Pięć gwiazdek! To najwyższa ocena, jaką daje panna Murakami, i to tylko raz w miesiącu. Ja jedyna w klasie dostałam pięć gwiazdek.

Dumna Yuki pokazała babci rysunek, na którym obie stały pod parasolem pośród zielonego lasu i trzymały się za ręce.

– Jak wspaniale, Yuki! Jaka piękna tęcza!

– Podoba ci się tęcza, babciu? Pannie Murakami też się podobała – powiedziała Yuki, spoglądając na obrazek.

– U góry chciałam namalować słońce, ale nie miałam już więcej miejsca.

– To prawdziwy pięciogwiazdkowy obrazek. – Asako się uśmiechnęła.

Trzymając się za ręce, zaczęły powoli schodzić ze schodów.

– Babciu? – spytała Yuki nieśmiało. – Mogę ci powierzyć moją tajemnicę?

– O co chodzi?

Yuki została kilka stopni powyżej Asako, tak że ich oczy spotkały się na jednej wysokości.

– Naprawdę staram się nie myśleć o lataniu – powiedziała dziewczynka po chwili – ale zawsze, gdy maluję, maluję, że latam, nawet gdy o tym nie myślę. Naprawdę, przysięgam!

– Wierzę ci. To nic nie szkodzi.

– Mówię ci prawdę, babciu. W ogóle nie myślałam o lataniu i nagle zauważyłam, że narysowałam nas na niebie, nad lasem. Naprawdę, babciu, wcale nie chciałam namalować, że latamy. Musiałam więc dorysować tęczę pod naszymi stopami, tak żeby wyglądało, jakbyśmy po niej biegły.

– To był bardzo dobry pomysł. To piękna tęcza. – Asako przesunęła po niej palcem.

– Nigdy nie będę potrafiła latać. Wiem to, babciu – powiedziała Yuki i opuściła smutno głowę. – To się nigdy nie zdarzy! – Zamknęła zeszyt i zeszła po schodkach.

– Dlaczego tak mówisz? – Asako sięgnęła po rączkę wnuczki.

– Panna Murakami powiedziała, że latać można jedynie w samolocie. Mówiła, że nikt nie potrafi latać. Nigdy, przenigdy. – Yuki się nadąsała. – Obiecałam jej nawet, że nigdy nie spróbuję.

– Dlaczego właściwie tak bardzo chcesz latać, Yuki? Jest tyle innych pięknych rzeczy, które możesz robić. Możesz rysować, czytać, bawić się z innymi dziećmi. Nie lubisz tego robić?

– To nie to samo, babciu. To wszystko nie jest tak piękne jak latanie. Zrozumiałabyś to, gdybyś zobaczyła panią w telewizji. Wiedziałabyś, o czym mówię.

Yuki westchnęła głośno. Obie nie wiedziały, co mają powiedzieć.

– Chciałabyś pójść na lody? – Asako przełamała milczenie radosnym głosem.

– O, tak! Z syropem z zielonej herbaty i anko! – zawołała Yuki.

Propozycja babci sprawiła, że Yuki zapomniała o wszystkich smutkach.

– A tu, Yuki, kupiłam ci nową sukienkę na naszą jutrzejszą wycieczkę – powiedziała Asako i podniosła torbę.

– Pokaż mi, babciu! – poprosiła Yuki. – Proszę, pokaż mi zaraz!

Wiedząc, że Yuki nie zrobi ani kroku dalej, dopóki nie zobaczy sukienki, Asako wyciągnęła ją z torby. Dziewczynka szybko wyrwała jej prezent z rąk.

– Jaka piękna! Będę ją nosić każdego dnia! – krzyknęła Yuki i przyłożyła nos do słonecznikowych kieszeni.

– Babciu, powąchaj. One pachną słonecznikami.

Yuki podsunęła sukienkę Asako pod nos. Pachniała delikatnie krochmalem i środkami barwiącymi jak każde nowe ubranie.

– Nie czujesz, babciu? Zupełnie jak słoneczniki.

– Sama nie wiem.

Asako ponownie powąchała. Zastanawiała się, czy kiedykolwiek czuła zapach prawdziwego słonecznika. Nie mogła sobie tego przypomnieć.

– Babciu, pachnie słonecznikami dokładnie tu. – Yuki wskazała małym palcem na sam środek kwiatka.

Asako przyłożyła nos do tego miejsca, głęboko wciągnęła powietrze i... nic. Zamknęła oczy, starając się przypomnieć sobie zapach żółtych kwiatów. Nagle pojawiło się w jej głowie wspomnienie niewielkiego pola himawari, znajdującego się niedaleko gospody Sakai. Gdy chodziły z matką do świątyni shinto, często mijały te wysokie kwiaty, które wyglądały zza niskiego bambusowego płotu. Wielki pies przywiązany do pala szczekał na każdego, kto tamtędy przechodził. Asako doskonale pamiętała, jak bardzo się go bała. I także ten upiorny pies w tej chwili stanął przed nią jak żywy. Pamiętała wyraźnie nawet smród jego moczu. Ale choć odnalazła w pamięci wygląd żółtych kwiatów, a nawet szelest wiatru w ich główkach, im bardziej starała się przywołać ich zapach, tym silniejszy wydawał się jej odór psiej uryny.

– Tak, teraz ja też czuję! – powiedziała w końcu, widząc, z jaką nadzieją Yuki czeka na jej potwierdzenie. – Tak jak słoneczniki!

Asako podobało się jej kłamstwo. Co więcej, po chwili naprawdę wierzyła, że czuje ten zapach. Schowała sukienkę do torby, a Yuki zaczęła zbiegać po schodach.

– Babciu, pospiesz się! Teraz czuję już tylko zapach lodów.

– Bądź ostrożna, Yuki! Schodź powoli! – krzyknęła Asako i poszła za nią.

Tak jak jej wnuczka starała się poczuć zapach lodów z syropem z zielonej herbaty oraz musem z czerwonej fasoli.

W radiowej prognozie pogody ogłoszono, że wraz z niedzielnym wieczorem skończy się fala gorąca i od poniedziałku zacznie się czas opadów. Ale po wielotygodniowych upałach ludzie tęsknili za deszczem, nawet jeśli wiedzieli, że na kilka kolejnych dni będą musieli zapomnieć o słońcu.

Yuki i Asako, żeby ominąć najgorszy upał, wstały w niedzielny poranek wcześnie rano. Gdy szły na dworzec kolejowy, niebo było nieskazitelnie niebieskie, a powietrze jeszcze świeże i chłodne. Yuki przypomniała sobie, że na ten sam dworzec przyjechała pociągiem wraz ze swoją mamą. Było wtedy ciemno i wyjątkowo zimno. Ich pociąg był pełny, mimo że nie było jeszcze siódmej. Yuki siedziała przy otwartym oknie w nowej żółtej sukience. Włosy miała ciasno związane w koński ogon, który ozdabiała żółta wstążka podarowana przez panią Suzuki. Gdy pociąg opuścił miasto, powietrze zaczęło pachnieć skoszoną trawą. Yuki machała wszystkim rolnikom, którzy pracowali na polach rozpościerających się wzdłuż torów.

– Babciu, nikt mi nie macha – powiedziała dziewczynka z rozczarowaniem.

– Może po prostu cię nie widzą, bo pociąg jedzie bardzo szybko – pocieszała ją babcia.

– Ale ja ich przecież widzę! Czemu oni mieliby mnie nie widzieć?

Asako się uśmiechnęła. Prawie nigdy nie znała odpowiedzi na pytania zadawane przez Yuki.

– Babciu, czy ty też miałaś mamę?

– Oczywiście.

– Czy ona umarła?

– Tak, dawno temu.

Asako patrzyła na zielone pola, które mijali. Krajobraz był zbyt piękny, żeby zaprzątać sobie myśli mroczną przeszłością, ale na wspomnienie o matce ścisnęło się jej serce.

– Byłaś wtedy smutna?

– To było bardzo dawno temu – odpowiedziała wymijająco.

Jakiś mężczyzna niósł korytarzem drewnianą tackę z pudełkami bento. W jednych były gotowane jajka, w innych mochi lub suszone ryby. Sprzedawca utykał. Nie rzucało się to mocno w oczy, ale Asako od razu pomyślała o biednym handlarzu ze swojej dzielnicy, dlatego kupiła pudełko z mochi. Miały nadzienie z czerwonej fasoli.

– Babciu, zjedz też jedno – poprosiła Yuki.

– Te wszystkie są dla ciebie, Yuki. Ja nie lubię mochi.

– Nieprawda! – krzyknęła Yuki tak głośno, że ludzie w pociągu odwrócili się w jej stronę.

Asako uśmiechnęła się lekko zawstydzona.

– Naprawdę, Yuki. Nie lubię.

– Każdy lubi mochi, babciu. Każdy.

– Jest mi po nich niedobrze, to wszystko – powiedziała Asako spokojnie.

– Ale dlaczego? – Yuki spojrzała na twarz swojej babci.

Asako nie odpowiedziała i odwróciła się w stronę okna. Pola ryżowe lśniły szmaragdowo w porannym słońcu.

Wysiadły w Ise około godziny dziewiątej i od razu poszły w stronę świątyni. Po niedługim czasie dotarły do Geku, świątyni zewnętrznej. Wysokie pinie rzucały chłodne cienie na żwirową drogę. Głośne cykanie świerszczy wypełniało przestrzeń, łącząc się z odgłosem kamyczków chrzęszczących pod ich stopami. Yuki i Asako zatrzymały się przy temizushua, zbiorniku wody, w którym należało umyć usta i ręce przed wejściem do świątyni. Asako skłoniła się, w skupieniu zanurzyła dłonie w wodzie, a następnie przemyła usta i ręce. Yuki zrobiła to samo. Potem poszły do chramu, w którym ludzie czcili Toyouke Oomikami, boginię rolnictwa i rękodzieła, powierzając jej troskę o żywność, ubrania i domostwa. Po krótkim czekaniu w kolejce stanęły przed budowlą. Asako skłoniła się dwukrotnie, złożyła donie i ukłoniła się raz jeszcze. Yuki wytrwale powtarzała jej ruchy. Asako była zadowolona, że dziewczynka tak sumiennie przestrzega rytuału. Zachowywała się poważniej niż wielu dorosłych.

Następnie Asako poszła razem z Yuki poszukać małego pomieszczenia, w którym można było kupić drewnianą tabliczkę ema, aby napisać na niej swoje życzenia i w nadziei, że się spełnią, zostawiać ją w świątyni. Asako poprosiła sprzedawcę, żeby w imieniu jej i Yuki zamieścił na niej prośbę o błogosławieństwo.

– O jakie błogosławieństwa pani prosi? – spytał stary mężczyzna z długimi siwymi brwiami. Miał na sobie szatę z białego lnu i spoglądał zza grubych okularów.

Asako przez chwilę stała bezradna. Nic nie przychodziło jej do głowy.

– Czego sobie pani życzy? – spytał ponownie.

– A o co proszą inni ludzie?

– O zdrowie, sukcesy zawodowe, szczęście na egzaminach albo w miłości, takie rzeczy – starszy mężczyzna mówił monotonnie, jakby powtarzał to już setki razy.

– A czy mogę prosić o to, żebym kiedyś potrafiła latać? – przerwała Yuki i podeszła do sprzedawcy.

– Latać? – spytał zdziwiony. – Jak ptak?

– Tak, latać. Jak ptak – powtórzyła Yuki rozentuzjazmowana.

Asako się uśmiechnęła, słysząc to dziecięce marzenie wnuczki.

– Więc szczęście w lataniu? – zasugerował mężczyzna, jakby było to coś najzwyklejszego na świecie. – Mam to zapisać?

– Tak! – Yuki z radości aż podskoczyła i klasnęła w dłonie, podczas gdy starzec wziął do ręki cienki pędzelek i napisał znaki odpowiadające słowom „szczęście w lataniu".

Yuki obiecała wprawdzie pannie Murakami, że nigdy nie będzie próbowała latać – nigdy, przenigdy – ale nie mogła przegapić takiej okazji i nie zostawić swojego wielkiego marzenia w świątyni.

– Proszę, niech pan napisze też: „Wielkie szczęście i dobre zdrowie dla Miho Yamaguchi" – powiedziała Asako, a potem obie obserwowały, jak starzec za pomocą cienkiego pędzelka i czarnego tuszu notuje ich życzenia na tabliczce.

Wyglądały pięknie.

– A co z życzeniem dla ciebie, babciu? – spytała Yuki.

– Twoje imię też powinno się znaleźć na tabliczce.

– Ja jestem na to już zbyt stara. Mnie już niczego nie trzeba – odpowiedziała Asako, wycierając pot z czoła bawełnianą chusteczką.

Starszy mężczyzna podniósł wzrok i spojrzał na Asako zza grubych okularów.

– Nie ma znaczenia, w jakim się jest wieku. Wszyscy potrzebujemy błogosławieństwa bogów – zauważył.

– Znajduje się pani w najświętszej ze wszystkich świątyń. Byłoby wielką stratą, gdyby nie zostawiła tu pani swojego życzenia. Naprawdę więc niczego pani nie chce?

– Proszę, babciu, musisz sobie czegoś życzyć – nakłaniała ją Yuki, która czuła się niepewnie jak zagubione dziecko.

– Jaka jest pani godność? – spytał, trzymając pędzelek nad pustym miejscem na tabliczce.

– Asako Tanaka – powiedziała z wahaniem.

Starszy mężczyzna namalował na gładkiej powierzchni pędzelkiem linie, które stworzyły znaki o doskonałych proporcjach.

– Czy to jest pani wnuczka? – wskazał pędzelkiem na Yuki.

– Tak, to moja babcia – odrzekła Yuki zamiast niej.

Starszy mężczyzna uśmiechnął się pod nosem.

– Tak też można odpowiedzieć – stwierdził. – Jeśli wasze imiona zostaną w Toyouke Daijingu, będziecie zdrowe i szczęśliwe. – Podał Asako tabliczkę. – Dla pani napisałem „spokój i długie życie".

Asako wzięła ją w obie ręce i pokłoniła się nisko. Starszy mężczyzna po latach zapisywania wszystkich życzeń i próśb zorientował się łatwo, że starsza kobieta nosi w sobie olbrzymi ciężar.

Asako przymocowała tabliczkę przed świątynią, położyła ręce na sercu i pokłoniła się głęboko. Yuki przyjrzała się, co robi babcia, i powtórzyła te gesty. Modliła się, żeby kami przeczytali i spełnili ich prośby. A potem wmieszały się w tłum zwiedzających świątynię. Yuki stanęła pod wielkim cyprysem, na którym powieszone były setki karteczek szczęścia.

– Babciu, po co ktoś je tu wiesza?

– To są omikuji, karteczki z przepowiedniami. Jeśli wylosuje się złą przepowiednię, przywiązuje się ją do gałązki drzewa i modli się szczerze, żeby bóg drzewa pomógł przezwyciężyć nieszczęście.

– I bóg drzewa wysłuchuje tych próśb?

– Oczywiście.

Yuki złożyła ręce i spuściła głowę. Przez chwilę modliła się z zamkniętymi oczami.

– O co się modliłaś? – spytała Asako, gdy Yuki podniosła głowę. Małe rączki wciąż miała złożone na sercu.

– Chciałabym, żebyśmy wszystkie mogły żyć razem, ty, mama i ja, jako rodzina.

Asako uśmiechnęła się smutno i spojrzała na drzewo. Pochyliła głowę i tak jak Yuki położyła ręce na sercu.

– Czego sobie życzyłaś, babciu?

– Żeby wszystkie twoje życzenia się spełniły.

– A twoje życzenie?

– To jest moje życzenie.

– Nie, babciu, życzenie dla ciebie. Nie dla mamusi i dla mnie. Dla ciebie!

Asako nie potrafiła wymyślić życzenia, które nie byłoby związane z nimi. Pomyślała jednak jeszcze przez chwilę i powiedziała wreszcie:

– Chciałabym więc pewnego dnia wreszcie głęboko i mocno zasnąć.

– Babciu, jak to możliwe, że nie możesz spać? Nie jesteś zmęczona, jeśli pracujesz przez cały dzień?

Asako uśmiechnęła się, nie odpowiadając na pytanie Yuki. Pomyślała o tej koszmarnej nocy, która na zawsze odebrała jej sen. Przez te wszystkie lata przyzwyczaiła się, że kładzie się tylko na chwilę, ale całym sercem pragnęła wreszcie spokojnie zasnąć i nie przeżywać każdej nocy przerażających koszmarów.

– Babciu, myślisz, że mogłabym prosić boga drzewa o dwie rzeczy? Bo mam jeszcze jedno życzenie.

– Bóg drzewa wysłuchuje zazwyczaj tylko jednej prośby. A czego jeszcze chciałabyś sobie życzyć?

– Żebyś któregoś dnia mogła głęboko spać. Bóg drzewa usłyszałby wtedy to samo życzenie dwa razy i nie mógłby go nie wysłuchać.

Gdy Asako zobaczyła uśmiech Yuki, poczuła się tak, jakby nagle zapadła w drzemkę pełną pięknych snów. Może naprawdę mogłaby zapomnieć o wszystkich swoich bolesnych przeżyciach i zapaść w głęboki ocean snu, w którym będzie śnić o tęczy i ciepłym czerwonym słońcu.

21.

Wyprawa do Ise była dla babci i jej wnuczki bardzo
męcząca. Potrzebowały całego dnia, żeby zobaczyć kom-
pleks świątynny, bo świątynie zewnętrzne i wewnętrzne
były od siebie oddalone o prawie pięć kilometrów. Yuki
przespała całą drogę powrotną pociągiem, a potem w domu
również od razu zasnęła. Asako mimo zmęczenia wykonała
swoją pracę i wczesnym rankiem dostarczyła zamówienia.
Gdy o świcie wróciła do domu, była zupełnie wyczerpana. Yuki spała wciąż mocno z głową na poduszce z gryki.
Asako wytarła jej spocone czoło i położyła się obok niej.
Zamknęła oczy i z głębokim westchnieniem rozluźniła
napięte mięśnie. Jej ciało niemalże wtopiło się w futon.
Nawet gdy się nie poruszała, czuła, że też jest cała mokra
od potu. Cichy świergot ptaków i regularny oddech Yuki
sprawiły, że zapadła w głęboki sen.

Śnił jej się koszmar. Yuki schodziła po stopniach prowadzących ze szkoły na ulicę. Nieszczęśliwie upadła i złamała
nogę. Z rany natychmiast zaczęła tryskać krew. Asako zaś
stała u podnóża schodów i nie była w stanie się ruszyć,

chociaż tak bardzo chciała pomóc Yuki. Schody stawały się coraz dłuższe i dłuższe, i gdy Yuki oddalała się od niej coraz bardziej, mogła tylko patrzeć na to wszystko z przerażeniem.

Obudziła się zlana potem i z szamoczącym się sercem. Wciąż mając przed oczami tę straszną scenę, popatrzyła na śpiącą twarz Yuki i próbowała otrząsnąć się z koszmaru. Na zewnątrz było już jasno, ale Yuki spała jeszcze przez godzinę. Asako poszła do kuchni i przygotowała śniadanie. Potem umyła duży garnek, w którym trzymała mleko sojowe, i wrzuciła fasolę do dużej drewnianej wanny, żeby ją namoczyć. Dzisiaj zrobiła wszystko wcześniej, więc miała dodatkowy czas. Zajrzała do kuchni, żeby sprawdzić, czy nie ma tam do zrobienia jeszcze czegoś, co pozwoliłoby jej zapomnieć o koszmarze. Nóż! Tak, przypomniała sobie, że nóż kuchenny był już niemalże tępy. Przykucnęła na podłodze i zaczęła go ostrzyć. Spokojnie przesuwała po nim osełką z góry na dół, a brzęk ostrza zagłuszał nieco cykanie świerszczy. Im nóż był ostrzejszy, tym słabsza stawała się senna wizja Asako.

Gdy Yuki obudziła się rano, nie mogła się doczekać, aż po raz pierwszy włoży do szkoły nową żółtą sukienkę. Podczas wycieczki do Ise szczególnie uważała na to, żeby jej nie ubrudzić i móc ją włożyć następnego dnia.

Trzymając rękę Asako, szła po schodach prowadzących do szkoły.

– Dzisiaj mam najpiękniejszą sukienkę ze wszystkich dziewczynek – powiedziała i wskoczyła na wyższy schodek. – Będą mi zazdrościć. A mojej nauczycielce też się na pewno spodoba!

– Yuki, uważaj! – Asako starała się okiełznać temperament wnuczki.

– Zobacz, babciu, jak szybko potrafię biec po schodach. Szybciej niż ty! – krzyknęła dziewczynka, kręcąc się na stopniach.

– Nie biegaj tak po nich w górę i w dół, to niebezpieczne!

– Wcale nie! – sprzeciwiła się Yuki. – Pokażę ci, jak szybko potrafię po nich zbiegać.

– Yuki, nie! – krzyknęła Asako i chwyciła dziewczynkę za rękę.

– Aua, to boli, babciu! – pisnęła Yuki.

Wyrwała się jej i potarła rękę. Patrzyła na babcię z niedowierzaniem. Dlaczego zachowywała się tak dziwnie?

– Yuki, obiecaj mi, że nie będziesz już nigdy biegać tak szybko po schodach. Możesz zrobić sobie krzywdę! – powiedziała Asako stanowczo z surową miną. – Gdy skończysz lekcje, poczekasz na mnie, aż po ciebie przyjdę. Sama nie schodzisz po tych schodach. Zrozumiałaś?

– Ale, babciu, ja potrafię...

– Słyszałaś, co powiedziałam? – przerwała jej Asako. – Dziś po południu zaczekasz w szkole, aż po ciebie przyjdę. Zrozumiałaś?

Yuki nigdy nie widziała babci tak surowej, mimo to nie potraktowała jej ostrzeżenia poważnie. Dlaczego niby zbieganie po schodach miałoby być aż tak niebezpieczne?

– A jeśli przyjdziesz za późno? – spytała Yuki, nie chcąc do końca się poddać. – Wtedy zejdę z moimi przyjaciółmi bardzo powoli, obiecuję ci.

– Nie, Yuki – upierała się Asako. – Będziesz czekać tu, u samej góry schodów, aż przyjdę. Dokładnie tu! – wskazała na konkretne miejsce. – Obiecaj mi to.

– Dobrze, babciu, obiecuję – powiedziała Yuki, wciąż zdumiona tym dziwnym żądaniem.

– Obiecałaś, Yuki, bądź więc posłuszną dziewczynką – rzuciła jeszcze Asako, ale łagodniejszym tonem. – Proszę, czekaj tu na mnie.

Yuki przytaknęła. Wciąż nie rozumiejąc tego zakazu, pobiegła do budynku. Asako zaś stała i patrzyła, jak w wejściu znika żółta sukienka. Potem spojrzała na niebo. Choć świeciło słońce, w powietrzu czuć już było zapach nadchodzącego deszczu.

Podczas popołudniowych lekcji Yuki rysowała świątynie z Ise w swoim zeszycie. Przerywała co chwilę, żeby przywołać w pamięci ich kształt, ale pamiętała jedynie ciemne mury, przez co jej obrazek był dosyć ponury. Niezadowolona ze swojej pracy spojrzała na rysunek Kenjiego.

– Kenji, co rysujesz? – spytała i starała się zrozumieć wysiłki chłopca.

– To jest astronauta! – odpowiedział Kenji, wskazując na mężczyznę w białym kombinezonie.

– Astronauta?

– Tak, pierwszy człowiek, który stanął na Księżycu – wyjaśnił Kenji. – Doleciał tam. Widziałaś go w telewizji?

– Nie, nie mamy telewizora – odpowiedziała zawstydzona. – Ten człowiek naprawdę poleciał na Księżyc? Jak on to zrobił?

– Amerykanie w zeszłym miesiącu wysłali rakietę na Księżyc. Szkoda, że tego nie widziałaś. Gdy odpalono rakietę, to ciągnął się za nią długi ogon z ognia.

Gdy Kenji pokazywał, jak startowała rakieta, zgromadziła się wokół niego grupa chłopców, którzy chcieli zobaczyć jego rysunek astronauty.

– Czemu tu jest tak duży ogień? – spytał go chudy chłopak.

– Bo Księżyc jest bardzo oddalony od Ziemi. Taaak... – Kenji wskazał odpowiedni punkt na swoim rysunku. – Z Księżyca Ziemia wydaje się mniejsza niż paznokieć. Dlatego potrzebne jest dużo energii, żeby w ogóle przebyć całą tę drogę.

Yuki przytaknęła jak reszta dzieci, ale nie zrozumiała, co powiedział Kenji.

– A kiedy nie chce się lecieć tak daleko, nie potrzebuje się tak dużego ognia, tak? – spytała.

Kenji pomyślał przez chwilę.

– Nie sądzę. Widziałem raz, jak odlatuje samolot, i nie było tam w ogóle ognia. – Spojrzał na swój rysunek i sięgnął po czarny flamaster. – Myślę, że samoloty potrafią latać bez ognia – dodał.

– Aha – przytaknęła Yuki. Była pod wrażeniem dużej wiedzy Kenjiego. – A czy astronauta spotkał na Księżycu zająca? – spytała naiwnie.

Kenji i pozostali chłopcy wybuchnęli śmiechem.

– Ty głuptasie! Na Księżycu nie ma żadnych zajęcy. – Kenji zrobił wyniosłą minę. – To tylko stara historia, którą wymyślili ludzie – dodał. – Astronauta niczego tam nie znalazł. Księżyc jest pusty. Niczego tam nie ma.

– Zupełnie niczego? Żadnych księżycowych zajęcy, żadnych drzew, żadnych kwiatów? – Yuki nie potrafiła tego pojąć. Przyjrzała się rysunkowi Kenjiego. Tylko czemu ten astronauta się tam wybrał?

– Niczego! Nawet powietrza! Dlatego musiał zabrać je z sobą w skafandrze.

– Naprawdę? – zdziwiła się Yuki. – Ale jak to zrobił?

– W specjalnym zbiorniku na powietrze, głuptasie! Ja też zostanę w przyszłości astronautą – oświadczył z dumą Kenji. – Gdy będę dorosły, polecę na Księżyc.

Yuki znowu spojrzała na obrazek kolegi. Zamyśliła się przez chwilę i wyobraziła sobie, jak by to było, gdyby to ona znalazła się na Księżycu. Księżyc, który opisywał Kenji, nieszczególnie się jej podobał.

– Sam jesteś głuptasem, Kenji. Poza tym ja nigdy nie chciałabym polecieć na Księżyc – powiedziała cierpko. – Nie ma tam nikogo, z kim można by się bawić, żadnych drzew i kwiatów. Nawet powietrza! I głupie jest też to, że leci się tam, używając ognia. Jeśli chcesz tam lecieć, to musisz być głupcem.

– Sama jesteś głupia! – krzyknął Kenji. – Wciąż wierzysz tylko w księżycowe zające, które siedzą tam w górze i robią mochi.

– Na pewno są tam księżycowe króliki! – krzyknęła Yuki. Zdenerwowana rzuciła w niego brązową kredką, a on odpowiedział amunicją w postaci czarnego flamastra.

– Kenji! Yuki! Co wy robicie? Natychmiast przestańcie! – panna Murakami przerwała kłótnię od razu, jak tylko usłyszała krzyki. – O, malujesz świątynię – powiedziała, stając za dziewczynką, a Yuki przytaknęła. – Która to?

– Jedna z tych z Ise. Byłam tam wczoraj z moją babcią.

– Ach, Ise.

Nauczycielka przechyliła głowę i przyglądała się rysunkowi. Yuki czuła wzrok panny Murakami i była zła, bo jej rysunek był nudny w porównaniu z tym, co stworzył Kenji. Chłopiec rysował właśnie na rakiecie hinomaru – japońską flagę z czerwonym słońcem.

– Yuki, myślę, że twój rysunek byłby ciekawszy, gdybyś dorysowała kilka osób w kolorowych ubraniach stojących przed świątynią. Jak uważasz? – spytała panna Murakami.

Yuki natychmiast się zorientowała, że pannie Murakami jej obrazek też wydaje się zbyt ponury.

– Tak! W świątyniach było wielu ludzi! – zawołała i wyjęła z pudełka kilka kolorowych kredek.

Gdy nauczycielka przeszła dalej, żeby obejrzeć rysunek Kenjiego, w klasie nagle zrobiło się ciemno. Gęste deszczowe chmury zasłoniły słońce, wkrótce pojawiły się też błyskawice i zaczęło grzmieć. Dzieci zaczęły chórem krzyczeć i natychmiast w sali zrobił się harmider. Wszystkie podbiegły do okna, żeby oglądać duże krople deszczu z wielką siłą uderzające o szyby. Wiatr trząsł drzewami i unosił w powietrze leżące na ziemi liście.

– Spokój! Bądźcie grzeczni! – krzyknęła panna Murakami, stukając plastikową linijką o blat biurka. – Ten, kto natychmiast nie usiądzie na swoim miejscu, będzie stał na zewnątrz, dopóki mama po niego nie przyjdzie! – zagroziła. – Dzieci, które hałasują, nie należą do tej klasy.

Nauczycielka musiała mówić bardzo głośno, bo zagłuszały ją uderzenia piorunów. Jej groźba jednak podziałała, bo wszystkie dzieci ucichły.

– Tak jest dobrze. Kończcie teraz swoje rysunki. To tylko burza – powiedziała spokojnie. – Wkrótce wrócicie do domów.

Dzieci zabrały się z powrotem do rysowania, ale przy każdym uderzeniu pioruna spoglądały w stronę okna. Yuki postanowiła, że domaluje samą siebie w żółtej sukience. Gdy odłożyła żółtą kredkę do pudełka, zauważyła, że Kenji całą przestrzeń wokół Księżyca zapełnia jasnymi żółtymi gwiazdami. Ogarnięta dziwną zazdrością namalowała swoją babcię ubraną na czerwono, choć w dniu ich podróży do Ise miała ona na sobie seledynową bluzkę. Przy kolejnym gwałtownym i wyjątkowo silnym uderzeniu pioruna Yuki złamała czerwoną kredkę i upuściła ją na podłogę. Spostrzegła, że jedna z jej części znalazła się przy biurku panny Murakami. Nauczycielka podniosła ją i podała Yuki. Gdy Yuki wróciła do rysowania babci, ulewny deszcz stopniowo zaczął ustawać.

Gdy o świcie Asako skończyła roznosić tofu, zatrzymała się przed restauracją pani Sasaki, by poprosić ją o zapłatę za miniony miesiąc. Lecz drzwi lokalu były zamknięte od wewnątrz, co jeszcze nigdy się nie zdarzyło, bo o tej porze podawano w nim śniadanie. Asako słyszała niewyraźnie, że w środku kłócili się mężczyzna i kobieta, ale nie wtrącając się, poszła dalej. Wiedziała, że życie osobiste pani Sasaki było tak barwne jak kolory jej szminek. Miała więcej niż kilka romansów z żonatymi mężczyznami, choć sama zdecydowanie temu zaprzeczała.

Przed południem Asako weszła jeszcze do kilku sklepów spożywczych i restauracji, żeby odebrać swoją zapłatę. Następnie udała się na targ po ryż, który kupiła u tego samego sprzedawcy, u którego od wielu lat zaopatrywała się w soję.

– Jak się pani miewa, pani Tanaka? Wszystko u pani w porządku? – spytał handlarz Asako.

Mężczyzna nigdy nie interesował się jej życiem, mimo że widywał ją prawie codziennie. Zazwyczaj wymieniali jedynie kilka słów i grzecznościowych ukłonów. Zresztą wiele osób uważało sprzedawcę zboża za nieuprzejmego lub wręcz prostackiego człowieka, tak był małomówny i zdystansowany. To jednak był główny powód, który sprawiał, że Asako wciąż kupowała właśnie u niego. Mężczyzna nie szukał okazji, by zbierać plotki o innych, i najwyraźniej był zadowolony z tego, że może przez cały dzień słuchać wiadomości radiowych. Asako zastanawiała się, czemu więc tak nagle zapytał, czy u niej wszystko dobrze. Od razu przypomniała sobie koszmar, który niedawno się jej przyśnił. Choć było na to zdecydowanie zbyt wcześnie, postanowiła, że pójdzie po Yuki do szkoły, gdy tylko umyje i namoczy soję. Tam cierpliwie poczeka, aż skończą się lekcje, i mocno trzymając wnuczkę za rękę, bezpiecznie sprowadzi ją ze schodów.

Szybko więc wróciła do domu i zabrała się za prace w kuchni. Myjąc i mocząc soję, nie mogła przestać myśleć o ostatnim koszmarze. Właśnie ocierała pot z czoła, gdy zobaczyła pierwszą błyskawicę i usłyszała silne uderzenie pioruna. Wkrótce potem rozpętała się burza, a Asako postanowiła przerwać pracę i natychmiast wyruszyć po Yuki. Chciała mieć wnuczkę przy sobie jak najszybciej.

Nagle usłyszała głośny trzask na podwórku, jakby ktoś z dużą siłą wyłamywał bramę. Przestraszyła się tak bardzo, że upuściła wiadro z soją. Gorączkowo zaczęła ją zbierać z powrotem. Trzeszczenie ustało, pomyślała więc, że powodem był jedynie wyjątkowo silny podmuch wiatru. Po chwili jednak otworzyły się drzwi i do środka wpadło zimne mokre powietrze. Asako podniosła głowę i zamarła. W drzwiach stał przemoczony od stóp do głów Shigeru Kobayashi. Znajomy zapach alkoholu, który mu towarzyszył, rozwiał w Asako wszelkie wątpliwości co do tego, że to wszystko tylko jej się śni.

Kobayashi mocno się zestarzał. Był zupełnie siwy, a jego twarz pokrywała sieć głębokich zmarszczek. Jego oczy jednak wciąż błyszczały jak u dzikiego zwierzęcia. Odkąd trafił do więzienia, minęło prawie dwadzieścia lat. A gdy go zamykano, przeklął Asako i poprzysiągł sobie, że wróci tu i się zemści. I teraz stał oto naprzeciwko niej.

Soja, którą zbierała z podłogi, wypadła jej z rąk. Wstała, chociaż nogi miała miękkie jak z waty, a serce waliło jej młotem. Chciała krzyknąć, ale ze strachu nie potrafiła wydobyć z siebie głosu. Drżąc, cofnęła się w głąb kuchni.

– Chyba nie sądziłaś, że pozbyłaś się mnie na zawsze, co? – Kobayashi wszedł za nią. – Mamy rachunki do wyrównania – powiedział, zatrzaskując za sobą drzwi.

Asako zrobiła kilka kroków do tyłu, rzucając na podłogę wszystko, co tylko mogłoby go zatrzymać choć na chwilę.

– Proszę! – krzyczała. – Zostaw mnie w spokoju!

– Ciebie zostawić w spokoju? – syknął kpiąco. – Przez dwadzieścia lat miałaś spokój. Już nie pamiętasz? Byłem dwadzieścia lat w pudle! – krzyknął wściekle, wytrzeszczając oczy.

– Proszę, ja już wystarczająco dużo wycierpiałam! – krzyczała. – Sprawiłeś mnie i Miho tyle bólu! Dość już zrobiłeś! Dość!

– To nazywasz bólem?! – wrzasnął Kobayashi i przewrócił na podłogę szafę stojącą pod ścianą.

Talerze, miski i inne naczynia upadły na podłogę i roztrzaskały się na kawałki.

– Dwadzieścia lat czekałem na ten dzień! – wrzeszczał. – Powiedziałaś wszystko policji. Dwadzieścia lat, słyszysz?! Jesteś mi winna dwadzieścia lat, które spędziłem za kratkami!

Kobayashi chwycił bambusowy kosz i rzucił nim w Asako. Udało się jej uniknąć uderzenia.

– Pomyśl o tych wszystkich okrucieństwach, które wyrządziłeś mnie i Miho – starała się bronić Asako.

– Musiałam to zrobić. Nie miałam innego wyboru, niż donieść na ciebie! – krzyczała. – Chyba tylko cię zabić!

– Co powiedziałaś? Zamierzałaś mnie zabić? – popatrzył na Asako z niedowierzaniem, a potem uderzył ją w twarz. Krzyknęła, a z nosa zaczęła jej lecieć krew. Widziała, jak z wściekłości pulsują mu skronie. Uderzył ją w brzuch, gdy próbowała się czołgać, a potem patrzył, jak zwija się na podłodze. Jej krew ubrudziła soję. Kobayashi uderzył ją w głowę, a potem zaczął ją miażdżyć ciężkim butem, jakby rozdeptywał niedopałek. Asako jęknęła i poczuła, że krew spływa jej z gardła. Kobayashi przestał na chwilę i przykucnął obok niej.

– Zanim cię zabiję, musisz mi pokazać, gdzie teraz trzymasz pieniądze.

Zbliżył się do zakrwawionej twarzy Asako i wyciągnął nóż, ten sam, który miał przed laty.

– Wstawaj! – wrzasnął.

Zamiast zrobić, co mówił, Asako zaczęła się szybko czołgać w przeciwnym kierunku, wstała na kolana i chwyciła za nóż kuchenny. Wszystko to trwało ułamek sekundy i zdumiony Kobayashi nie zdążył zareagować. Kierując ostrze w jego stronę, Asako odsunęła się od niego. Krew i ślina spływały jej z twarzy na wyblakłe kimono.

– Zabiję cię, jeśli się zbliżysz! – krzyknęła zrozpaczonym głosem, a nóż drżał gwałtownie w jej rękach.

Zaskoczony Kobayashi patrzył to na nią, to na nóż, który trzymała. Przez chwilę nawet się nie poruszył, a potem pchnął ją mocno na ścianę, tak że straciła równowagę.

– Ty szalona wiedźmo! – warknął i z całej siły pchnął ją nożem w brzuch.

Krew zaczęła tryskać z otwartej rany, brudząc ubranie Asako i kapiąc na podłogę, ale ona nie puściła noża, który trzymała w ręce. Zanim upadła, resztką sił, jakie jej pozostały, wbiła go w klatkę piersiową Kobayashiego. Mężczyzna zaczął wić się z bólu jak oszalały, a zza jego czarnej koszuli niczym czerwony brudny strumień spod skał zaczęła się wydobywać krew. Asako upadła. Widziała, jak Kobayashi stopniowo przestawał się ruszać i w końcu umarł, z przekrwionymi oczami skierowanymi na nagą żarówkę wiszącą u sufitu. Asako zamknęła oczy. Mimo że krew coraz mocniej lała się z jej rany, ona potrafiła myśleć tylko o Miho. Tak bardzo chciała powiedzieć córce, że wreszcie znalazła w sobie tyle odwagi, by zabić tę bestię. Nie mogła się ruszyć. Czuła się tak, jakby wnikała głęboko w ziemię.

– Yuki… – jęknęła.

Przed śmiercią pragnęła jeszcze raz zobaczyć swoją wnuczkę.

Przyczołgała się do drzwi i popchnęła je. Deszcz lał strumieniami, wszędzie były kałuże. Z trudem oparła głowę o framugę i poczuła w powietrzu letnią świeżość. Zobaczyła, jak w jednej z kałuż odbijały się błyskawice. Wydało się jej to naprawdę piękne, jak hanabi – pokaz sztucznych ogni. Po chwili obraz powoli zaczął się jej zacierać. Wszystko wokół niej znikało jak na zepsutej taśmie filmowej. Nawet uderzenia piorunów wydawały się coraz bardziej odległe. Asako zapadła w sen, z którego już nigdy miała się nie obudzić.

Burza spowodowała, że większość matek przyszła po dzieci wcześniej, a wszystkie były wyposażone w płaszcze nieprzemakalne i parasole. Walcząc z silnym wiatrem i deszczem, sprowadzały swoje pociechy ostrożnie po schodach. I wkrótce przed szkołą została tylko Yuki. Czekając niecierpliwie na babcię, osłaniała się szkolną teczką. Wiało tak mocno, że trudno jej było ustać. Zobaczyła ją panna Murakami, która wychodziła właśnie z parasolem w ręku.

– Yuki, co ty tu jeszcze robisz? Gdzie jest twoja babcia?

– Nie wiem. – Dziewczynka z trudem powstrzymywała napływające łzy.

– Może po prostu się spóźni… – powiedziała panna Murakami. – Mam cię odprowadzić do domu?

– Ale moja babcia powiedziała, że muszę tu na nią czekać, dopóki po mnie nie przyjdzie. Obiecałam jej to.

Łzy zaczęły spływać jej po policzkach, choć robiła wszystko, by nie zacząć płakać.

– Ale i ale… – panna Murakami otarła jej łzy. – Zaprowadzę cię do domu. Poczekaj chwilę. Wezmę jeszcze jeden parasol. – Podała Yuki swój i wróciła do budynku.

Dziewczynka rozłożyła parasol nauczycielki i podeszła do krawędzi schodów. Miała nadzieję, że niebawem zobaczy na schodach swoją babcię. Może miała nawet dla niej mochi z nadzieniem z czerwonej fasoli.

– I co, babci wciąż nie ma? – spytała panna Murakami, próbując otworzyć parasol, co nie było łatwe ze względu na silny wiatr.

Gdy Yuki się odwróciła w jej stronę, silny podmuch poderwał ją w powietrze tak, że stopami nie dotykała ziemi. Dziewczynka machała nogami, trzymając się mocno rączki parasola jak kobieta w telewizji.

– Juhuu! Ja lecę! – krzyczała.

Panna Murakami, blada z przerażenia, podbiegła do schodów i patrzyła oniemiała na dziewczynkę lecącą w powietrzu, uczepioną kolorowego parasola.

– Yuki, nie puść parasola! Złapię cię! Trzymaj się mocno!

Nauczycielka rzuciła własny parasol i w panice zaczęła zbiegać po schodach.

– Juhuu! Ja lecę! – wołała wciąż rozradowana Yuki.

Jakby niesiona na skrzydłach anioła spokojnie i bezpiecznie znalazła się na samym końcu schodów, tuż przy ulicy. Z parasolem w dłoniach, rozpromieniona i uśmiechnięta od ucha do ucha, odwróciła się w kierunku szkoły tak jak kobieta w telewizji. Wiatr wciąż mocno trząsł drzewami, tak że machały do Yuki zielonymi gałązkami. Ona również im pomachała, czując, jak zimne krople deszczu spływają jej po policzkach.

– Yuki! Czy coś ci się stało?! – krzyczała panna Murakami, która bez tchu i całkowicie przemoczona znalazła się wreszcie przy swojej uczennicy.

– Sensei! Widziała pani, jak przeleciałam nad wszystkimi pięćdziesięcioma trzema schodkami? – Yuki aż podskakiwała z radości.

Panna Murakami przytaknęła, wciąż nie mogąc złapać tchu. Bez słowa odwróciła się w kierunku szkoły i pokręciła głową z niedowierzaniem.

– Leciałam calutką drogę aż tutaj! – krzyknęła Yuki.

– Nigdy więcej tego nie próbuj, nigdy więcej, Yuki – powiedziała nauczycielka, starając się opanować nerwy.

Złapała Yuki za rękę i przerwała jej stan euforii. – To był wypadek i miałaś nieprawdopodobne szczęście. Rozumiesz, Yuki? Nigdy więcej nie możesz próbować tego zrobić!

Ale sama podważyła swoje napomnienia w chwili, gdy wybuchła śmiechem. Nie potrafiła go powstrzymać, a w dodatku zaraziła nim Yuki. Obie stały więc w ulewnym deszczu i śmiały się do rozpuku. Panna Murakami nie wiedziała, skąd wzięła się w niej ta radość, ale stwierdziła nagle, że znów chciałaby być dzieckiem. Ale już po chwili z powrotem stała się dorosłą, odpowiedzialną kobietą.

Deszcz przestał padać tak nagle, jak zaczął, a wiatr znacznie osłabł, jakby burza postanowiła zrobić sobie przerwę. Oszołomione tą nagłą zmianą pogody, panna Murakami i Yuki patrzyły w niebo. Ostatnie ciężkie chmury zebrały się dokładnie nad nimi niczym gruby dywan.

– Muszę o tym opowiedzieć babci! – Yuki przerwała milczenie. – To mój szczęśliwy dzień!

Yuki biegła do domu, przeskakując kałuże, a panna Murakami szła za nią, trzymając w rękach dwa parasole. Odległy, ale wyraźny huk spowodowany uderzeniem pioruna oznaczał, że zbliża się kolejna burza.

Słownik

anko – słodka pasta z czerwonej fasoli

daikan – według japońskiego kalendarza księżycowego „wielki mróz", 20 stycznia

daikon – biała rzodkiew

dashi – bulion rybny

ema – drewniane tabliczki wotywne wieszane w świątyniach buddyjskich oraz shintoistycznych

futon – cienki materac do spania

hanabi – pokaz sztucznych ogni

haori – krótka kurtka noszona na kimono

himawari – słonecznik

hinomaru – znak na japońskiej fladze

ki – energia, duch, siła

kotatsu – niskie stoliki używane zimą, pod którymi umieszczano źródło ciepła, tak by nogi i stopy pozostawały ciepłe

mochi – lepki ryż uformowany w kulki, najczęściej nadziewany czerwoną słodką fasolą

obi – misternie wykonany ozdobny pas do kimona

ohaguro – japoński zwyczaj czernienia zębów specjalnym tuszem omikuji – karteczki z przepowiednią dostępne w świątyniach

oshinko – marynowane warzywa, zwłaszcza rzodkiew

sakura – japońskie kwiaty wiśni; drzewa zazwyczaj nie mają owoców

sashimi – odfiletowana surowa ryba

sensei – wyrażające szacunek określenie nauczyciela, ale również mistrza

shochu – wódka ryżowa

shoji – okna lub drzwi pokryte papierem

shosetsu – według japońskiego kalendarza księżycowego „mały śnieg", początek zimy, 22 listopada

shunbun no hi – równonoc, początek wiosny, 21 marca

soba – makaron gryczany

taisetsu – według japońskiego kalendarza księżycowego „wielki śnieg", 7 grudnia

takoyaki – smażone kulki z ciasta z kawałkami ośmiornicy

tamagoyaki – rolowany, słodki omlet

tatami – tradycyjne pokrycie podłogi ze słomy ryżowej

temizusha – zbiornik z bieżącą wodą znajdujący się przed świątyniami; wierni myją w nim ręce i płuczą usta

tempura – smażone w specjalnym cieście warzywa lub owoce morza

tofu – często nazywane twarożkiem sojowym; zawiera dużą ilość białka; ważny składnik kuchni japońskiej spożywany od setek lat w postaci schłodzonej, podgrzanej lub smażonej

toji – według japońskiego kalendarza księżycowego przesilenie zimowe, 22 grudnia

tokonoma – wnęka w ścianie, w której układane są kwiaty
    lub cenne przedmioty
udon – grube kluski z mąki pszennej
umeboshi – zielone śliwki konserwowane w soli; kulki ryżowe
    z umeboshi są popularnym prowiantem na drogę
zabuton – poduszka do siedzenia kładziona na tatami